Les Chevaliers d'émeraude

TOME VIII
Les dieux déchus

Du même auteur

Parus

- *Qui est Terra Wilder ?*
- *Les Chevaliers d'Émeraude*
        tome I : Le feu dans le ciel
        tome II : Les dragons de l'Empereur Noir
        tome III : Piège au Royaume des Ombres
        tome IV : La princesse rebelle
        tome V : L'île des Lézards
        tome VI : Le journal d'Onyx
        tome VII : L'enlèvement
        tome IX : L'héritage de Danalieth
        tome X : Représailles

À paraître bientôt

- *Les Chevaliers d'Émeraude*
        tome XI : La justice céleste

Anne Robillard

Les Chevaliers d'Émeraude

TOME VIII
Les dieux déchus

 Éditions de Mortagne

Données de catalogage avant publication (Canada)

Robillard, Anne

Les Chevaliers d'Émeraude

Sommaire : t. 8. Les dieux déchus.

ISBN   978-2-89074-684-8 (v. 8)

PS8585.O325C43 2002   C843'.6   C2002-941612-4
PS9585.O325C43 2002

Édition
Les Éditions de Mortagne
Case postale 116
Boucherville (Québec)
J4B 5E6

Distribution
Tél. : 450-641-2387
Téléc. : 450-655-6092
Courriel : edm@editionsdemortagne.qc.ca

Dépôt légal
Bibliothèque nationale du Canada
Bibliothèque nationale du Québec
Bibliothèque Nationale de France
1er trimestre 2006

ISBN : 978-2-89074-684-8

4 5 – 06 – 10 09 08 07

Imprimé au Canada

Nous reconnaissons l'aide financière du gouvernement du Canada par l'entremise du Programme d'aide au développement de l'industrie de l'édition (PADIÉ) et celle du gouvernement du Québec par l'entremise de la Société de développement des entreprises culturelles (SODEC) pour nos activités d'édition. Gouvernement du Québec – Programme de crédit d'impôt pour l'édition de livres – Gestion SODEC.

REMERCIEMENTS

Merci à tous mes fidèles lecteurs, surtout à Ronald et Carole, qui m'appuient inconditionnellement depuis toujours.

Merci à mon équipe magique : Claudia, Élise, Shushe, Patrick, Raymond, Vivianne, Catherine, Jean-Pierre, Katy, Marco, Vie, Fred. J'apprécie chaque seconde que vous m'accordez. Et Annie, ne te décourage pas, je fais mon possible pour tout retenir !

Merci à ma famille. Vous êtes le vent sous mes ailes qui me permet de voler toujours plus haut.

Merci aussi à tous les magnifiques comédiens qui personnifient mes Chevaliers lors des banquets : Cindy, Joëlle, Élise, Shushe, Patrick, Mathieu, Steve, Éric, Yanic et Claude ainsi qu'à ceux qui s'ajouteront à la distribution dans un proche avenir. Merci aussi à Faeria qui ajoute une touche enchantée à ces belles soirées.

Merci mille fois à Prologue. Les Chevaliers d'Émeraude couvrent de plus en plus de territoire grâce à vous.

Merci également à Max, Caroline, Alexandra, Marie-Claire et Pascale des Éditions de Mortagne pour leur patience. Merci aussi à Christian.

Surtout, merci à tous mes amis partout sur la planète... et ailleurs.

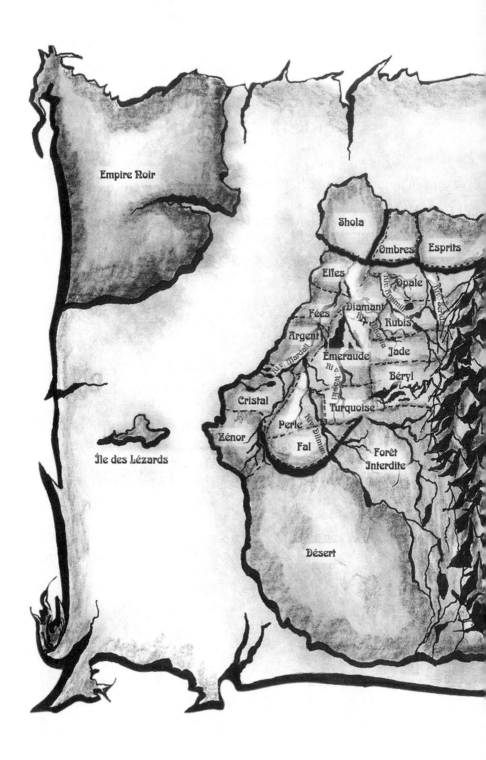

Empire Noir

Shola

Ombres

Esprits

Elfes

Opale

Fées

Diamant

Riv. Ttumil

Riv. Sende

Argent

Rubis

Émeraude

Jade

Riv. Mardall

Riv. Waskii

Béryl

Cristal

Turquoise

Zénor

Perle

Riv. Dilimun

Fal

Forêt
Interdite

Île des Lézards

Désert

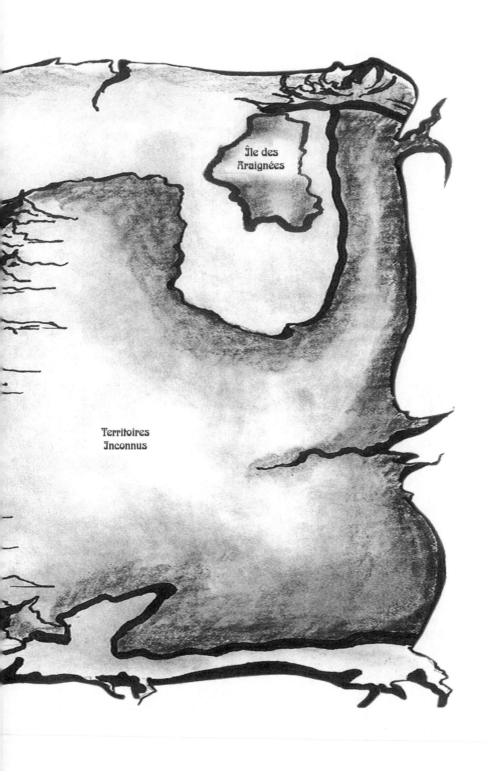

L'ORDRE
PREMIÈRE GÉNÉRATION
DES CHEVALIERS D'ÉMERAUDE

CHEVALIER BERGEAU
ÉCUYER LIANAN

❖

CHEVALIER CHLOÉ
ÉCUYER CORALIE

❖

CHEVALIER DEMPSEY
ÉCUYER INDYA

❖

CHEVALIER FALCON
ÉCUYER ALEX

CHEVALIER JASSON
ÉCUYER NIKELAI

❖

CHEVALIER SANTO
ÉCUYER SHANGWI

❖

CHEVALIER WELLAN
ÉCUYER LASSA

❖

L'ORDRE
DEUXIÈME GÉNÉRATION
DES CHEVALIERS D'ÉMERAUDE

CHEVALIER BRIDGESS
ÉCUYER ATHALÉE

❖

CHEVALIER KERNS
ÉCUYER CÉLAN

❖

CHEVALIER KEVIN
ÉCUYER LIAM

CHEVALIER NOGAIT
ÉCUYER DIANJIN

❖

CHEVALIER WANDA
ÉCUYER AMBRE

❖

CHEVALIER WIMME
ÉCUYER FILIP

L'ORDRE

TROISIÈME GÉNÉRATION
DES CHEVALIERS D'ÉMERAUDE

~

CHEVALIER ARIANE
ÉCUYER ODÉLIE

✧

CHEVALIER BRENNAN
ÉCUYER CHARIFF

✧

CHEVALIER COLVILLE
ÉCUYER MERCASS

✧

CHEVALIER CORBIN
ÉCUYER NORIKOFF

✧

CHEVALIER CURTIS
ÉCUYER XION

✧

CHEVALIER DEREK
ÉCUYER GILLIANG

✧

CHEVALIER HETTRICK
ÉCUYER JINANN

✧

CHEVALIER KAGAN
ÉCUYER AKARINA

CHEVALIER KIRA
ÉCUYER KEIKO

✧

CHEVALIER MILOS
ÉCUYER BATHIDE

✧

CHEVALIER MORGAN
ÉCUYER SAHILL

✧

CHEVALIER MURRAY
ÉCUYER ROMY

✧

CHEVALIER PENCER
ÉCUYER MAXENSE

✧

CHEVALIER SAGE
ÉCUYER CASSILDEY

✧

CHEVALIER SWAN
ÉCUYER JENIFAEL

✧

~

L'ORDRE
QUATRIÈME GÉNÉRATION
DES CHEVALIERS D'ÉMERAUDE

CHEVALIER AKERS
ÉCUYER KILIMIRIS

✧

CHEVALIER ALISEN
ÉCUYER VASSILIOS

✧

CHEVALIER AMAX
ÉCUYER SHUHEI

✧

CHEVALIER ARCA
ÉCUYER TAZYEL

✧

CHEVALIER ATALL
ÉCUYER IVANKO

✧

CHEVALIER BAILEY
ÉCUYER CIDIA

✧

CHEVALIER BIANCHI
ÉCUYER UWHAN

✧

CHEVALIER BOTTI
ÉCUYER ZORAN

✧

CHEVALIER BRANNOCK
ÉCUYER NOVA

✧

CHEVALIER CALLAAN
ÉCUYER ALLADO

✧

CHEVALIER DAIKLAN
ÉCUYER BÉLONN

✧

CHEVALIER DAVIS
ÉCUYER DONATEY

✧

CHEVALIER DIENELT
ÉCUYER BRIT

✧

CHEVALIER DILLAWN
ÉCUYER SORA

✧

CHEVALIER DREWRY
ÉCUYER PARISE

✧

CHEVALIER DYKSTA
ÉCUYER MYUNG

✧

CHEVALIER FABRICE
ÉCUYER EDESSA

✧

CHEVALIER FOSSELL
ÉCUYER RYUN

✧

CHEVALIER GABRELLE
ÉCUYER TARA

✧

CHEVALIER HEILDER
ÉCUYER BANSAL

✧

chevalier herrior
écuyer deleska

✦

chevalier hiall
écuyer goran

✦

chevalier izzly
écuyer orlando

✦

chevalier jana
écuyer andaraniel

✦

chevalier joslove
écuyer rayanelle

✦

chevalier kisilin
écuyer théa

✦

chevalier kowal
écuyer haspel

✦

chevalier kruse
écuyer xéli

✦

chevalier kumitz
écuyer waxim

✦

chevalier lornan
écuyer shizuo

✦

chevalier madier
écuyer jakobe

✦

chevalier maïwen
écuyer noémie

✦

chevalier offman
écuyer jaromir

✦

chevalier prorok
écuyer tivador

✦

chevalier randan
écuyer malède

✦

chevalier reiser
écuyer vivay

✦

chevalier robyn
écuyer vélaria

✦

chevalier romald
écuyer shandini

✦

chevalier salmo
écuyer aurelle

✦

chevalier sheehy
écuyer brianna

✦

chevalier sherman
écuyer christer

✦

chevalier silvess
écuyer onill

✦

chevalier ursa
écuyer marika

✦

chevalier volpel
écuyer cyril

✦

CHEVALIER WINKS
ÉCUYER ALI

✧

CHEVALIER YAMINA
ÉCUYER ÉMÉLIANNE

✧

CHEVALIER YANN
ÉCUYER MICHAL

✧

CHEVALIER ZANE
ÉCUYER HORACIO

✧

CHEVALIER ZERROUK
ÉCUYER ANTON

✧

~

L'ORDRE
CINQUIÈME GÉNÉRATION
DES CHEVALIERS D'ÉMERAUDE

CHEVALIER ADA
ÉCUYER LORELI

❖

CHEVALIER AIDAN
ÉCUYER CILIAN

❖

CHEVALIER ALWIN
ÉCUYER FALIDE

❖

CHEVALIER BANKSTON
ÉCUYER DAVIEL

❖

CHEVALIER BENSON
ÉCUYER MARYNE

❖

CHEVALIER CAMILLA
ÉCUYER ANALIA

❖

CHEVALIER DANSEN
ÉCUYER MÉRINE

❖

CHEVALIER DEAN
ÉCUYER OSAN

❖

CHEVALIER DREW
ÉCUYER SAPHORA

❖

CHEVALIER DUNKEL
ÉCUYER NÉDA

❖

CHEVALIER ELLIE
ÉCUYER CRISTELLE

❖

CHEVALIER FAYDEN
ÉCUYER ÉDUL

❖

CHEVALIER FRANCIS
ÉCUYER DOMENEC

❖

CHEVALIER FRANKLIN
ÉCUYER MADUL

❖

CHEVALIER GIBBS
ÉCUYER SYMILDE

❖

CHEVALIER HARRISON
ÉCUYER SYRIAN

❖

CHEVALIER HONSU
ÉCUYER TIDIAN

❖

CHEVALIER IVY
ÉCUYER JULIA

❖

CHEVALIER JONAS
ÉCUYER HÉLIANTE

❖

CHEVALIER KELLY
ÉCUYER ESKO

❖

chevalier koshof
écuyer philin

✧

chevalier lavann
écuyer kaled

✧

chevalier linney
écuyer sladek

✧

chevalier mann
écuyer dalvi

✧

chevalier mara
écuyer fanelle

✧

chevalier moher
écuyer valici

✧

chevalier nelson
écuyer noah

✧

chevalier nurik
écuyer léode

✧

chevalier phelan
écuyer jaake

✧

chevalier pierce
écuyer tédéenne

chevalier polass
écuyer jolain

✧

chevalier quill
écuyer périn

✧

chevalier radama
écuyer dollyn

✧

chevalier rainbow
écuyer thalie

✧

chevalier rupert
écuyer fideka

✧

chevalier sagwee
écuyer otylo

✧

chevalier stone
écuyer armil

✧

chevalier terri
écuyer sédanie

✧

chevalier yancy
écuyer tomaso

✧

ASBETH

SAGE

PROLOGUE

Ỗans le premier tome, *Le feu dans le ciel*, le roi
Émeraude Ier ressuscite un ancien ordre de chevalerie afin
de protéger le continent d'Enkidiev contre les nouvelles
tentatives d'invasion d'Amecareth, empereur du continent
d'Irianeth et seigneur des hommes-insectes. Dotés de pouvoirs magiques, les nouveaux Chevaliers d'Émeraude sont
enfin prêts à combattre l'ennemi.

La Reine Fan de Shola se présente au château qui
les abrite et confie à Émeraude Ier sa fille Kira, l'enfant
mauve alors âgée de deux ans. Wellan, le chef des Chevaliers,
tombe amoureux de Fan, mais le Royaume de Shola subit le
premier les attaques féroces des dragons de l'Empereur
Noir et tous les Sholiens, y compris la belle reine, sont
massacrés.

Les Chevaliers parcourent alors Enkidiev afin de trouver
des volontaires pour creuser les pièges qui stopperont
l'assaut des monstres.

Le deuxième tome, *Les dragons de l'Empereur Noir*, commence sept années plus tard. Maintenant âgée de neuf ans,
Kira désire plus que tout au monde devenir Écuyer. Mais

pour l'empêcher de devenir une cible facile pour Amecareth, Wellan et le magicien Élund refusent sa candidature.

Décidant de prendre son destin en main, la princesse mauve conjure le défunt Roi Hadrian d'Argent, jadis chef des anciens Chevaliers d'Émeraude, afin qu'il lui apprenne le maniement des armes.

Pendant ce temps, les dragons d'Amecareth s'infiltrent sur le territoire d'Enkidiev sous forme d'œufs flottant jusqu'aux berges de ses nombreuses rivières, où ils éclosent. Au même moment, Asbeth, le sorcier recouvert de plumes de l'empereur, s'attaque aux Chevaliers.

Comprenant qu'il ne pourra pas le vaincre à l'aide de ses seuls pouvoirs, Wellan se rend au Royaume des Ombres pour y recevoir l'enseignement des maîtres magiciens. Il y découvre des hybrides conçus par Amecareth et protégés par l'Immortel Nomar, qui veut s'assurer que leur père insecte ne les retrouve jamais.

Pendant que Wellan apprend à maîtriser de nouvelles facultés magiques, ses frères et ses sœurs d'armes traquent Asbeth dans les forêts du continent. Le sorcier s'empare alors du corps d'un jeune Elfe et conduit les Chevaliers sur le bord de l'océan pour les y anéantir. Mais, de retour de son exil dans le monde souterrain, Wellan fait échouer les plans de l'homme-oiseau.

Dans le troisième tome, *Piège au Royaume des Ombres*, Kira a quinze ans et ressent les premiers frémissements de l'adolescence. Elle réalise son rêve le plus cher : elle devient enfin Écuyer d'Émeraude.

Ressentant le besoin de s'unir à une compagne, Jasson et Bergeau se marient, imitant ainsi leurs compagnons Dempsey, Chloé et Falcon.

Au moment où Wellan visite le Royaume d'Argent, une magnifique pluie d'étoiles filantes signale la naissance du porteur de lumière, personnage central de la prophétie qui prédit la fin du règne d'Amecareth. L'Immortel Abnar, chargé par les dieux de veiller sur les humains, ramène aussitôt le bébé à Émeraude afin de s'occuper de lui.

Sur la plage d'Argent, la Reine Fan apparaît à Wellan pour l'avertir que les troupes d'Amecareth convergent vers Zénor. Tous les Chevaliers s'y rassemblent en vitesse. C'est après avoir éliminé seule les dragons de l'ennemi que Kira découvre finalement ses origines. Mais elle n'a pas le temps de s'apitoyer sur son sort, car les Chevaliers doivent répondre à un appel de détresse en provenance du Royaume des Ombres.

Aux abords du cratère de ce vaste pays recouvert de glace, Wellan est victime d'un sortilège d'Asbeth, qui a survécu à leur dernier duel et qui entend se venger. Ayant incendié le sanctuaire des hybrides, le sorcier poursuit impitoyablement la princesse mauve dans les galeries. Au moment où elle s'échappe sur les plaines enneigées de Shola, Asbeth est finalement neutralisé par la puissante magie de Nomar.

Ayant accompli leur mission, les Chevaliers rentrent à Émeraude, sans se rendre compte que le jeune Sage qu'ils ramènent avec eux est possédé par l'esprit vengeur du Chevalier Onyx. Sous les traits du jeune paysan innocent, le renégat prononce le serment d'Émeraude dans le château où il a jadis failli perdre la vie et rassemble les objets qui lui redonnent ses pouvoirs d'antan.

Dans le quatrième tome, *La Princesse rebelle*, Kira, âgée de 19 ans, devient enfin Chevalier et épouse Sage d'Émeraude, ignorant qu'il est possédé par l'esprit du renégat

Onyx. Lorsque ce dernier se décide enfin à se venger d'Abnar, Wellan et les Chevaliers d'Émeraude doivent déployer toute leur force pour l'empêcher de détruire leur allié Immortel. Ils sont alors stupéfiés de constater la puissance qu'Abnar a jadis accordée aux anciens soldats de l'Ordre.

Une fois redevenu lui-même, Sage doit faire face à une vie dont il n'a aucun souvenir, mais Kira lui apprend patiemment tout ce qu'il doit savoir. Soumis à nouveau aux épreuves magiques d'Élund, le jeune guerrier démontre qu'il a toujours de grands pouvoirs, mais qu'il ne sait pas comment les utiliser. Il reviendra donc à Wellan de le guider.

Au milieu des célébrations organisées en l'honneur de Parandar, le chef des dieux, un homme agonisant se précipite dans la grande cour du Château d'Émeraude et annonce aux Chevaliers que des créatures inconnues déciment la côte. N'écoutant que leur cœur, les valeureux soldats se précipitent au secours des villages éprouvés. Ils découvrent que des hommes-lézards ont enlevé les femmes et les fillettes du Royaume de Cristal et qu'ils continuent de remonter la côte. Les Chevaliers leur tendent donc un piège au Royaume d'Argent et les repoussent vers la mer.

De retour au château, Wellan épouse enfin Bridgess. Après la grande fête donnée en leur honneur, ils s'échappent d'Émeraude pour aller passer quelques jours seuls sur le bord de l'océan.

Dans le cinquième tome, *L'île des Lézards*, guidés par leur courage et leur sens de la justice, les Chevaliers d'Émeraude se lancent au secours des femmes et des fillettes kidnappées au Royaume de Cristal par les lézards et emportées sur leur île lointaine.

Wellan n'emmène avec lui que quelques-uns de ses soldats, consternant les autres, qui devront rester de garde à Zénor. Les Chevaliers d'Émeraude s'embarquent donc pour cette périlleuse mission, accompagnés du Magicien de Cristal.

Pendant ce temps, dans les ruines du Château de Zénor, Dempsey prend en charge les jeunes Chevaliers et les Écuyers. Ils y affrontent un nouveau serviteur de l'Empereur Noir, encore plus cruel que le sorcier Asbeth. Wellan ayant défendu à ses soldats de communiquer avec lui tandis qu'il s'infiltre sur l'île des lézards, Dempsey et ses frères d'armes affrontent seuls cette nouvelle menace.

Dans le sixième tome, *Le Journal d'Onyx*, le Chevalier Wellan découvre grâce à Kira le journal du renégat Onyx, dans lequel il apprend le sort qui sera réservé à ses propres soldats si l'Empereur Noir décide d'adopter la même stratégie militaire que jadis. Effrayé, il tente d'acculer le Magicien de Cristal au pied du mur afin d'obtenir de plus grands pouvoirs magiques.

Pendant ce temps, lancées par le sorcier Asbeth, des abeilles géantes attaquent Enkidiev et les Chevaliers doivent une fois de plus se porter au secours des habitants de toute la côte. Durant l'opération de sauvetage, Wellan règle définitivement ses comptes avec le Roi des Elfes. C'est aussi dans cette belle forêt que les dieux offrent à Bridgess et Wellan l'enfant qu'ils ne pouvaient concevoir.

De retour de cette campagne militaire, c'est un conflit diplomatique qui attend le grand chef de l'Ordre au Château d'Émeraude, car le Chevalier Nogait est amoureux de la Princesse des Elfes.

Dans le septième tome, *L'Enlèvement*, la mort du magicien Élund chagrine tous les habitants du Château d'Émeraude. Conformément aux volontés de son ancien maître, Wellan remet les lettres que le mage a écrites à certains des Chevaliers et prononce son dernier discours. Il découvre aussi que Elund lui a légué un curieux bijou. Ce n'est qu'en démasquant une fois de plus Onyx dans le corps de Farrell que Wellan parvient à utiliser ce cadeau. Grâce au médaillon de Danalieth, le grand Chevalier apprend que son père se meurt aussi et il s'empresse de se rendre à son chevet avec toute sa famille.

Pendant que Fan presse Kira de terminer ses études magiques auprès des dieux, Asbeth prépare un autre plan diabolique, avec l'assentiment de l'Empereur Noir. Le sorcier déclenche une attaque sur la côte d'Enkidiev et réussit à s'emparer du Chevalier Kevin, qu'il surveillait depuis longtemps dans son chaudron ensorcelé.

C'est à ce moment que Wellan comprend que la puissante magie et les connaissances d'Onyx sont des atouts pour les Chevaliers dans cette guerre. Avec son aide, il réussit à arracher Kevin des griffes des hommes-insectes, mais il est trop tard : Kevin a déjà été empoisonné et il représente un grand danger pour les siens. C'est Onyx qui intervient cette fois encore pour le soigner. Mais les connaissances du renégat ont des limites et la transformation de Kevin devient inévitable.

1

L'impasse

En se réveillant, ce jour-là, Lassa comprit que sa vie allait complètement changer. Âgé de douze ans, il avait terminé avec succès ses études de magie. Tous les élèves d'Émeraude allaient bientôt devenir des Écuyers et être affectés à des Chevaliers. Le jeune prince avait souvent observé ces magnifiques soldats vêtus de cuirasses vertes de la galerie de leur grand hall, sans pouvoir décider lequel il voulait servir, car ils avaient tous de belles qualités.

Lassa était un garçon très doux, qui aimait écrire des poèmes et des chansons et étudier les étoiles. Il n'était pas très grand pour son âge, ni très musclé. Ses cheveux blonds et raides touchaient ses épaules, cachant parfois ses beaux yeux de saphir, surtout lorsqu'il était intimidé par la présence d'étrangers. Cet enfant possédait de formidables pouvoirs magiques. En fait, il aurait pu devenir le prochain apprenti du magicien d'Émeraude, de l'avis des maîtres Hawke et Farrell. Cependant, une prophétie semblait plutôt vouloir en faire un soldat, puisqu'elle disait que c'était lui qui détruirait l'empereur des insectes. La seule idée de manier une épée ou de se servir d'un poignard horrifiait le jeune prince, qui leur préférait la harpe et la plume. Mais il savait que les dieux ne le laisseraient pas échapper à son destin.

Il avait dormi tard ce matin-là, pour la première fois depuis bien longtemps, car il n'y avait plus de cours dans les deux tours. Il avait ouvert les yeux dans le rayon de soleil que l'étroite fenêtre laissait entrer dans sa vaste chambre circulaire.

– Armène ? appela-t-il en s'asseyant.

– Je suis là, mon poussin, répondit la servante.

Elle s'assit près de lui, replaça ses mèches rebelles et l'embrassa sur le front. Un radieux sourire apparut sur les lèvres du prince dont elle s'occupait depuis la naissance.

– Je t'ai fait remplir une baignoire d'eau chaude ici même, pour que tu puisses te laver avant l'importante cérémonie de cet après-midi, ajouta-t-elle.

– C'est gentil, Mène, mais à partir de demain, je vais devoir me purifier dans les grands bains du château, avec tous les Chevaliers d'Émeraude et leurs apprentis.

– Es-tu bien certain de vouloir devenir un Écuyer, Lassa ?

– Je n'ai pas le choix, si je dois débarrasser le monde de la menace de l'Empereur Noir.

Il sauta du lit et courut jusqu'à la baignoire où flottaient des pétales odorants. Il se glissa jusqu'au cou dans l'eau bienfaisante et ferma les paupières. Il n'avait aucune envie d'apprendre à se battre, mais il rêvait de passer les prochaines années en compagnie d'un homme qui lui servirait enfin de père, ce qu'il n'avait jamais connu. Le Magicien de Cristal, chez qui il logeait, ne lui avait été d'aucun secours dans ce domaine. Il avait même disparu quelques années plus tôt. De toute façon, avant ce mystérieux événement, l'Immortel ne s'était adressé à lui que pour lui faire réciter ses leçons. Lassa allait enfin recevoir l'attention d'un Chevalier et profiter de ses précieux conseils.

Dès qu'il fut séché, Armène lui fit revêtir une tunique couleur sable, d'un tissu souple et soyeux, et enfiler des sandales de cuir. Puis, elle le pria de s'asseoir à la table pour son premier repas de la journée. Lassa y trottina gaiement en chantant une de ses chansons favorites sur les exploits de Kira. « Il est si docile, ce beau Prince de Zénor », pensa la servante en déposant une assiette devant lui. Le gamin mordit dans la galette. Il fixa soudainement la femme dévouée avec des yeux remplis de larmes.

– Mais qu'y a-t-il donc, mon trésor ? s'alarma Armène.

– C'est sans doute la dernière fois que je mange ici avec toi, Mène. Je ne pourrai plus quitter mon maître lorsqu'on me l'aura affecté.

– Mais je serai toujours là quand tu auras besoin de moi, tu le sais bien. Ce Chevalier te laissera certainement me rendre visite de temps en temps. Bridgess permettait bien à Kira de passer quelques heures en ma compagnie toutes les semaines.

Cela sembla le rassurer. Il continua de mastiquer la pâtisserie en mémorisant les moindres détails de la pièce.

– Farrell nous a récité toutes les obligations des Écuyers, raconta-t-il à la gouvernante. Elles ne sont pas si difficiles à observer, finalement. Je suis déjà un garçon poli et obéissant.

– Il n'y a pas de petit homme plus parfait que toi dans le monde entier, acquiesça Armène.

– Ce sera plus difficile pour Liam, je crois.

C'était justement à lui qu'elle songeait, car elle avait appris à bien connaître ce garçon plein d'audace et d'énergie. Elle se méfiait de son penchant pour les choses défendues. Heureusement, il n'avait jamais exercé de mauvaise influence sur son protégé.

Lassa termina son repas et embrassa Armène sur la joue. Elle lui fit promettre de bien se tenir, même si cette recommandation était tout à fait inutile dans son cas, et le libéra. Il était assez vieux maintenant pour circuler à sa guise dans le château sans qu'elle le surveille constamment.

Le gamin se précipita dans l'escalier, traversa la pièce déserte où Abnar avait habité autrefois, puis s'élança vers le second escalier. La disparition du Magicien de Cristal l'avait d'abord rempli d'effroi, puisqu'il était son protecteur, mais au fil des mois, il s'était habitué à son absence. Tout compte fait, il appréciait ce relâchement de discipline.

Farrell s'était avéré un maître de magie beaucoup moins strict qu'Abnar. Au lieu d'imposer ses connaissances aux enfants, il leur avait proposé ses théories et écouté leurs commentaires ou leurs hypothèses, pour les mener tout doucement vers la vérité. Il ne les avait jamais obligés à lire d'énormes traités anciens. Il en avait plutôt résumé le contenu, puis leur avait fait exécuter des exercices pratiques s'y rapportant. Lassa aimait beaucoup maître Farrell. Il le traitait de façon humaine, probablement parce qu'il était le père de trois petits garçons, tandis que le Magicien de Cristal, un Immortel, ne manifestait jamais ses émotions.

Lassa sortit dans la cour inondée de soleil. Il courut jusqu'à l'écurie, où il espérait trouver son ami Liam. Il s'arrêta dans la porte du bâtiment pour laisser ses yeux s'habituer à la pénombre. Il détecta l'énergie du fils de Jasson, mais fut très surpris de déceler aussi une grande tristesse dans son cœur. Pourtant, Liam n'avait cessé de lui parler avec enthousiasme du jour où il deviendrait enfin apprenti. Alors, pourquoi avait-il du chagrin au moment où son rêve allait enfin se réaliser ?

Le prince se précipita dans l'allée jalonnée de stalles. Les chevaux dressèrent les oreilles à son passage, mais continuèrent de manger leur ration du matin. Liam s'était réfugié dans l'un de ces compartiments étroits. Il caressait l'encolure d'un bel animal de combat en train de mâcher les grains qu'on avait versés dans son auge. En étudiant plus profondément les émotions de son ami, Lassa découvrit la raison de sa détresse : leur nouveau statut d'Écuyer allait les séparer pendant les prochaines années.

– Ce ne sera pas pour toujours, le consola le prince en grimpant sur la demi-porte qui empêchait le cheval de quitter sa stalle.

Liam releva vivement la tête d'un air fanfaron, car il était important pour lui d'être le plus brave soldat de tout le continent. Mais Lassa le connaissait bien et il ne s'en offensa pas.

– Un jour, nous serons des Chevaliers et nous jouirons de plus de liberté, ajouta le prince. La période d'apprentissage n'est que de cinq ans, après tout.

Une larme silencieuse coula sur la joue de Liam, malgré tous ses efforts pour se montrer brave. Voyant qu'il n'arrivait pas à le rassurer, Lassa le serra contre lui.

– C'est un sacrifice nécessaire. Je suis certain que tu auras un maître extraordinaire, qui te laissera me parler de temps en temps. Je t'en prie, Liam, ne pleure pas.

– Vous allez me manquer, Jeni et toi, sanglota le garçon bouleversé.

– Peut-être irons-nous en mission ensemble. Les Chevaliers combattent toujours en groupe.

Liam se dégagea de son étreinte. Il inspira profondément pour se donner du courage. Les deux garçons étaient à peu près de la même taille, mais Lassa était moins costaud que son camarade. Liam avait de larges épaules et des bras beaucoup plus solides. Ses cheveux bruns bouclés descendaient dans son dos et ses yeux verts pétillaient comme ceux de son père. Comme il était le fils d'un des sept Chevaliers les plus âgés de l'Ordre, le gamin voulait se montrer à la hauteur pour plaire à Jasson, même si personne ne l'exigeait de lui.

– Allez, viens, proposa Lassa. Nous n'allons pas passer ces derniers moments ensemble dans une écurie. Le soleil brille de tous ses feux et le temps est encore frais.

Il saisit la main de Liam et le tira hors de la stalle. Les garçons s'élancèrent dans l'allée. Ils faillirent entrer en collision avec les chevaux qu'on rentrait en prévision de la chaleur de l'après-midi. Ils débouchèrent dans la cour ensoleillée, où plusieurs de leurs camarades s'adonnaient à un jeu que Bergeau leur avait montré quelques années auparavant. Ils se joignirent donc aux enfants qui se disputaient un ballon de cuir qu'ils poussaient entre deux charrettes en n'utilisant que leurs pieds. Leur course effrénée nuisait au travail des serviteurs du château, mais ces derniers ne tentèrent pas de brimer leur enthousiasme. Ils savaient que dès le lendemain, ces petits marcheraient tous aux côtés de leurs maîtres et que le calme reviendrait à Émeraude.

Au même moment, dans l'aile des Chevaliers, assise sur le lit de ses parents, Jenifael laissait sa mère tresser ses longs cheveux blonds. Durant les quatre premières années de sa vie, cette enfant divine avait grandi à une vitesse accélérée, mais, depuis quelque temps, elle semblait se développer normalement. Elle ressemblait aux autres fillettes de douze ans de sa classe, mais elle n'en avait que sept. Tout en la coiffant, Bridgess scruta discrètement le cœur de cette magnifique déesse que Wellan et elle avaient adoptée pour leur plus grande joie.

– Tu es bien nerveuse ce matin, constata la mère.

– Ne l'étais-tu pas aussi avant de connaître l'identité du Chevalier qui allait tout t'enseigner ? rétorqua Jenifael.

– Un peu, mais certainement pas autant que toi en ce moment.

– C'est parce que tu n'étais pas la fille de deux illustres Chevaliers. Il me sera difficile de me montrer digne de mes parents.

– Mais nous n'avons jamais rien demandé de tel, s'étonna Bridgess en attachant un petit cordon de cuir au bout de sa natte.

– Non, admit l'enfant en se retournant vers elle, ses yeux noisette brillant d'admiration. Mais vous êtes des guerriers parfaits, alors je me dois de l'être aussi.

– Si ton père t'entendait dire une chose pareille, il serait furieux.

Le visage de la fillette s'attrista, car elle ne voulait surtout pas s'attirer les reproches du grand Chevalier qui dirigeait l'Ordre. Non seulement il était son père adoré, mais il était aussi son héros et elle voulait plus que tout au monde qu'il soit fier d'elle.

– Tout ce que nous désirons, c'est que tu sois heureuse, Jeni, peu importe ce que tu auras choisi de faire dans la vie. Tu ne dois pas te sentir obligée de devenir un Chevalier parce que nous le sommes.

– Mais je veux marcher dans vos pas ! protesta la petite. Je veux devenir un Chevalier d'Émeraude pour sauver le monde et aider Kira à protéger Lassa. Mais je dois d'abord être un Écuyer docile et courageux, qui rendra des services inestimables à son maître, comme tu l'as fait pour papa.

– Je n'étais pas si soumise que tu crois, lui révéla Bridgess avec un sourire évocateur.

Jenifael se faufila dans ses bras, heureuse que les Chevaliers jouissent de ce répit de quelques jours au château. Ces braves soldats vêtus de cuirasses vertes ne cessaient de repousser les tentatives d'invasion d'Amecareth. Mais, depuis que Wellan avait détruit les pouponnières impériales, au moins ils n'avaient plus eu à affronter ses terribles guerriers noirs. L'empereur avait dû se contenter de dépêcher sur le continent tous ses sujets de races conquises, les menaçant de représailles contre leurs familles pour les obliger à combattre les humains. Les Chevaliers avaient persuadé certaines d'entre elles de rebrousser chemin en démontrant leur puissance magique, mais d'autres les avaient tout de même attaqués.

– Maman, qui surveille la côte quand vous êtes tous ici ?

– Ce sont les Elfes. Ils ont promis de nous avertir en cas de danger.

Bridgess embrassa les cheveux de sa fille en se demandant si elle serait assez forte pour survivre à tous ces affrontements, car elle n'avait pas encore appris à se servir d'une épée.

– Tu devrais aller rejoindre tes amis, suggéra-t-elle en la repoussant doucement. Profite de tes dernières heures de liberté pour t'amuser. Et surtout, n'importune pas ton père.

Jenifael hocha la tête avec obéissance. Elle sauta sur le sol et gambada vers la porte en songeant aux lourdes responsabilités de Wellan depuis la mort du magicien Élund. C'était le vieux sage qui jumelait jadis les apprentis et les Chevaliers en tenant compte de leurs affinités. Mais il n'était plus là pour prendre cette importante décision. Les magiciens Hawke et Farrell avaient donc imploré l'aide du chef des Chevaliers.

Wellan avait accepté de dresser une liste des forces et des faiblesses de tous ses soldats, car il les connaissait mieux que quiconque. Cependant, il n'y en avait que soixante-dix-neuf, et trente-neuf d'entre eux s'occupaient déjà d'adolescents de quatorze ans. Comment allait-il fournir de nouveaux maîtres à la centaine d'enfants qui étaient prêts à apprendre le maniement des armes ?

« Les dieux ont jadis accéléré la croissance de certains Écuyers afin de leur permettre de combattre l'ennemi aux côtés des Chevaliers », se rappela-t-il. Mais craignant d'abuser de leur bonté, Wellan hésitait à leur demander d'intervenir cette fois encore.

Assis dans un coin isolé de la bibliothèque du palais, le grand chef contemplait le vide en cherchant une solution. Sur la table reposait le parchemin sur lequel il avait inscrit le nom de tous ses soldats, ainsi qu'une courte évaluation des aptitudes de chacun. « Comme un maître de classe », remarqua-t-il. S'il n'y avait pas eu cette guerre contre les insectes, il aurait certainement enseigné l'histoire ou l'écriture ancienne. Il aurait également cultivé sa terre de ses propres mains. Mais le destin avait choisi pour lui un chemin fort différent.

Il se mit à penser au Royaume de Rubis, désormais gouverné par son frère Stem. Un souffle glacial fit alors courir des frissons dans son cou. Il se retourna. Le fantôme de la Reine Fan flottait près de la fenêtre, un air grave sur son visage d'albâtre. Sa peau et sa robe composée d'une multitude de voiles irradiaient une douce lumière lunaire. Il y avait bien longtemps qu'elle ne lui avait ainsi rendu visite, bien longtemps aussi que sa passion pour elle s'était éteinte.

— *J'ai besoin de vous, Wellan*, annonça-t-elle d'une voix neutre.

« Ce n'est guère le moment de me demander de l'aide », soupira-t-il intérieurement. Mais Fan était un maître magicien : il était forcé de l'écouter. Il baissa donc la tête pour lui signaler sa soumission.

— *Comme vous le savez déjà, ma fille est appelée à jouer un grand rôle dans la destinée des humains*, poursuivit le fantôme sans la moindre émotion, *mais Kira en a été distraite par la guerre.*

— Distraite ? répéta le soldat en relevant la tête, car la jeune femme mauve avait plus d'une fois sauvé la vie de ses compagnons depuis qu'elle était devenue Chevalier.

— *Les dieux exigent qu'elle termine les études magiques qu'elle a commencées auprès d'Abnar.*

— Mais nous ne l'avons jamais obligée à devenir un soldat, protesta-t-il. Loin de là ! J'ai tout fait pour la soustraire à cette vie de danger ! La déesse de Rubis m'en est témoin !

— *Alors, persuadez-la maintenant d'accepter son destin.*

— Vous êtes sa mère, Majesté, lui rappela Wellan sur un ton cassant. Vous êtes mieux placée que moi pour orienter ses décisions.

La belle reine lui décocha un regard noir.

— *J'ai déjà tenté de raisonner Kira*, répliqua-t-elle, *mais son attachement à son mari est puissant.*

— C'est, je le crains, un mal qui afflige bien des humains, murmura Wellan en se rappelant la froideur avec laquelle la reine fantôme l'avait traité lorsqu'elle n'avait plus eu besoin de lui.

— *Les dieux n'apprécieraient guère vos remarques cinglantes, sire Wellan.*

— S'ils ont déjà connu les joies et les peines de l'amour, ils comprendront mon amertume.

La magicienne se déplaça autour de lui en le fixant avec rancœur. Les pans de son vêtement projetaient des halos lumineux sur le plancher et sur les tablettes chargées de vieux livres. Wellan n'eut pas à la sonder pour comprendre qu'elle était furieuse contre lui.

— Je n'ai aucune emprise sur votre fille, marmonna-t-il finalement. Vous devriez plutôt vous adresser à Sage. Il a plus d'influence sur elle que nous tous.

— *Parandar ne sera pas content d'apprendre que vous avez oublié la mission qu'il vous a confiée, Chevalier.*

Fan se dématérialisa dans une pluie d'étincelles dorées. Soulagé, Wellan laissa retomber ses larges épaules. Certes, il ne lui était pas permis de défier ainsi ouvertement les maîtres magiciens, mais il ne pouvait plus se permettre de leur faire confiance. Tout ce que Farrell lui avait raconté et tout ce qu'il avait appris au sujet des Immortels dans les livres secrets du Royaume des Elfes le rendaient très méfiant. Les choses ne tournaient pas rond dans le monde des dieux et il ne voulait pas que les humains en fassent les frais.

Il porta son regard sur la table où reposait toujours la liste des vertus de ses Chevaliers. « Peut-être aurais-je dû remettre ce problème entre les mains de la reine fantôme ? » songea-t-il avec un sourire narquois. Le soleil descendait lentement et il ne savait toujours pas quoi faire des jeunes élèves d'Émeraude.

Il capta alors une énergie familière qui lui réchauffa le cœur. Il s'étira le cou pour regarder entre les rayons. Sa fille venait vers lui. « Elle est aussi belle que sa mère », s'attendrit-il. Ses cheveux blonds tressés dans son dos dégageaient son visage volontaire et ses yeux noisette dans lesquels apparaissaient souvent de légères flammes irisées. Jenifael portait une tunique courte et des sandales poussiéreuses qui indiquaient qu'elle avait joué avec les autres enfants dans la cour.

Elle fronça les sourcils en ressentant l'inquiétude de son père. Wellan la sentit le scruter, mais ne s'opposa pas à cette intrusion dans ses pensées personnelles, même si les Écuyers n'étaient pas censés sonder les Chevaliers. Il avait bien du mal à se montrer sévère avec sa propre fille.

– Je sais que je ne possède pas encore la sagesse de ma mère, déclara l'enfant en croisant ses petits bras sur sa poitrine, mais je veux t'aider.

Wellan l'attira contre lui et l'embrassa bruyamment dans le cou, en la faisant rire. Il la fit asseoir sur ses genoux. Lorsqu'elle fit mine de jeter un coup d'œil au document sur la table, il ne l'en empêcha pas.

– Tu n'arrives pas à nous affecter à des Chevaliers ? s'étonna-t-elle.

– Si ce n'était que ça...

Intriguée, elle examina plus attentivement les noms et comprit rapidement qu'il y avait beaucoup moins de soldats que d'élèves.

– Tu pourrais confier deux enfants à chaque soldat, suggéra-t-elle. Élund l'a déjà fait.

– C'est vrai, mais les combats n'étaient pas aussi rapprochés. Il serait bien difficile maintenant d'entraîner deux néophytes tout en se battant contre les hordes de démons que l'empereur lâche continuellement contre nous.

– Et nous ne connaissons rien aux armes, reconnut l'enfant. Maman m'a raconté que les dieux ont jadis accéléré la croissance de certains Écuyers. Demande-leur de refaire la même chose.

– Parandar n'aime pas que les humains le harcèlent ainsi, Jenifael, répondit le père. Rappelle-toi qu'il nous a créés pour que nous apprenions à nous débrouiller.

– Mais si nous sommes leurs créatures, raisonna-t-elle, alors ils ont certainement notre survie à cœur.

– Tu es têtue comme moi, s'amusa Wellan. Pourtant, je n'ai jamais rien fait pour t'encourager à la rébellion.

– Je ne suis pas rebelle, je suis réaliste.

– Maintenant, on dirait ta mère.

– Mais je suis vous deux, tu le sais bien.

Elle jeta ses bras autour du cou massif du Chevalier et le serra de toutes ses forces. Elle aimait profondément cet homme qui commandait ses troupes avec une main de fer, mais qui traitait ses femmes avec douceur. Il y avait de plus en plus de mèches grises dans ses cheveux blonds, mais Jenifael refusait d'y voir un signe de vieillesse. Elle préférait dire que c'était une marque de sagesse, car son père était l'homme le plus instruit de tout le continent. Il savait autant de choses que maître Farrell sur l'histoire et la guerre. On disait même qu'il avait la faveur de la déesse de Rubis.

– Nous allons trouver une solution, ne t'inquiète pas, affirma-t-elle sur un ton qui rappelait celui de Bridgess.

– Nous ? répéta Wellan. Les Écuyers ne sont pas censés prendre ce genre d'initiative avant d'être Chevaliers, à ce que je sache.

– C'est exact, mais le code n'empêche pas les enfants de venir en aide à leurs parents.

– Il n'y a donc aucune façon d'avoir le dernier mot, avec toi ? se réjouit Wellan

– Non. Je t'aiderai, que tu le veuilles ou non.

Adoptant un air sérieux, Jenifael lui conseilla de ne pas se présenter en retard au repas du soir, car sa mère avait aussi envie de passer un peu de temps avec lui. Elle sauta par terre et Wellan la regarda s'éloigner, encore sous le charme de son essence divine.

2

LA FORMULE MAGIQUE

Les enfants jouèrent au ballon dans la grande cour toute la journée, se remplaçant régulièrement les uns les autres pour ne pas succomber à la chaleur. En voyant le soleil se coucher, Jenifael comprit que la cérémonie d'attribution des Écuyers n'aurait pas lieu ce jour-là.

Le calcul n'était pas sa matière forte, mais elle avait vite compris, en observant la liste des Chevaliers, qu'il n'y en avait pas suffisamment pour tous les élèves d'Émeraude. La moitié des soldats avaient déjà des apprentis adolescents, qui ne seraient pas adoubés avant plusieurs années. À ce moment-là, le nombre de Chevaliers augmenterait à cent dix-huit, ce qui leur permettrait de former tous les apprentis. Mais que faire, en attendant, des élèves qui venaient de terminer leurs études ? La seule solution était d'accélérer une fois de plus la croissance des Écuyers. Pourtant, Wellan hésitait à demander l'intervention des dieux.

Jenifael quitta ses amis et se rendit à la chapelle où se trouvaient les statuettes de toutes les divinités du continent. À l'autre bout de la salle, dont l'atmosphère était saturée de l'odeur de l'encens et des fleurs sauvages, il y avait une magnifique icône de Theandras sur un socle de marbre.

Cette statue géante avait été offerte à Wellan par la Reine Mira, sa mère, lors de son mariage, bien des années plus tôt. Jenifael s'agenouilla devant la belle déesse écarlate et chercha les mots qui lui assureraient le concours de la protectrice du Royaume de Rubis.

– Ô vénérable mère des dieux du feu, je ne suis encore qu'une enfant. Je sais que vous avez des choses bien plus urgentes à faire qu'écouter ma requête, mais ...

Une main se posa sur l'épaule de la fillette. Elle poussa un cri de terreur, qui se répercuta sur les murs de pierre polie et fit trembler toutes les statuettes sur les autels. Son cœur battant la chamade, Jenifael fit volte-face. Liam et Lassa la fixaient avec étonnement.

– Vous m'avez fait peur ! leur reprocha-t-elle.

– Mais tu aurais dû ressentir notre arrivée, répliqua Liam. Nous n'avons même pas essayé de la dissimuler.

– J'étais bien trop occupée pour remarquer quoi que ce soit !

– Mais qu'est-ce que tu fais ici, au juste ? voulut savoir Lassa.

– Je priais la déesse de Rubis, tu le vois bien ! répondit la fillette en pointant la statue du doigt.

– Tu n'en as pourtant pas l'habitude, commenta Liam.

– Aujourd'hui, j'avais une faveur spéciale à lui demander. Vous avez tout gâché.

– Mais non, Jeni, se désola Lassa. Continue de prier, nous ne te dérangerons pas.

– Vous pensez que je vais pouvoir me concentrer avec vous deux dans mon dos ?

– Dis-nous ce que tu veux lui demander et nous l'implorerons avec toi, suggéra Liam.

– Nous pourrions même nous adresser à des dieux différents pour être certains que ça fonctionne, ajouta Lassa.

– Vous êtes bien trop distraits pour le faire convenablement, maugréa Jenifael en se résignant à remettre son entreprise à plus tard. D'ailleurs, nous ne devrions même pas tenir ce genre de conversation dans un endroit aussi sacré. Allez, dehors !

Elle les poussa vers la porte et les accompagna dans le couloir qui menait, d'un côté, à l'aile des Chevaliers et, de l'autre, au hall du roi. Elle choisit cette dernière destination.

– Quelle est cette importante faveur ? l'interrogea Lassa.

– Si c'est une petite sœur que tu veux, j'en ai une à vendre pas cher, plaisanta Liam, qui n'aimait pas l'attention que recevait la petite Katil de la part de ses parents.

– Ne dis pas de mal de cette adorable fillette, qui te ressemble d'ailleurs beaucoup, l'avertit Jenifael. Tu apprendras à l'apprécier en grandissant.

– Alors, c'est quoi, Jeni ? insista Lassa.

– Mon père retarde la cérémonie d'attribution des Écuyers parce qu'il n'y a pas suffisamment de Chevaliers pour les former tous. Je veux que la déesse de Rubis nous donne un coup de main et qu'elle fasse vieillir leurs

Écuyers actuels pour qu'ils soient adoubés le plus rapidement possible. Si le nombre de Chevaliers augmente cette semaine, nous aurons chacun un maître.

– C'est un bon plan, admit Liam, mais il n'y a rien qui prouve que Theandras t'exaucera.

Pourtant, Jenifael était persuadée du contraire. Elle n'en dit rien à son compagnon plus téméraire, qui préférait foncer plutôt que d'attendre le bon vouloir du ciel. Les trois enfants poursuivirent leur route jusqu'au hall, où leurs compagnons commençaient à s'entasser pour le repas du soir. Ils prirent place ensemble au bout d'une des longues tables de bois et patientèrent sagement pendant que les serviteurs leur apportaient les délicieux plats. Quelques Chevaliers circulaient au milieu des élèves pour assurer la discipline, mais ce soir-là, ayant joué toute la journée, les enfants étaient trop fatigués pour déroger aux règlements.

– Je suis certain qu'une formule magique permet de faire vieillir les gens, déclara soudainement Lassa.

« Une incantation ! » comprit Jenifael. « Pourquoi n'y ai-je pas songé ? » Son père lui avait si souvent répété que tout était consigné quelque part, qu'il fallait seulement savoir chercher...

– S'il y en avait une, tu ne penses pas que sire Wellan l'aurait déjà trouvée ? rétorqua Liam.

Les épaules de la fillette s'affaissèrent, car son ami avait raison. Son père avait lu tous les ouvrages de la bibliothèque. S'il n'avait pas envisagé lui-même cette solution, c'était sans doute parce que cet enchantement n'existait pas.

Le trio mangea en silence. Les garçons suivaient les pensées de leur jeune compagne, qui continuait à chercher comment ils pourraient tous devenir des apprentis. Après le repas, Jenifael suivit les filles dans leur dortoir. Elle se glissa sous ses couvertures en soupirant. Wellan était un érudit, mais il était désormais préoccupé par la guerre. Il était possible qu'il ait oublié le contenu de certains traités de magie...

Dès que les chandelles furent éteintes, Jenifael quitta son lit. Elle enfila sa tunique, sortit de la pièce sur la pointe des pieds et se rendit à la bibliothèque. Avant d'entrer, elle scruta l'endroit pour s'assurer que personne ne s'y était attardé. Elle pénétra dans la section des ouvrages défendus et alluma à l'aide de son esprit les bougies qui se trouvaient sur la table. Il y avait des tablettes jusqu'au plafond, chargées de livres aux couvertures de cuir ou de métal et de parchemins enroulés sur les tiges de bois, protégés par des étuis de peau si minces qu'ils étaient transparents.

De quelle façon allait-elle pouvoir mettre la main sur une formule magique dans tout ce fouillis ? Elle se rappela alors que son père avait réussi à repérer le journal d'un ancien Chevalier en utilisant ses pouvoirs. Mais les siens n'étaient pas aussi puissants. « Pourquoi Élund n'a-t-il jamais redigé un index de tous ces ouvrages ? » déplora-t-elle.

La petite déesse se concentra profondément en levant les bras. Elle allait verbaliser sa requête lorsqu'on lui tira la manche. Effrayée, elle pivota sur elle-même, craignant de se trouver nez à nez avec son père, mais c'était Lassa qui l'observait.

– Allez-vous arrêter de me surprendre ainsi ? siffla la fillette, mécontente.

– Je suis venu t'aider, Jeni, murmura le garçon en lui faisant signe de baisser la voix. Il faut beaucoup d'énergie pour retrouver magiquement un livre dans une bibliothèque aussi vaste.

– Il n'y a probablement que mon père, maître Farrell et maître Hawke qui puissent y arriver, mais j'hésite à le leur demander.

– Et si nous mettions nos forces en commun, toi et moi ? suggéra Lassa.

« Qu'avons-nous à perdre ? » se dit la fillette. Leur professeur de magie leur avait déjà raconté que les anciens Chevaliers d'Émeraude avaient à quelques reprises uni leurs facultés pour affronter les sorciers de l'empereur.

– Comment s'y prend-on ?

Lassa saisit sa main et lui proposa de ne penser qu'aux mots « magie destinée à modifier le temps ». Jenifael s'exécuta docilement. L'air crépita dans ce coin isolé de la bibliothèque, faisant dresser les cheveux sur la nuque des deux enfants. Soudain, plusieurs livres décollèrent des tablettes les plus hautes et foncèrent sur eux. Les jeunes magiciens s'écrasèrent sur le sol en même temps. En quelques secondes, ils furent ensevelis sous une avalanche de vieux volumes. Lorsque la tempête prit fin, Jenifael releva prudemment la tête.

– Lassa, je crois que ta requête n'était pas suffisamment précise, l'informa-t-elle.

– Tu as raison. Ce que nous voulons, en fait, c'est seulement une formule pour faire vieillir les Écuyers de quelques années.

Un livre à la couverture usée s'éleva de la montagne d'ouvrages poussiéreux. Émerveillés, les enfants écarquillèrent les yeux. Le prince s'empara prestement du traité de magie avant qu'il ne retombe parmi les autres. Il ressentit alors l'approche d'un adulte, qui avait dû entendre le vacarme. De sa main libre, Lassa saisit Jenifael par le bras. Il la dégagea de l'amoncellement de vieux grimoires pour l'entraîner avec lui dans la section adjacente. Ils s'élancèrent sous une table juste au moment où un serviteur arrivait sur les lieux, encore somnolent. L'homme aperçut le dégât sur le plancher et examina les tablettes, qui n'avaient pourtant pas cédé sous le poids des livres.

Les deux enfants n'osaient plus respirer. Ils risquaient d'être punis s'ils étaient surpris à l'extérieur de leurs dortoirs au beau milieu de la nuit. Mais, heureusement, le domestique était fatigué. Plutôt que de réparer ce désordre, il tourna les talons et sortit de la pièce en bâillant. Lassa fit un clin d'œil à Jenifael. Ils furent aussitôt emportés dans un tourbillon de lumière multicolore. Quelques secondes plus tard, ils réapparaissaient dans la pièce circulaire où Lassa vivait depuis qu'il était bébé.

– Tu aurais pu nous sortir de là plus tôt, lui reprocha Jenifael. Si cet homme nous avait vus, c'en était fait de nous.

– Je ne peux pas utiliser mes pouvoirs magiques quand je suis effrayé, Jeni, lui rappela le porteur de lumière.

– Où est Armène ?

– Elle dort en bas depuis que je suis plus vieux. Elle dit que c'est plus respectueux.

Lassa se dirigea vers son grand lit et y déposa le traité de magie. Jenifael sauta sur le matelas de plumes aux côtés de son ami pour l'étudier avec lui. Le petit prince tourna les pages craquelées avec prudence, car ils avaient tous entendu l'histoire de l'élémental de feu que Kira avait libéré lorsqu'elle était enfant. Ils ne voulaient surtout pas relâcher une semblable créature dans le château alors qu'ils étaient sur le point de devenir Écuyers.

Ils ne consultèrent d'abord que les titres des chapitres, écrits dans la langue des anciens, puis s'arrêtèrent sur quelques mots prometteurs : « Pour modifier le cours du temps ». Les deux enfants curieux parcoururent l'incantation : elle nécessitait des ingrédients dangereux ou difficiles à obtenir.

– Toutes ces potions sont gardées sous clé chez maître Farrell, soupira Lassa, qui refusait de s'introduire chez lui pour les lui subtiliser.

– Et comment allons-nous obtenir des morceaux de vêtements de tous les Écuyers ?

– Je crois que nous ferions mieux de laisser tomber.

– Non, Lassa. Ce n'est pas parce qu'un projet est compliqué qu'il faut le laisser tomber. Nous allons plutôt dormir là-dessus et en discuter avec Liam demain matin. Il aura peut-être des suggestions.

– Je veux bien y réfléchir cette nuit, mais je ne sais pas si c'est une bonne idée d'en parler à Liam. Il est incapable de garder un secret.

– Oui, c'est vrai. Nous agirons sans lui. Maintenant, aide-moi à retourner au dortoir.

Le garçon la fit disparaître en passant la main devant elle, puis cacha l'ouvrage sous son matelas.

3

LE PACTE DU SILENCE

Cette nuit-là, Jenifael fit un curieux rêve. Elle suivait les élèves dans le hall du roi comme tous les matins. Mais au lieu d'entrer dans l'immense pièce décorée de vert et d'or, elle se retrouva dans un espace vide où flottaient des nuages. Les autres enfants avaient disparu. Elle appela ses amis, mais seul l'écho de sa voix lui répondit. Terrorisée, car elle croyait être morte durant la nuit, elle réclama sa mère, avant d'éclater en sanglots. La belle dame vêtue de rouge, qu'elle voyait souvent en songe, sortit de la brume. Ses longs cheveux noirs ondulaient sur ses épaules. Un sourire se dessina sur ses lèvres écarlates tandis qu'elle s'agenouillait devant la fillette. C'est alors que Jenifael remarqua ses yeux : ils étaient semblables aux siens !

La petite déesse se réveilla en sursaut dans son lit. Ses compagnes dormaient encore. Sa robe de nuit collait à sa peau trempée de sueur. Elle quitta sa couchette pour asperger son visage d'eau dans la fontaine accrochée au mur. Rafraîchie, elle changea ses vêtements et se risqua dans le couloir. « Il doit être très tôt », songea-t-elle.

Le château baignait dans la lumière grisâtre de l'aube, mais il y régnait un silence oppressant. L'enfant sonda l'aile des Chevaliers. Son père et sa mère n'étaient pas encore levés :

c'était le bon moment pour échafauder des plans avec Lassa. Pourrait-elle s'infiltrer dans la tour d'Abnar sans alarmer Armène ? À pas de loup, elle se rendit jusqu'à la porte principale du palais. Même les gardiens n'y étaient plus. Elle descendit le porche et s'aventura sur le sable froid. Lassa se matérialisa devant elle. Jenifael porta vivement la main à sa bouche pour ne pas laisser éclater son mécontentement.

— J'ai fait exprès de ne pas surgir derrière toi ! protesta le porteur de lumière avant qu'elle lui adresse des reproches.

Ravalant son commentaire, Jenifael l'entraîna vers les enclos, où ils pourraient discuter loin des palefreniers, qui se levaient avant tout le monde.

— J'ai bien réfléchi, déclara la fillette. Nous ne pouvons pas échapper à notre devoir. Il nous faut venir en aide à l'Ordre.

— J'ai retourné la question dans tous les sens. Si j'accepte de procéder à ce sortilège, c'est uniquement pour mettre fin à la guerre. Je ne veux pas être obligé de me battre.

— Je ne vois pas comment nous pourrions éviter les affrontements, mais ce n'est pas le moment de discuter de politique. Il nous faut copier cette formule magique et retourner tout de suite le livre à la bibliothèque.

— Je l'ai déjà fait.

Il lui tendit un morceau de parchemin.

— Tu as une belle écriture, constata la petite déesse.

— Ce n'est pas étonnant, avec tous les exercices auxquels m'a astreint maître Abnar.

Jenifael relut attentivement l'incantation et les ingrédients dont ils auraient besoin. Il serait plus ou moins facile de trouver les morceaux de vêtements des Écuyers visés en découpant un petit bout de leurs couvertures. Mais comment se procurer les poudres que Farrell gardait sous clé dans sa tour ? Surtout que depuis le retour de Swan, il ne quittait pas souvent son antre...

– Il faudra le surveiller étroitement et profiter d'une de ses sorties, suggéra Lassa, qui suivait le cours de ses pensées.

– Ou créer une diversion qui nous donnerait le temps de forcer le cadenas... en espérant qu'il ne soit pas magique. Pour le cadran solaire, ce ne sera pas un problème.

Jenifael plia le papier en quatre et le dissimula dans sa ceinture. Elle capta alors le regard profondément inquiet de son jeune ami.

– Peut-être serait-il préférable de demander à un vrai magicien de procéder à ce sortilège ? proposa-t-il.

– Et s'il refusait ? Nous ne serions pas plus avancés, Lassa. Le mieux, c'est d'être très discrets. De cette façon, les Chevaliers croiront qu'il s'agit d'une intervention divine. D'ailleurs, nos intentions sont pures, alors ce n'est pas vraiment une indiscipline.

– Oui, c'est vrai.

Ils décidèrent donc de commencer par les pièces de tissu. Afin de ne pas les mêler, ils se rendirent à la bibliothèque pour confectionner des enveloppes. Les trente-neuf noms y furent méticuleusement inscrits.

– Prends-en la moitié, décida Jenifael. Dès que nous aurons tous les petits bouts de couverture, nous verrons à nous procurer les poudres magiques.

Lassa acquiesça d'un mouvement de la tête. Il aurait bien aimé que Jenifael soit sa sœur, car elle avait toujours de bonnes idées.

– Écoute-moi bien, Lassa. Il ne faut surtout pas que ta gouvernante tombe sur ces papiers.

– Sois sans crainte. Armène ne fouille jamais dans mes affaires.

– Cela me rassure. Quand tous les ingrédients seront réunis, nous trouverons un endroit tranquille pour procéder à l'opération.

Lassa se souvint alors que Kira rencontrait jadis, en cachette, le fantôme du Roi Hadrian à l'étage des cellules, dans la quatrième tour. L'escalier n'ayant toujours pas été reconstruit, ils n'y seraient pas dérangés.

– Nous devons faire attention pour ne pas que les Chevaliers devinent nos plans, ajouta Jenifael. Alors, tâche de ne pas y penser constamment.

Le château s'animait. Les deux enfants cachèrent les enveloppes dans des livres d'histoire d'Enkidiev, qu'ils avaient parfaitement le droit de prendre avec eux, puis ils se dirigèrent vers le hall. Les servantes commençaient à s'y affairer. Lassa et Jenifael prirent leur place habituelle. Peu de temps après, les élèves se mirent à arriver en se posant tous la même question : seraient-ils affectés aux Chevaliers ce jour-là ? La petite déesse n'eut pas le cœur de leur annoncer que son père n'avait pas encore résolu ce casse-tête.

Liam sauta sur le banc à côté de Jenifael. Il avisa aussitôt les ouvrages savants que ses amis avaient posés près de leurs assiettes.

– Nous n'avons plus de cours, alors pourquoi ces bouquins ? s'informa-t-il en espérant que ce ne soit pas une activité imposée en attendant leur affectation.

– On peut s'instruire en tout temps, Liam, répliqua Jenifael sur un ton sentencieux.

– Moi, je préfère les choses concrètes.

– Mais pour les apprendre, tu dois tout de même lire.

– De grâce, ne vous querellez pas pour si peu, les implora Lassa.

Jenifael haussa les épaules et rompit le pain chaud qu'elle venait de choisir dans un grand panier. Lassa fit un clin d'œil à son camarade pour lui indiquer qu'elle n'était pas fâchée. Soulagé, Liam se mit à manger avec appétit.

Le repas terminé, Jenifael alla jeter un coup d'œil dans le hall des Chevaliers. Wellan et Bridgess prenaient leur repas en compagnie des autres soldats et des Écuyers. Il aurait été si facile de passer derrière chacun d'eux et de couper un petit morceau de leurs tuniques... Se rappelant que son père avait le don de lire ses pensées sans effort, l'enfant fit disparaître cette image de son esprit. Elle contempla plutôt le visage de Wellan, curieusement serein en dépit de tous ses problèmes.

– Tiens, une espionne ! lâcha Bergeau en surgissant derrière elle.

– Je voulais juste voir si mes parents étaient là, se défendit la petite en faisant volte-face.

Le Chevalier s'empara d'elle, la lança sur son épaule comme un sac de farine et la transporta jusqu'à son chef. Jenifael commença par hurler d'indignation, puis éclata de rire. La scène amusa toute l'assemblée.

– Regarde qui j'ai trouvé ! annonça Bergeau en la déposant sur les genoux de Wellan. Il est grand temps que nous occupions sainement ces enfants !

– Surtout que les magiciens vont bientôt commencer les classes des tout-petits, renchérit Bridgess en embrassant sa fille sur la joue.

– Nous pourrions les aider en attendant de devenir Écuyers, suggéra Jenifael.

– Vous n'en aurez pas le temps, n'est-ce pas, Wellan ? le pressa Dempsey.

– J'éprouve de la difficulté à apparier maîtres et apprentis, mais je trouverai une solution d'ici quelques jours.

– Les magiciens vont-ils retarder les cours jusqu'à ce que tu aies pris une décision ? s'inquiéta Bergeau en prenant place parmi ses frères. Mon fils Keifer n'arrête pas de faire des bêtises à la maison avec sa magie.

– Mon indécision ne devrait pas les affecter, le rassura le grand chef.

Dans ses bras, Jenifael était l'exemple même de la sagesse, ce qui déclencha une discussion sur l'avantage d'enfanter des filles plutôt que des garçons. Bergeau, qui en avait trois, dont une petite d'un an, leur raconta toutes leurs prouesses. Puis il relata tous les coups pendables de son gamin de cinq ans.

— Ce n'est pas parce que c'est un garçon qu'il est turbulent, c'est parce qu'il est ton fils ! se moqua Nogait. Le mien a le même âge et il est adorable !

— C'est parce que sa mère est une Elfe, rétorqua l'homme du Désert.

Wellan arqua un sourcil. Sa petite déesse en profita pour lire ses pensées. Ce grand guerrier ne croyait pas à la suprématie d'un sexe sur l'autre. « Il a parfaitement raison », l'appuya Jenifael en passant ses bras autour de son cou.

— Messeigneurs, les interrompit un serviteur qui venait de se poster au bout des trois longues tables.

Les soldats se turent graduellement. Wellan fit signe à l'homme de parler.

— Des visiteurs demandent à s'entretenir avec le Chevalier Sage.

— Avec moi ? s'étonna ce dernier.

À ses côtés, Kira paraissait aussi stupéfaite que lui.

— Ils arrivent d'Opale.

« Sa famille », comprit la Sholienne. Sage était si surpris qu'il ne clignait même plus des paupières. Kira lui donna un petit coup de coude amical dans les côtes.

— J'y vais, réagit-il finalement.

Le domestique s'inclina et quitta la salle. Sage se rendit compte que tous les regards étaient fixés sur lui.

– Viens, il n'est pas poli de les faire attendre, le sauva Kira en se levant.

Le Chevalier aux yeux fantomatiques s'empressa de la suivre, tout en se demandant pourquoi son père avait quitté la sécurité du Château d'Opale.

4

RETOUR AU PAYS

Lorsqu'il se présenta dans le vestibule du palais, Sage fut surpris d'apprendre que sa famille avait été conduite dans l'antichambre de la salle d'audience. C'était habituellement dans cette magnifique pièce aux riches tapisseries et aux somptueux fauteuils que les invités de marque attendaient de voir le roi.

– Mais pour quelle raison ? voulut savoir le Chevalier.

– Parce qu'ils sont les invités de la famille royale, évidemment, répondit le serviteur en lançant un coup d'œil inquiet à Kira.

– Vous avez bien fait, Yssé, le remercia-t-elle. Mon époux oublie parfois qu'il est devenu le Prince d'Émeraude en m'épousant.

Rassuré, le domestique s'inclina devant le couple. « Elle a raison, admit Sage en grimpant les marches. Mais je ne m'y habituerai jamais. » Heureusement, la Sholienne ne le lui reprochait pas. Elle semblait plutôt s'amuser de sa simplicité.

– Je ne voudrais pas que tu sois différent, chuchota-t-elle à son oreille tandis qu'ils atteignaient les grandes portes.

Le jeune soldat s'empressa de les ouvrir. Son inquiétude s'envola lorsqu'il constata que sa mère, son père et ses sœurs semblaient bien portants. Ils étaient assis les uns près des autres, leurs effets à leurs pieds. « Si ce n'est pas la maladie qui les incite à quitter Opale, pourquoi sont-ils partis ? » se demanda-t-il.

– Sage ! s'exclama Sutton.

Ce dernier avait pris du poids depuis leur dernière rencontre, dans les pays du Nord. Il lui rappela davantage le père qu'il avait connu à Espérita. Avait-il aussi ramené son peuple avec lui ? Avant que Sage puisse ouvrir la bouche pour le questionner, Sutton l'emprisonna dans ses bras et le serra avec force.

– C'est si bon de vous revoir, Kira et toi.

– Je suis content aussi, mais quelque peu consterné.

Sutton le repoussa doucement en fronçant les sourcils.

– Tu crois que nous avons été chassés d'Opale, c'est ça ?

– Cela m'a effleuré l'esprit, avoua l'hybride.

– C'est une décision personnelle, je t'assure, lui apprit Galli en s'approchant. Bonjour, Kira.

– Bonjour Galli, la salua poliment la femme mauve.

La mère adoptive de son époux avait une mine superbe. Sa peau avait repris une apparence de santé et ses yeux brillaient de plaisir. La famine ne semblait pas avoir laissé de séquelles dans son corps ni dans son esprit. Sage, donnant libre cours à ses émotions, étreignit Galli. Même Kira en fut tout émue. Il ne parlait pas souvent de sa famille, mais au fond, elle lui manquait.

– Le Roi d'Opale nous a fort bien traités, souligna la mère.

– Je le vois, en effet.

Plus loin, ses deux sœurs l'observaient avec retenue. Ce n'étaient plus les fillettes qui fouillaient dans ses affaires à Espérita, mais de belles jeunes femmes qui feraient tourner bien des têtes au château.

– Il a même voulu nous offrir une terre, ajouta Sutton.

– Nous avons donné le choix à Payla et Yanné de rester là-bas et de se marier, expliqua Galli en se dégageant des bras de Sage, mais elles n'ont rien voulu entendre.

– Dans ce cas, pourquoi êtes-vous venus jusqu'ici ?

« Il était temps qu'il le demande », songea Kira, qui se faisait aussi discrète que possible dans cette réunion de famille.

– Premièrement, nous avions envie de te revoir et, deuxièmement, Émeraude est la terre de nos ancêtres. C'est ici que nous voulons finir nos jours.

– Je pourrais sans doute vous conduire au village de Leomphe. C'est là qu'habitait Onyx avant de s'exiler. Mais je veux d'abord que vous goûtiez à notre hospitalité.

En hôte parfait, Sage conduisit sa famille dans ses appartements du palais. Ses sœurs s'étonnèrent d'y trouver autant de confort.

– Nous ferons installer deux lits dans le petit salon, pour Payla et Yanné, proposa Sage, visiblement heureux. Vous prendrez le nôtre.

– Mais non, protesta Galli. Nous ne sommes pas venus ici pour déranger ta vie.

– J'ai encore une chambre dans l'aile des Chevaliers. Soyez sans crainte, mère, je ne dormirai pas sur le plancher et Kira non plus.

Trois magnifiques oiseaux de proie entrèrent par la fenêtre en poussant des cris aigus. Sutton se plaça aussitôt entre sa femme, ses filles et les rapaces. Mais ces derniers ne s'intéressèrent nullement aux humains. Ils atterrirent sur le perchoir à l'intérieur d'une grosse cage de fer adossée au mur. Se collant les uns contre les autres, ils se lamentèrent plutôt en direction de leur maître.

– Ce sont nos enfants, railla Kira en réprimant un sourire moqueur.

– J'ai recueilli leur mère blessée il y a longtemps et elle a eu plusieurs couvées dans cette cage, tenta d'expliquer Sage, embarrassé.

– Cela ne me surprend pas, s'amusa Sutton. Tu as toujours su soigner les animaux.

– Je peux leur interdire cette pièce pendant votre séjour, s'ils vous effraient.

– Si ces oiseaux sont inoffensifs, alors ils peuvent rester. Après tout, ils sont chez eux.

Sage jeta un coup d'œil à ses triplets, qui lui faisaient de beaux yeux. Était-ce prudent ?

– J'ai également une proposition à vous faire, intervint Kira. Je vais emmener les femmes aux bains pour qu'elles se rafraîchissent après ce long voyage, puis nous vous rejoindrons dans le hall des Chevaliers. C'est l'heure du repas.

– C'est une excellente idée, acquiesça Sutton.

Galli, Payla et Yanné choisirent des vêtements propres dans leurs bagages et suivirent Kira. Sutton attendit de ne plus entendre leurs bavardages dans le couloir pour s'adresser à son fils. Sentant qu'il désirait lui faire des confidences, Sage le fit asseoir à la table de la petite salle à manger. Il lui versa même du vin.

– Que désirez-vous me dire, père ? l'encouragea le Chevalier.

– D'abord, que je suis fier de l'homme que tu es devenu, commença Sutton, la gorge serrée. Tu avais raison. Tu n'aurais jamais pu atteindre une telle notoriété en restant à Espérita.

– Si je ne vous avais pas quittés, je serais peut-être mort de faim comme beaucoup de mes compatriotes. Nomar se moquait pas mal des Espéritiens. Lorsqu'il n'a plus eu besoin d'eux, ils les a cruellement abandonnés. En fait, nous ne sommes même plus certains qu'il soit un Immortel.

– C'est pourtant ce qu'il a dit à notre ancêtre, il me semble.

– Permettez-moi d'en douter. Il est venu ici même pour s'attaquer au magicien Hawke. Quand j'ai voulu l'en empêcher, c'est à moi qu'il s'en est pris. Si je n'avais pas porté ce bijou, nous ne serions pas en train d'en parler en ce moment.

Sage sortit de sa tunique la chaîne au bout de laquelle pendait la pierre transparente. Sutton la reconnut aussitôt comme étant celle que portait Jahonne.

– Je l'ai trouvée sur l'étal d'un marchand il y a quelques années, l'informa Sage.

– Mais c'est impossible ! Ta mère ne s'en séparait jamais. Lui est-il arrivé malheur ?

– Nomar m'a affirmé qu'elle était en vie et sous sa protection, mais je ne sais plus si c'est vrai. Ce n'est plus l'être que nous avons connu. Il est changé, agressif. Lorsque je lui ai posé des questions sur Jahonne, j'ai remarqué un éclat de cruauté dans ses yeux devenus curieusement rouges.

– Les Chevaliers ont-ils tenté de lui faire avouer la vérité ?

– Il est plutôt difficile de repérer une créature magique qui ne désire pas être retrouvée. Le Magicien de Cristal est le seul qui aurait pu y parvenir, mais il a disparu. Wellan est persuadé qu'il se trame quelque sombre entreprise dans les cieux. Maintenant, il y a toujours un groupe de Chevaliers de garde au château, même lorsque tous les autres patrouillent la côte. Ils veillent sur les magiciens, qui semblent être la cible de Nomar. Mais il n'est pas revenu. En attendant, notre grand chef épluche tous les livres de la bibliothèque, à la recherche de renseignements sur les dieux déchus.

En entendant cette expression, Sutton s'adossa dans son fauteuil, le regard vide. Il n'y avait eu aucun écrit à Espérita, mais les légendes au sujet des dieux déchus leur étaient tout de même parvenues grâce aux conteurs. D'ailleurs, le premier d'entre eux avait été Onyx lui-même.

– Savez-vous quelque chose à leur sujet ? s'enquit Sage.

– Les dieux déchus ne sont pas nombreux, mais ils étaient suffisamment puissants pour alarmer Parandar et tous ceux qui lui sont fidèles.

– Vous ne m'avez jamais raconté cette histoire.

– Nomar ne nous le permettait pas. Maintenant, je comprends pourquoi. Il est beaucoup plus facile de régner sur des ignorants.

Sutton relata à son fils comment, selon les anciens, une poignée de divinités avaient tenté de créer pour elles-mêmes une nouvelle race de créatures esclaves. Néanmoins, elles l'avaient fait sans demander l'approbation de Parandar. Ce dernier avait donc exigé la destruction de ces abominations, qui ressemblaient à des démons avec leurs ailes de chauve-souris et leurs faces de chouette. Les rebelles avaient refusé. Furieux, le chef des dieux avait ouvert sous leurs pieds un gouffre sans fond qu'il avait prestement scellé.

– Si Nomar est l'un des dieux déchus, comment a-t-il réussi à s'échapper d'une telle prison ? s'étonna Sage.

– Tu oublies que ces êtres possèdent des pouvoirs immenses. Heureusement que tu portais le talisman de Jahonne.

Sage demeura songeur un instant, se rappelant les brefs instants où il avait failli perdre la vie au pied de la tour de l'Elfe magicien. Ses pensées cheminèrent ensuite vers Alombria, dans le tunnel où il avait rencontré sa véritable mère.

– Elle le portait déjà..., murmura-t-il.

– De quoi parles-tu ?

– Quand vous m'avez emmené pour la première fois dans les galeries, Jahonne s'est penchée sur moi. Cette pierre a glissé de sa robe. Elle m'a dit que c'était son plus grand secret et que je ne devais en parler à personne. Elle devait se douter que Nomar représentait un danger pour les hybrides... Et si c'était ce bijou qui l'a sauvée des flammes lorsque la ville souterraine a été anéantie ?

– Ce sont des suppositions, mon garçon.

– Vous avez raison, admit le Chevalier. Je pourrais en avancer encore bien d'autres pour tenter d'expliquer pourquoi un simple marchand était en possession de ce fétiche.

Les faucons se mirent à tempêter en chœur. Le jeune guerrier décrocha le gant de sa ceinture et l'enfila.

– Vunita, appela-t-il.

L'un des rapaces prit son envol. Il atterrit sur son poing en jetant des coups d'œil furtifs à l'invité de son maître.

– C'est une femelle, dit Sage à son père tout en la caressant. Elle a le même caractère que sa mère. Ses frères sont plus sauvages. Ils ne s'approchent de moi que lorsque je vais à la chasse avec eux.

– Ils sont vraiment magnifiques... comme toi. Je suis bien content de la vie que tu mènes.

– Moi aussi, avoua le fils. Je vis dans un château, j'ai épousé une femme merveilleuse et j'ai un but dans la vie.

– Mais tu ne m'as pas encore donné de petits-enfants.

Un voile de tristesse assombrit le visage pâle du Chevalier.

– Deux hybrides ne peuvent pas en concevoir, je le crains, révéla-t-il à son père. Nous envisageons par contre d'adopter des enfants après la guerre.

– C'est une bonne idée, l'encouragea Sutton. Il est certain que les raids feront des orphelins dans les années qui viennent.

Sage décida de ne pas s'apitoyer sur son sort. Il remit le faucon sur le perchoir avec les autres, puis se retourna vers son père.

– Songez-vous sérieusement à vous établir dans le village de nos ancêtres ?

– C'est un projet qui me hante depuis que j'ai quitté notre pays d'adoption.

– Mais ce n'est pas une contrée aussi riche qu'Opale. Les paysans triment dur pour assurer leur survie.

Tout en l'entraînant vers les bains, le Chevalier écouta les arguments de l'Espéritien. Puis il tenta de le convaincre de rester au château, où il pourrait certainement trouver du travail. Mais Sutton était un homme têtu et Sage comprit assez rapidement qu'il ne pourrait pas le faire changer d'idée.

5

Les descendants

Kira emmena les trois femmes d'Espérita aux bains, où il n'y avait plus personne. Même les masseurs étaient partis. Elles profitèrent de la bienfaisante eau chaude pendant quelques minutes. Elles racontèrent leur voyage jusqu'à Émeraude. Les belles-sœurs de la guerrière, muettes en présence de leur père, se montrèrent soudainement très bavardes. Kira apprit donc que les soldats d'Opale les avaient gracieusement escortés jusqu'à la frontière du Royaume de Diamant. Seule Galli avait pris place dans la charrette. Sutton avait marché devant avec ses filles, en admirant les champs à perte de vue, au sud, et les forêts, à l'est.

– Nous étions probablement sur la même route qu'avaient empruntée nos ancêtres ! s'exclama Payla.

– Mais dans des circonstances bien différentes, leur rappela leur mère. Ces gens ne rentraient pas chez eux comme nous. Ils fuyaient leurs foyers.

– La guerre se terminera-t-elle un jour ? se désespéra Yanné, la plus jeune.

Elle avait à peine dix-sept ans, mais son âme semblait beaucoup plus vieille. Kira écoutait les commentaires des trois femmes en sondant les replis les plus profonds de leurs âmes.

– La prophétie le prétend, répondit la Sholienne, mais le porteur de lumière n'est encore qu'un enfant.

– Il vit ici, dans ce château, n'est-ce pas ? s'égaya Payla.

– Il fait partie des élèves d'Émeraude qui seront bientôt affectés à des Chevaliers. Dès que son éducation militaire sera terminée, ce qui pourrait prendre environ cinq ans, il sera en mesure d'affronter l'Empereur Noir.

– Encore cinq ans à craindre que ses redoutables soldats nous attaquent..., déplora Galli.

– Les Chevaliers les bloquent sur la côte, assura Kira. Surtout, ne vous inquiétez pas.

Elles se séchèrent et se vêtirent en posant mille questions à la Princesse d'Émeraude au sujet des affrontements. Kira choisit de ne pas leur fournir trop de détails sanglants. Elle vanta plutôt le courage de ses frères et de ses sœurs d'armes, tout en poussant les invitées de son mari dans le couloir.

– Vous n'avez pas eu le temps d'apprendre à connaître tous les Chevaliers lors de notre passage à Opale, ajouta-t-elle.

– En fait, nous n'avons même pas eu le temps de bavarder bien longtemps, vous et moi, admit Galli. Je crois que ce séjour au château est l'occasion rêvée.

Elles entrèrent dans le hall, où plusieurs soldats s'attardaient après leur repas du matin. Les deux jeunes filles se rapprochèrent peureusement de leur mère. Wellan vint à leur rencontre et embrassa galamment la main de Galli.

– Au nom de tous les Chevaliers d'Émeraude, je vous souhaite la bienvenue parmi nous, déclara-t-il avec un sourire.

Wellan escorta lui-même les femmes au bout de l'une des trois tables. Il prit place près de Galli afin de lui tenir compagnie. Dans leur désir de se montrer aimables, les soldats leur offrirent tous les plats en même temps.

– Du calme, s'interposa le grand chef, amusé. On dirait que nous ne recevons jamais personne.

– Moi, je ne me souviens pas que nous ayons déjà accueilli quelqu'un dans notre hall, soutint Fabrice, l'un des plus jeunes Chevaliers.

– À part Kardey, évidemment, signala Volpel.

– Mais lui, il ne compte pas, riposta Bailey. C'était un soldat.

Intimidées, les convives firent un choix parmi les nombreux mets qu'on leur présentait. De son côté, Kira huma les bonnes odeurs avec bonheur. Bientôt, les Chevaliers retourneraient en mission et ils n'auraient plus un si grand choix d'aliments, sauf pour ceux qui seraient affectés au Royaume des Fées.

– Kira nous a dit que vous ne reveniez que très rarement au château, fit Galli pour amorcer la conversation.

– Habituellement, nous passons deux ou trois jours ensemble à la fin de chaque patrouille, confirma Wellan. Mais en ce moment, c'est plutôt par obligation envers les jeunes gens qui ont terminé leurs études de magie que nous sommes ici. Je dois évaluer chacun d'eux afin de l'affecter à un Chevalier qui lui enseignera le maniement des armes.

Ils continuèrent de bavarder ainsi. Wellan s'informa du traitement que recevaient les Espéritiens à Opale et Galli lui demanda de lui parler du climat d'Émeraude. Ses deux filles ne prononcèrent pas un mot. « Plutôt surprenant », pensa Kira, après avoir été bombardée de questions dans les bains. En les observant, elle comprit qu'elles étaient plutôt occupées à étudier les traits des jeunes soldats qui les entouraient.

Sage et Sutton arrivèrent un peu plus tard. Une fois encore, Wellan reçut lui-même le nouveau venu. Il le fit asseoir près de lui tandis que le fils rejoignait son épouse.

– Cela t'a fait du bien de passer du temps avec ton père ? chuchota Kira.

– Beaucoup. Il y avait tant de choses que je voulais lui dire depuis longtemps.

Il s'empara d'un morceau de fromage et d'une poignée de dattes fraîches. « Pas très avare de détails », se désola Kira. Toutefois, elle ne voulut pas le forcer à tout lui conter en présence de leurs compagnons. Sage arrêta brusquement de mâcher.

– Je leur ai offert notre chambre sans t'en parler, s'excusa-t-il.

– Tu sais bien que je rêve depuis toujours de dormir dans un des lits durs et inconfortables de l'aile des Chevaliers, plaisanta Kira.

– Mais...

– Elle se paie ta tête, remarqua Nogait, assis un peu plus loin. Tu sais bien qu'elle s'allongerait sur un matelas de pierre si tu étais là pour la contenter.

Les jeunes éclatèrent de rire. Kira avait peu à peu appris à apprécier les rares qualités de ce soldat insolent. Elle décida donc de ne pas réagir. Wellan, qui la surveillait du coin de l'œil, approuva sa maturité. Il écouta les propos de leurs invités et les raisons qui les poussaient à s'installer à Émeraude.

– Avez-vous suffisamment d'argent pour acheter une ferme ? s'inquiéta-t-il.

– Sage prétend que le Roi Hadrian a acquis le village à l'intention de son ami Onyx et de ses descendants, répondit Sutton. Alors, je ne crois pas qu'on nous refusera un lopin de terre.

– Sage vous a dit la vérité, affirma Farrell en entrant dans la pièce.

Les yeux de Kira firent rapidement le tour des tables : Swan était absente. Elle avait dû rester avec les enfants dans les appartements de son mari.

– Maître Farrell, je vous présente Sutton, Galli et leurs filles, Payla et Yanné, fit Wellan.

« Il se souvient de leurs noms », s'émerveilla Kira. Pourtant, le grand chef ne les avait pas revues depuis que les Espéritiens s'étaient réfugiés à Opale. Le magicien salua toute la famille et prit place près de Sutton.

– J'ai trouvé la correspondance qu'ont échangée le Roi d'Argent et le Roi d'Émeraude, jadis. J'ai même en ma possession les titres de propriété en question, le rassura Farrell.

Les Chevaliers continuaient de manger, mine de rien, mais ils les guettaient en douce. Ils se demandaient si le mage révélerait à l'Espéritien qu'en réalité, il était son ancêtre. Tous s'étaient habitués à sa double identité et seul Jasson ne lui faisait pas entièrement confiance. Comment réagirait un étranger ?

– Je vous remettrai ces documents avant votre départ, offrit Farrell.

– Je vous en remercie... mais comment les avez-vous obtenus ? voulut savoir Sutton.

– Farrell est un descendant d'Onyx lui aussi, expliqua Wellan avant que le renégat fasse preuve d'un peu trop de franchise. Son père est le chef du village où vous entendez vous établir.

– Je suis content d'apprendre que la lignée d'Émeraude ne s'est pas éteinte lors de l'exil d'Onyx vers le nord, se réjouit Sutton.

– Elle se poursuivra, d'ailleurs, puisque j'ai trois jeunes fils, mentionna Farrell.

– Et moi, j'en ai un que vous connaissez déjà.

Sage jeta un coup d'œil à son père, craignant que ce dernier ne lui apprenne que sa lignée à lui n'irait pas plus loin, en raison de son incapacité à concevoir des enfants avec Kira. Mais Sutton n'en fit rien. Il vanta plutôt les mérites de ses filles, qui n'étaient pas encore mariées, ce qui fit rougir ces dernières jusqu'aux oreilles.

La soudaine convivialité de Farrell étonna Wellan. Onyx était un être plus complexe qu'il ne l'avait pensé. Il avait sans doute appris à bien se conduire au contact d'Hadrian d'Argent.

– Je pourrais guider moi-même mon père jusqu'au village de Leomphe, suggéra Sage à son chef.

– Je préférerais que tu attendes après les adoubements, car cette fois, je crois que tu auras la chance de vivre la fascinante expérience d'éduquer un Écuyer, répondit amicalement Wellan. Tu pourras même l'emmener avec toi. Jusqu'à ce que j'aie pris ma décision, tes parents et tes sœurs sont nos invités.

Il n'était pas question d'enfreindre un ordre direct de son commandant. Sage se plierait donc à sa volonté, même s'il savait que son père avait hâte de se mettre en route. Il observa Sutton tandis qu'il bavardait jovialement avec Onyx. S'il avait su à qui il s'adressait, aurait-il agi autrement ? Les doigts de Kira se glissèrent doucement entre les siens.

– Il finira bien par l'apprendre, murmura-t-elle.

– Est-ce que tu lis constamment mes pensées ?

– Oui, même quand tu dors. Et toi, est-ce que tu entends encore d'affreux cliquetis dans les miennes ?

– Non. Tu sais bien que je te le dirais.

Nogait quitta sa place avec son gobelet de vin et rejoignit le couple. Il y avait, au Château d'Émeraude, un seul secret que leur grand chef ignorait. En fait, peu de soldats connaissaient la vérité au sujet de l'état de Kevin. Ses meilleurs amis faisaient donc bien attention de ne pas laisser filtrer cette information.

– C'est à mon tour, annonça Nogait à voix basse.

Lorsqu'il était question de la maladie de leur ami, ce Chevalier devenait étrangement sérieux. Il avait même passé des nuits entières à la bibliothèque à chercher un remède pour Kevin dans les vieux livres, puisque Sage ne maîtrisait pas suffisamment l'alphabet ancien. L'hybride se contenta de hocher doucement la tête pour ne pas attirer l'attention de Wellan.

– Il y a fort longtemps que je ne suis pas allé à la pêche ! s'exclama Nogait dans un style qui lui ressemblait davantage. Qui vient avec moi ?

Wellan lui décocha un regard inquisiteur.

– À moins que tu ne désires procéder à l'affectation des enfants aujourd'hui, évidemment, se reprit le soldat.

– La cérémonie n'aura pas lieu avant au moins deux jours, l'informa le grand chef.

Plusieurs jeunes gens firent savoir à Nogait qu'ils l'accompagneraient à la rivière Wawki dans la journée. Afin de divertir les invités, Santo décrocha sa harpe du mur. Ses compagnons se mirent à réclamer différentes chansons. Le poète ne répondit à leurs requêtes que par un sourire : il savait déjà ce qu'il voulait jouer. Il prit place au bout d'une table et le silence se fit. Fermant les yeux, le guérisseur gratta doucement les cordes de l'instrument.

Il naquit un jour, dans le royaume le plus vaste
Une rare beauté de la plus haute caste
Des yeux couleur de ciel, des cheveux de sable
Qui remplirent ses parents d'une joie incomparable.
Elle grandit près d'eux en beauté et en grâce
Mais son intelligence s'assortit d'audace
Et elle ne désira pas, pour elle-même
Comme sa mère porter le diadème.

Seul Wellan comprit qu'il s'agissait de Bridgess. Son frère d'armes ne pouvait donc pas oublier que son âme sœur partageait la vie d'un autre... Ses compagnons, qui ne se doutaient pas du malheur qui affligeait le cœur de l'aède, se perdirent en conjectures. Certains pensaient qu'il parlait d'une Princesse d'Émeraude prénommée Maude, qui avait vécu des centaines d'années auparavant. Elle ne s'était jamais mariée, car elle avait été incapable de choisir un époux parmi tous ses prétendants. D'autres pensèrent qu'il masquait l'identité d'Élizabelle, la fille de Morrison, le forgeron, en lui attribuant de nobles origines.

Elle quitta la terre de ses vaillants ancêtres
Et sans jamais penser à son propre bien-être
Fit régner la paix et la justice par le fer
Soulageant ceux qui vivaient dans la misère.
Que d'hommes méritants et courageux
L'approchant, se brûlèrent à ses feux !
Car cette ravissante dame ne voyait
Que celui qui lui semblait parfait
Ignorant la vive lumière enveloppant
Son compagnon qui manquait de cran.

Les plus jeunes Chevaliers s'indignèrent bruyamment. Santo arrêta de chanter et caressa les cordes en attendant qu'ils se calment. Comme Madier continuait de s'élever contre le mauvais traitement que l'héroïne faisait subir à cet homme, qui était visiblement son âme sœur, ses voisins de table durent intervenir pour le faire taire. Santo put alors poursuivre sa complainte.

Abandonné au détour du chemin
Le cœur en lambeaux et rempli de chagrin
Il chemina jusqu'à la rivière aux eaux rapides...

– Non ! Je ne veux pas entendre ça ! geignit Yamina, les larmes aux yeux.

Ses compagnons eurent beau lui rappeler qu'il s'agissait seulement d'une triste ballade, elle continua de protester contre cette injustice et traita la belle de tous les noms. Ce fut finalement Gabrelle qui réussit à la faire tenir tranquille suffisamment longtemps pour que le guérisseur finisse la chanson.

Où, désenchanté, il contempla le vide.
Les événements heureux de sa courte vie
Lui revinrent en mémoire et il comprit
Que les dieux l'avait choisi sciemment
Pour secourir les misérables de son clan.

– Il ne s'est pas tué ? s'exclama Daiklan, incrédule.

– Il a choisi de prendre soin des autres pour oublier sa peine, expliqua Dienelt. C'est fort louable.

Santo termina la mélodie en admirant le merveilleux visage de Bridgess, qui ne semblait pas comprendre que ce poème s'adressait à elle. La mort dans l'âme, il remit l'instrument de musique à sa place.

Dans un geste qui surprit tout le monde, la jeune Yanné s'empara alors d'une coupe de vin et alla la porter au guérisseur. Il sursauta lorsqu'elle déposa le verre froid dans sa main.

– Je n'ai jamais entendu un aussi beau récit, même s'il est voilé de tristesse, déclara-t-elle en faisant une légère révérence.

Santo était si étonné qu'il ne parvint pas à remercier l'Espéritienne. Il vit seulement ses yeux aussi limpides qu'un ciel d'été avant qu'elle ne fasse demi-tour et ne regagne sa place, les joues cramoisies. Ce fut Falcon qui le sortit de l'embarras.

– Buvons au plus grand poète de tous les temps ! proposa-t-il joyeusement.

Les soldats trinquèrent volontiers à la santé de leur chantre.

6

Les ingrédients

Jenifael et Lassa jouèrent au ballon dans la grande cour avec leurs amis. Ils savaient qu'une fois engagé dans l'action, Liam ne remarquerait pas leur départ. La petite déesse s'esquiva la première lors d'un changement d'équipiers. Elle longea prestement la muraille et se glissa dans l'aile des Chevaliers. Ses sens magiques l'informèrent que les soldats s'attardaient dans le hall. Elle pourrait accomplir sa mission en paix. Elle avait pris soin de mettre les enveloppes dans le même ordre que les chambres le long du couloir. « Ce sera un jeu d'enfant », conclut-elle.

Elle entra d'abord dans la chambre de Santo. Heureusement, les lits des apprentis étaient un peu plus petits que ceux de leurs maîtres, sinon elle aurait été incapable de faire la différence entre celui du guérisseur et celui de son Écuyer. À l'aide de son petit poignard, elle découpa le coin du drap de Mann. Elle glissa le tissu dans l'enveloppe portant son nom, puis se dirigea vers la pièce suivante.

En entrant dans la chambre de Curtis, Jenifael capta la présence de Lassa de l'autre côté du couloir. Elle espéra qu'il agisse aussi vite que possible et que rien ne retienne son attention. Ce porteur de lumière pouvait être si lunatique...

La fillette poursuivit son travail avec diligence. Tous ces appartements se ressemblaient, en fin de compte. Depuis sa naissance, elle n'avait connu que celui de ses parents et, puisque Wellan était le chef des Chevaliers, elle avait cru qu'il possédait plus de biens que ses frères d'armes. Mais partout, c'était le même mobilier, la même sobriété. La seule différence résidait dans la disposition des armes sur les murs : certains soldats préféraient les accrocher près de la porte, d'autres au-dessus de la commode. Seuls quelques-uns gardaient des livres sur la petite table près de leur lit. « Arrête-t-on de s'instruire lorsqu'on grandit ? » se demanda-t-elle.

Elle se faufila dans la dernière chambre, celle de Zerrouk et de son Écuyer Aidan. Elle grimpait sur le lit de l'adolescent pour s'emparer d'un bout de sa couverture quand soudain, elle ressentit une présence derrière la porte. Un Chevalier approchait ! Elle tenta de maîtriser son appréhension pour pouvoir l'identifier. C'était Zerrouk !

Jenifael tourna sur elle-même, à la recherche d'une cachette, mais il n'y en avait aucune. Elle s'écrasa contre le mur au moment où la porte s'ouvrait. Se souvenant de l'enseignement de Farrell, elle calma ses craintes. Zerrouk passa devant elle sans la voir. Fredonnant la dernière composition de Santo, il décrocha sans se presser sa canne à pêche et celle de son apprenti. Jenifael maintenait son écran d'invisibilité avec une habileté surprenante. « Pourtant, je ne l'ai pas utilisé souvent », se rappela-t-elle.

Zerrouk s'immobilisa, comme s'il avait entendu cette remarque. Ses sens magiques fouillèrent la pièce. La petite fille les sentit l'effleurer comme une brise froide, mais elle ne céda pas à la panique. N'ayant rien trouvé, le Chevalier ramassa aussi sa besace et quitta la chambre. Les épaules de Jenifael se décrispèrent enfin. Si on l'avait surprise dans la chambre d'un soldat, elle aurait été forcée d'avouer son projet à son père. C'était le genre de faute qui pouvait facilement empêcher une élève d'Émeraude de devenir Écuyer.

Elle scruta le couloir : il y avait beaucoup de va-et-vient. Comment allait-elle pouvoir regagner la cour ? Lassa apparut devant elle et mit les mains sur sa bouche pour l'empêcher de crier.

– Il y a trop de Chevaliers, chuchota-t-il. Nous allons être obligés d'utiliser la magie.

– Ils le sentiront, protesta Jenifael en se dégageant.

– Mais comment allons-nous sortir de cette aile, autrement ?

– Attendons ici. Nous sommes dans la chambre de Zerrouk et il est parti à la pêche. Personne ne viendra nous déranger.

Une fois de plus, la petite déesse avait raison. Au bout de quelques minutes, les soldats désertèrent les lieux. Les deux enfants s'enfuirent aussitôt du palais sur la pointe des pieds, Jenifael conservant la main de Lassa dans la sienne, au cas où ils auraient à se rendre invisibles. À leur grand soulagement, ils ne rencontrèrent personne.

Dans sa chambre, l'espace d'une seconde, Zerrouk avait ressenti une curieuse énergie. Heureusement, elle n'était pas maléfique, sinon il aurait tout de suite sonné l'alarme.

Il se rappela que le château fourmillait d'enfants magiques qui ne savaient plus comment s'occuper en attendant leur affectation. Il avait probablement capté un de leurs exercices.

Le Chevalier à la peau dorée et aux cheveux noirs sortit dans la cour, où son Écuyer avait préparé leurs chevaux. Il tendit sa canne à pêche à l'adolescent, qui la fixa à sa selle. Lornan, Offman, Yann, Kowal, Atall et Nogait faisaient partie du groupe qui jouirait d'une journée de détente bien méritée sur le bord de la rivière. Habituellement, Sage les accompagnait, mais par courtoisie, il avait décidé de rester au palais avec sa famille. Puisque Wellan était fort occupé avec sa liste d'élèves, ce fut Dempsey qui vint faire à ces jeunes soldats les recommandations usuelles.

– Gardez l'œil ouvert, leur recommanda l'aîné.

– Nous sommes en sécurité à Émeraude, Dempsey, voulut le rassurer Yann.

– L'ennemi a pourtant réussi à y faire entrer un de ses dragons, jadis.

– Tu as raison. Nous ferons preuve de prudence, promit Atall.

Ils grimpèrent sur leurs montures. Les Écuyers semblaient particulièrement contents de quitter la forteresse pour se dégourdir les jambes. « Si Wellan se décidait enfin, nous pourrions bientôt retourner sur la côte », pensa Dempsey. Il resta sur place jusqu'à ce que les cavaliers eussent passé le pont-levis. Chloé avait eu l'idée de proposer des jeux magiques aux élèves d'Émeraude pour qu'ils ne fassent pas de bêtises, et son époux avait évidemment accepté de l'aider. Il poursuivit donc sa route vers les enclos, où la femme Chevalier les avait tous réunis.

Les six soldats et leurs apprentis chevauchèrent sur la route de terre qui serpentait entre les fermes et les grands champs cultivés, puis piquèrent vers la forêt. Nogait était le plus âgé du groupe. Il était aussi le seul à avoir affronté le dragon qui avait presque dévoré Kira. Ils installèrent les chevaux à l'ombre et se rendirent sur le bord de l'eau. Nogait leur indiqua l'endroit exact où le monstre avait coulé comme une pierre.

– Peut-être qu'il nous portera chance, claironna Offman.

Ils se distancèrent les uns des autres. Les Écuyers lancèrent leurs lignes les premiers, car ils avaient hâte de prendre du poisson. Nogait s'avança vers Lornan.

– Je vais aller voir comment se porte Kevin, déclara-t-il. Je ne serai pas parti longtemps.

– Nous te laisserons quelques prises, tu le sais bien, plaisanta son compagnon.

En riant, Nogait lui donna une claque amicale dans le dos. Il remonta à cheval et traversa la forêt. Une fois sur la route, il tourna à gauche. Il dépassa les fermes de Bergeau et Jasson. Celle de Kevin se situait en retrait, derrière une haute futaie. Il galopa jusqu'à la coquette petite maison entourée de fleurs de mille couleurs. Maïwen leva la tête de son potager, heureuse de le voir arriver. Son frère d'armes mit pied à terre et elle se jeta dans ses bras pour le serrer avec affection.

– Cela fait longtemps que tu n'es pas venu, lui reprocha-t-elle câlinement.

– Il n'est pas toujours facile de s'esquiver.

– Pourquoi Sage n'est-il pas avec toi ?

– Il a de la visite d'Opale.

– Est-ce que Wellan se doute de quelque chose ?

– Probablement, mais il en a plein les bras avec les affectations. Je pense qu'il vient de comprendre que le magicien Élund se donnait beaucoup de mal, autrefois.

Nogait leva les yeux sur la chaumière, dont les fenêtres étaient bouchées par des tapisseries que Sage et lui avaient apportées du château.

– Kevin a arrêté de se transformer physiquement, mais les potions de Farrell ne lui apportent plus beaucoup de réconfort, avoua la jeune Fée, découragée. Je ne sais plus quoi faire, Nogait. Il y a des jours où il ne veut même pas que je l'approche.

– À mon avis, seul Asbeth pourrait le délivrer du sort qu'il lui a jeté.

– Nous trouverons le moyen de rendre à Kevin son apparence normale, se ragaillardit Maïwen. Il y a toujours une solution, même si elle n'est pas facile à trouver.

– J'admire ton optimisme, madame la Fée. Est-ce que je te l'ai déjà dit ?

– Non, mais je l'ai souvent lu dans ton cœur.

Nogait l'embrassa sur la joue. Il se risqua ensuite sur le seuil de la maison. Il y resta quelques minutes, le temps que ses yeux s'habituent à l'obscurité. En raison de sa métamorphose, Kevin ne pouvait plus supporter la lumière du soleil. Depuis quelques mois, il dormait le jour et sortait la nuit. Maïwen ne se plaignait jamais, mais ses traits tirés indiquaient à un observateur averti qu'il n'était pas facile de s'occuper de ce patient inhabituel.

– Kev..., l'appela doucement Nogait.

Il perçut un mouvement au fond de la pièce. Ses sens magiques lui firent comprendre que Kevin était couché en boule sur le lit. Sans faire de mouvement brusque, Nogait marcha jusqu'à lui.

– Qui est là ? demanda la voix angoissée du soldat ensorcelé.

– C'est moi, Nogait. Tu ne me reconnais pas ?

– Depuis ma transformation, je ne ressens plus rien, s'étrangla-t-il.

Nogait s'agenouilla près du lit, les yeux remplis de larmes. À cause de ce sorcier de malheur, son meilleur ami était en train de se changer en homme-insecte et il ne pouvait rien faire pour arrêter cette mutation.

– Et je ne vous entends plus dans mon esprit...

– Mais il n'y a plus d'affreux cliquetis dans ta tête, n'est-ce pas ?

– Il n'y a que mes propres pensées et elles sont plutôt sombres.

– Nous allons te sortir de là, Kevin. Tiens bon, je t'en prie.

– Maïwen essaie de me cacher le temps qui passe, mais je sais qu'il y a très longtemps que Wellan et Farrell m'ont ramené à Émeraude. J'ai bu toutes les potions que vous m'avez préparées. Je me suis soumis à toutes les incantations que vous avez prononcées pour me libérer de mon mal. Rien ne fonctionne, absolument rien. Mes yeux ne voient que la nuit. Même votre nourriture me rend malade. Comprends-tu ce que cela signifie ?

– Nous trouverons le bon remède, même s'il nous faut broyer tous les os d'Asbeth un à un pour en faire un contrepoison.

Kevin garda le silence un instant. Nogait pouvait sentir son désespoir.

– J'ai décidé qu'à la prochaine lune, si rien n'a changé, je ferai ce qui aurait dû être fait il y a longtemps, lui dit finalement le pauvre homme.

– Ne parle pas ainsi, s'alarma Nogait. Tu es mon meilleur copain, Kev. Je ne te laisserai jamais tomber.

– Si tu es vraiment mon ami, tu comprendras que je ne peux plus vivre ainsi. Maintenant, laisse-moi dormir. Je suis si las...

Nogait obtempéra. Des larmes chaudes coulaient sur ses joues. Il aurait préféré ramener Kevin avec lui au château et faire la fête jusqu'au lendemain... Mais ce n'était plus possible, désormais. Il sortit de la maison en s'essuyant les yeux. Maïwen donnait à boire à son cheval.

– Moi, il me déchire le cœur tous les jours, lui avoua-t-elle.

– Mon groupe sera bientôt de garde chez les Elfes, lui apprit Nogait. Peut-être auront-ils quelques conseils à nous offrir.

Il n'évoquait cet espoir que pour se rassurer lui-même, car si une Fée n'avait pas su trouver d'antidote, comment les Elfes y arriveraient-ils ? Nogait aurait de sombres nouvelles à transmettre à Sage.

7

YANNÉ

Comme c'était son habitude chaque fois qu'il était de retour à Émeraude, Santo passa le reste de la journée à visiter les villages voisins du château avec Mann, son apprenti. Les paysans, qui avaient appris à connaître le guérisseur, le recevaient avec joie. On lui offrait pièces d'or, objets précieux, moutons et chèvres en échange de ses services, mais Santo refusait toute rétribution : il soignait les malades parce que son cœur le lui dictait. Il était le seul des Chevaliers de la première génération à éduquer un Écuyer, car il était important pour lui de transmettre son amour du peuple à un apprenti.

Dans le dernier hameau, on lui présenta une petite fille si chétive qu'elle semblait n'avoir que deux ans. En réalité, elle en avait cinq. Santo diagnostiqua son mal, puis, sans rien dire à Mann, il sollicita son avis. L'adolescent alluma ses paumes pour les passer au-dessus du corps de l'enfant.

– C'est dans son sang, déclara-t-il, le visage grave.

– Très bien, l'encouragea Santo. Et comment pourrions-nous la guérir ?

– Il faudrait que je lui transmette ma force vitale, mais en raison de mon âge, cela ne m'est pas permis.

– Excellent. Je suis content que tu n'aies pas oublié mon avertissement au sujet de ta propre croissance, Mann. Alors que suggères-tu ?

– La seule solution, c'est que vous lui donniez votre énergie et que je reste à vos côtés jusqu'à ce que vous soyez rétabli.

– Bravo.

Santo expliqua aux parents inquiets ce qu'il comptait faire. Il les pria de lui préparer un coin tranquille jusqu'à ce qu'il soit en état de repartir, puis s'agenouilla auprès de l'enfant. Le couple accepta sur-le-champ. Pendant que le guérisseur procédait au traitement lumineux, la mère jeta une couette propre sur le lit de paille.

– Comment t'appelles-tu ? demanda Santo à la petite qui le fixait avec des yeux remplis de terreur.

– Evana..., murmura-t-elle.

– C'est un très beau nom. Est-ce que ma lumière te fait mal ?

– Non...

– Alors, tu vois bien que tu n'as rien à craindre.

Mais cela ne rassura nullement la bambine. On avait tenté de la soigner de tellement de façons depuis le début de sa maladie qu'elle ne faisait plus confiance à personne. Lorsque Santo se mit à défaillir, Mann fit son devoir d'apprenti : il saisit le bras de son maître et le guida jusqu'au lit. Un magnifique cocon de lumière blanche enveloppa le Chevalier, enchantant les paysans.

– Ce n'est pas dangereux, assura l'adolescent. Mon maître a dépensé une grande quantité d'énergie en traitant votre fille. Il doit maintenant la renouveler.

Assis près de Santo, le jeune homme commença par refuser le repas qu'on lui offrait. Puis, voyant que le guérisseur ne se réveillait pas, il accepta. Certaines séances de régénération étaient parfois plus longues que d'autres.

L'enveloppe éclatante disparut au début de la soirée. Santo battit des yeux et vit un émouvant spectacle : Evana lui tendait une écuelle de ragoût, debout sur ses deux jambes enfin solides. Il l'accepta avec un léger mouvement de la tête. Rouge de timidité, la petite courut se cacher derrière son père.

– Nous ne savons pas comment vous remercier, avoua le pauvre homme.

– Cette nourriture fera l'affaire, le réconforta Santo en mangeant avec appétit.

Les parents n'étaient pas les seuls à contempler le guérisseur avec fascination. Assis en retrait, Mann était émerveillé par la simplicité de son maître. Une fois repus, le Chevalier et son Écuyer prirent congé de leurs hôtes. Le soleil descendait rapidement dans le ciel, mais ils ne se pressèrent pas de rentrer.

– Les portes pourraient bien être fermées à notre arrivée, craignit Mann.

– Tu oublies ceci, lui rappela Santo en lui montrant ses bracelets magiques. Personne ne nous empêchera de retourner chez nous.

– Vous m'avez beaucoup impressionné, aujourd'hui, maître.

– Tu seras bientôt en mesure de faire tout ce que je fais, mon petit.

– Mais aurai-je votre grandeur d'âme ?

– Tu auras tes propres qualités et tes propres défauts. Être l'apprenti d'un Chevalier ne veut pas dire devenir semblable à lui, mais d'apprendre grâce à lui. Nous sommes des êtres distincts et c'est ce qui nous différencie des hommes-insectes. Nous avons le droit de manifester notre individualité. Mais si tu devais un jour me ressembler, j'en serais très certainement flatté.

Ils s'engagèrent sur le pont-levis au crépuscule. Les hommes, qui avaient commencé à tourner la manivelle de la grille d'acier, arrêtèrent la manœuvre en les apercevant. Les deux chevaux se faufilèrent dans l'espace réduit.

– Vous savez pourtant à quelle heure on referme ces portes, leur reprocha le gardien.

– Il faisait si beau que nous l'avons oublié, s'excusa Santo. Nous sommes désolés.

Les cavaliers poursuivirent leur route jusqu'à l'écurie. Ils prirent le temps de soigner leurs bêtes puis se dirigèrent vers les bains pour se rafraîchir. Toute cette activité eut bientôt raison de l'adolescent. En mettant la tête sur l'oreiller, il s'endormit. Mais Santo fut incapable de fermer l'œil.

Le doux visage de Bridgess hantait toutes ses nuits. Il regarda les étoiles par la fenêtre pendant un long moment en se demandant pourquoi les dieux étaient si cruels envers leurs serviteurs.

Exaspéré, le guérisseur enfila sa tunique et sortit prendre l'air. Il aimait bien cette période de la journée où le château baignait dans le silence. Seules les petites grenouilles de l'étang près des enclos coassaient à qui mieux mieux.

Santo traversa la cour déserte. Il grimpa les marches de bois qui menaient à la passerelle devant les créneaux. Il s'accouda au merlon et laissa le vent jouer dans ses boucles. Une fois de plus, il s'abîma dans ses pensées. La première fois qu'il avait aperçu le magnifique halo autour de Bridgess, elle venait d'avoir dix-huit ans. Le phénomène l'avait étonné, mais il n'en avait parlé à personne, de crainte qu'il ne se manifeste plus. Toutefois, au cours des nombreuses expéditions des Chevaliers sur la côte, il l'avait revu à plusieurs reprises. Une conversation qu'il avait eue autrefois avec Wellan sur les âmes sœurs lui était alors revenue à l'esprit. Mais si Bridgess était véritablement son âme sœur, ne voyait-elle pas également de la lumière autour de lui ? Pourquoi avait-elle tant insisté pour épouser Wellan ?

Santo ressentit une présence derrière lui et fit volte-face, paumes écartées, prêt à se défendre. Son geste fit sursauter la jeune Yanné et son châle glissa sur le sol.

– Je suis désolée, je ne voulais pas vous faire peur, s'excusa-t-elle.

En gentilhomme, Santo ramassa le vêtement pour le déposer sur les épaules de la visiteuse, qui ne portait qu'une mince robe malgré la fraîcheur de la nuit. Yanné fixa le guérisseur dans les yeux pendant un instant, puis baissa timidement la tête.

– Mais si vous êtes venu ici seul, c'est sans doute que vous ne vouliez pas de compagnie, murmura-t-elle en reculant vers l'escalier.

– Non, attendez. Les étoiles sont si brillantes ce soir que vous devriez en profiter aussi.

Encouragée, elle s'approcha de l'embrasure et y appuya ses bras délicats.

– Êtes-vous toujours aussi poète ? demanda-t-elle sans le regarder.

– Non, admit Santo en souriant, pas lorsque j'ai une épée à la main sur un champ de bataille.

– Je n'arrive pas à vous imaginer à la guerre. Enfin, pas après ce que j'ai entendu dire de vous.

– Cela dépend de la personne qui vous a parlé de moi. Et j'ose espérer que ce n'est pas Jasson.

– Rassurez-vous, c'est Sage qui m'a dressé le portrait du plus grand guérisseur d'Enkidiev.

– Vous m'en voyez soulagé.

Il prit également appui contre la balustrade en levant les yeux sur les astres. Il avait jadis appris à interpréter leurs mouvements et les autres phénomènes célestes, mais il avait préféré concentrer ses efforts sur les arts de la guérison. Il ne pouvait donc pas lire dans le ciel l'avenir de son interlocutrice.

– Il dit que vous avez même sauvé un prince de la mort, poursuivit Yanné en risquant un œil sur lui.

– C'était mon devoir de Chevalier. N'allez surtout pas croire que je chevauche de royaume en royaume pour accomplir ce genre de miracle.

– Mais vous le faites chaque fois que vous le pouvez dans les villages d'Émeraude.

– Vous en savez décidément plus long sur moi que moi sur vous.

– Ma vie n'est malheureusement pas aussi passionnante que la vôtre.

Elle frissonna et resserra son châle autour d'elle. La nuit était magnifique, mais plutôt froide pour une personne si légèrement vêtue.

– Je vous propose de me la raconter dans le hall devant un bon feu, dit le guérisseur avec un sourire invitant.

Yanné lui tendit craintivement la main. Il n'y avait pas de belle lumière autour d'elle, mais son parfum était plutôt plaisant. Santo serra ses doigts avec douceur pour ne pas l'effrayer. Tout en l'aidant à descendre l'escalier de bois, il scruta son cœur. Ce qu'il y découvrit le laissa bouche bée : l'Espéritienne ressentait une forte attirance pour lui. Ce Chevalier avait rencontré beaucoup de femmes depuis le début de son service, mais elles lui avaient surtout exprimé de la gratitude à la suite d'une guérison.

Troublé, il emmena Yanné dans la grande salle déserte. Le feu expirait. Il la fit asseoir près de l'âtre, dans lequel il jeta quelques bûches avant de s'installer près d'elle. Les flammes reprirent vie, éclairant un bien jeune visage encadré de boucles rousses.

– Je suis la dernière fille de Sutton, jadis chef de la première famille, commença-t-elle, incapable de détacher son regard des yeux de velours du guérisseur. J'ai grandi dans notre ferme à Espérita, où j'ai appris à confectionner des vêtements. Puis, le maître d'Alombria nous a abandonnés et nous nous sommes réfugiés dans les galeries, à l'abri de la neige. J'ai dû abandonner mon métier à tisser dans notre maison, car il était trop lourd... et, de toute façon, nous avions besoin de la charrette pour transporter ma mère malade. J'ai pris soin d'elle jusqu'à ce que Sage et la Princesse Kira viennent à notre secours et nous emmènent à Opale. Là, j'ai aidé mon père et ma sœur à cultiver la terre du roi et j'ai enfin appris à lire. Voilà.

– Quel âge avez-vous, Yanné ?

– Dix-sept ans... mais mon âme est aussi vieille qu'Enkidiev.

– Je sais, murmura Santo.

Cette fois, ce fut lui qui détourna le regard, embarrassé par sa maladresse.

– Soyez sans crainte, je ne vous demanderai pas le vôtre, plaisanta-t-elle pour le mettre à l'aise.

– Vous ne devriez même pas être ici avec moi. Je suis surpris que vos parents vous accordent autant de liberté.

– Ils dorment à cette heure. Et vous admettrez qu'il est bien difficile d'expliquer à un père possessif ce que ressent le cœur de l'une de ses filles.

Sa témérité étonna le Chevalier.

– Ce que j'éprouve en ce moment est nouveau pour moi, avoua-t-elle. Je tremble de peur en vous en parlant, mais je ne pouvais pas quitter ce palais sans que vous le sachiez. Votre chanson m'a émue au point de me faire pleurer, ce soir. Je ne possède pas vos pouvoirs magiques. Je n'ai pas le don de découvrir les émotions des autres à l'aide de mon esprit. Mais je peux les déduire des mots qu'ils utilisent.

– Je suis désolé que mon poème vous ait causé du chagrin.

– Ce n'est pas votre récit, mais la peine qui vous dévore qui me consterne. Un homme tel que vous ne mérite pas une aussi grande tristesse.

– Il se fait tard, déclara Santo pour échapper à cette analyse un peu trop poussée à son goût. Vous devriez rentrer avant que Sutton s'aperçoive que vous êtes sortie.

– Vous avez raison, répondit-elle sans résister.

Elle se leva avec une grâce princière.

– Comment salue-t-on un Chevalier ? se renseigna-t-elle innocemment.

– De la même façon qu'on salue toute autre personne, j'imagine.

Il se leva à son tour. Yanné se hissa sur la pointe des pieds et l'embrassa sur la joue.

– Alors bonne nuit, sire Santo.

Elle tourna les talons et quitta le hall. « Mais que vient-il de se passer ? se demanda le guérisseur. Pourquoi cette jeune fille me trouble-t-elle ainsi ? » Il reprit place devant le feu en épluchant ses sentiments. Yanné était belle et même consentante. Pourquoi n'avait-il pas répondu à ses avances tandis qu'ils étaient seuls dans le hall ? Le spectre de l'amour qu'il aurait pu vivre auprès de Bridgess l'empêchait-il de donner son cœur à une autre femme ? Bouleversé, il cacha son visage dans ses mains et éclata en sanglots.

8

Le cadran solaire

Santo et Yanné ne furent pas les seuls à profiter de la tranquillité de la nuit. Dès que tout le monde fut endormi, Jenifael descendit en douceur de son lit et sortit du palais. Il faisait très noir dans cette immense cour à peine éclairée par quelques flambeaux. « Il faut ce qu'il faut », s'encouragea-t-elle en obliquant vers les enclos. Lassa et elle avaient rassemblé tous les morceaux de couverture des apprentis qu'ils désiraient faire vieillir. Il ne leur manquait plus que les potions magiques et le cadran solaire. Ce dernier était facile à obtenir, à condition que la fillette soit capable de le dégager du socle où on l'avait ancré.

Jenifael s'arrêta devant l'étang, où les grenouilles chantaient sans se soucier des problèmes des hommes. L'objet de sa convoitise reposait au centre de la nappe d'eau, fixé à une grosse roche. L'enfant marcha lentement autour du bassin en se demandant comment accéder à cet ingrédient essentiel de la formule magique. L'eau était sombre et grouillait de vie. Ce n'étaient pas les petits batraciens qui l'effrayaient. Son père lui avait raconté qu'ils étaient la nourriture favorite des vipères. Or elle détestait ces reptiles qui tuaient souvent des paysans dans les champs. Cependant, c'était le seul cadran solaire du château. Elle allait entrer dans l'eau noire lorsqu'elle capta une présence dans la cour. Elle s'écrasa contre la clôture pour se fondre dans l'ombre. Le Chevalier Santo avançait vers les remparts. En faisant taire toutes ses pensées, Jenifael le suivit des yeux. Pourquoi avait-il choisi cette nuit en particulier pour observer les étoiles ?

Quelques minutes plus tard, une jeune femme emprunta la même route. Était-ce un rendez-vous galant ? Jenifael n'avait pas le droit d'épier les grands, mais comment pouvait-elle faire autrement dans les circonstances ? Elle était trop près de son but, maintenant. Elle décida donc d'attendre, en résistant à la tentation d'écouter leur conversation avec ses sens magiques. Il faisait froid lorsque le soleil se couchait à Émeraude et elle espéra que les tourtereaux en tiendraient compte.

Elle pensait à s'abriter dans l'écurie lorsque les deux adultes descendirent finalement l'escalier de la muraille. « Il était temps... », soupira-t-elle. Dès qu'ils s'engouffrèrent dans l'aile des Chevaliers, la petite déesse bondit vers la mare.

Elle scruta une fois de plus la surface de l'eau. N'y détectant pas de mouvements ondulatoires qui auraient dénoncé la présence d'un serpent, elle mit le pied dans l'étang. On la saisit alors par la taille. Sa bouche s'ouvrit pour hurler, mais une petite main l'en empêcha. Furieuse, Jenifael se débattit et fit volte-face. Liam l'observait avec son air le plus candide.

– Si tu as envie de nager, pourquoi ne vas-tu pas aux bains ? s'étonna-t-il.

– Parce que ce n'est pas ce que j'avais l'intention de faire, bouillit Jenifael en faisant attention de ne pas élever la voix.

– Tu veux attraper des grenouilles ?

– Non plus.

– Alors, qu'est-ce que tu fais dans l'étang au beau milieu de la nuit ?

– Je pourrais te demander la même chose.

– Je t'ai vue par la fenêtre du dortoir. Es-tu somnambule ?

– Liam, arrête de me poser des questions stupides.

– Es-tu sous l'emprise d'un sortilège du sorcier-oiseau ?

– Non. J'ai seulement besoin de ce cadran solaire.

– Mais il fait sombre. À quoi va-t-il te servir ?

– Tu es désespérant ! J'en ai besoin pour une formule magique.

– Mais les cours sont terminés, à ce que je sache.

– Liam, écoute-moi. En ce moment, il n'y a pas suffisamment de Chevaliers pour entraîner les nouveaux Écuyers. Si je ne procède pas à ce rituel, la moitié de nos amis ne deviendront pas apprentis. Ils ont travaillé très fort pour servir Enkidiev et ils ne méritent pas d'attendre encore cinq ans.

– Mais pourquoi est-ce toi qu'ils ont choisie pour corriger la situation ?

– Justement, ils ne m'ont pas demandé de le faire. C'est mon idée.

– Tu veux que je t'aide ?

– Si tu te fais prendre, tu perdras toutes tes chances de devenir soldat.

– Toi aussi, je te ferai remarquer. Et puis, je ne veux pas devenir Écuyer si tu ne l'es pas également. Prenons ce vieux machin et finissons-en.

Il tendit la main et lança un faisceau ardent sous l'objet en question. Le cadran solaire se détacha dans un craquement sec.

– Où as-tu appris à faire ça ?

– C'est mon père qui me l'a montré.

Sans plus de façon, Liam sauta dans la mare pour s'emparer du cadran avant qu'il ne coule dans ces eaux inquiétantes.

– Liam, il ne faut pas faire de bruit ! s'alarma Jenifael.

– C'est lourd, gémit-il.

– Dépêche-toi, on vient !

Dès qu'il sortit de l'eau, la petite déesse l'agrippa par sa tunique et le tira dans l'enclos. Ils s'écrasèrent sous le poids de leur butin. Les chevaux dressèrent les oreilles, puis ne flairant pas de prédateur, ils continuèrent de somnoler. Les palefreniers, alertés par le bruit, s'empressèrent de longer les clôtures, craignant qu'elles n'aient cédé. Rassurés, ils firent le tour de l'étang pour rentrer dans leurs quartiers. Heureusement, ils ne remarquèrent pas l'absence du cadran solaire.

– J'ai froid..., chuchota Liam, qui grelottait. Dis-moi où tu veux que je dépose cette chose.

– Dans la tour de l'ancienne prison.

Elle se trouvait de l'autre côté de la cour, à l'opposé de celle d'Abnar.

– Est-ce que je pourrais utiliser un tout petit peu de magie ? fit-il, les bras meurtris.

– Laissez-moi vous aider, offrit Lassa en apparaissant devant eux.

Il posa les mains sur ses deux amis et ils furent aussitôt transportés dans un tourbillon coloré. Un instant plus tard, ils se trouvaient dans l'une des cellules où Kira se réfugiait jadis. Liam laissa tomber le cadran sur le grabat, qui grinça de protestation.

– Je croyais qu'on ne devait pas mêler Liam à nos manigances, s'étonna le porteur de lumière.

– Il m'a surprise près de l'étang.

– Pourquoi vouliez-vous mener cette opération sans moi ? s'offensa Liam.

– Parce que tu es trop franc, expliqua Jenifael. Tu aurais bien pu tout dire à ton père ou même au mien.

– Pas si vous me demandez clairement de me taire.

– Nous n'avons plus vraiment le choix, soupira la petite déesse. À partir de maintenant, tu fais partie de notre mission et tu n'en parles à personne.

– Est-ce que nous procédons au rituel cette nuit ? s'enquit Liam.

– C'est impossible, il nous manque ces poudres, déplora-t-elle en lui montrant un morceau de papyrus. Malheureusement, elles se trouvent dans l'armoire de maître Farrell.

– Une chance que je suis là ! fanfaronna Liam en mémorisant le nom des ingrédients. S'il y a quelqu'un qui peut accomplir un tel exploit, c'est moi.

– C'est très dangereux, souligna Lassa.

– C'est encore mieux. Préparez-vous, je reviens tout de suite.

Liam courut jusqu'au trou où aurait dû se trouver l'escalier, mais il n'y en avait que la moitié.

– Ne saute pas ! l'avertit Jenifael.

Trop tard. Le petit brave venait de disparaître dans l'ouverture.

9

L'ARMOIRE

Liam longea la muraille comme un spectre en faisant bien attention de ne faire aucun bruit. Il rêvait d'une telle mission depuis si longtemps ! Fils d'un brave Chevalier et d'une femme très autonome, cet enfant combattait des dragons imaginaires depuis son jeune âge. Tous ses rêves étaient peuplés d'expéditions dangereuses sur la côte du continent et au pays des hommes-insectes. L'enfant n'aurait pas d'ennemi à affronter ce soir, mais l'idée d'échapper à la détection de maître Farrell l'excitait.

Le gamin se glissa dans le palais. À pas de loup, il atteignit la tour intérieure. Il s'arrêta au pied des marches et utilisa brièvement ses sens magiques pour sonder l'endroit. Il y avait deux adultes et trois enfants là-haut, tous endormis. C'est à quelques pas d'eux que reposait l'énorme armoire où le magicien conservait ses potions.

Liam n'eut aucun problème à s'infiltrer au premier étage, car la porte n'en était jamais fermée. Farrell était l'un des plus puissants mages d'Enkidiev. Contrairement à maître Hawke, qui préconisait les poudres et les incantations, ce paysan d'Émeraude préférait cultiver les pouvoirs qui sommeillaient dans l'esprit de ses élèves. C'est ainsi que sous sa tutelle, Lassa, Jenifael et lui avaient appris à se rendre imperceptibles en ralentissant les fonctions vitales de leurs corps, à attirer les objets légers à la vitesse de l'éclair et à déplacer les plus volumineux sans même bouger le petit doigt. Seul Lassa pouvait voyager magiquement, mais il tenait ce secret de maître Abnar, disparu depuis des lustres. Farrell savait le faire aussi, mais en utilisant un vortex. Pourtant, aucun de ses élèves n'avait jamais vu son tourbillon d'énergie, censé ressembler à celui des sept Chevaliers de la première génération.

L'enfant grimpa lentement les marches. Heureusement, elles n'étaient pas en bois, sinon elles auraient craqué sous son poids. Il risqua un œil à l'étage supérieur. La pièce circulaire était à peine éclairée par une chandelle qui allait bientôt s'éteindre, faute de cire. Il vit le lit du maître et les trois couches de ses fils. Il n'y avait aucun mouvement de ce côté.

Liam mit prudemment le pied sur le plancher en forçant ses oreilles à percevoir le moindre bruit. Farrell leur avait enseigné à mettre tous leurs sens aux aguets afin de survivre sur un champ de bataille. Avec beaucoup de patience, le gamin avança vers l'imposant meuble fermé par des battants. Un énorme cadenas pendait à deux anneaux incrustés dans ses portes. Liam l'effleura de la main : il n'était pas magique, mais il semblait très solide. Il se souvint alors des paroles de son père. *Quand on ne peut pas attaquer un adversaire de face en raison de sa taille et de sa robustesse, on le fait par-derrière.* Il fit donc le tour de l'armoire en examinant sa surface. Curieusement, les ferrures des portes se trouvaient à l'extérieur. « Pas très prudent », songea Liam. Cependant, elles étaient si massives que le maître ne croyait pas qu'un de ses fils puisse les démanteler.

Le jeune garçon se rappela aussi que Jasson avait installé des pentures semblables sur leur grange. Leurs deux parties étaient reliées en leur centre par une cheville. Une fois les deux morceaux installés sur le mur et sur la porte, son père n'avait eu qu'à y glisser les tiges métalliques pour les raccorder. « Rien de vraiment compliqué », se rassura Liam.

Il y avait plusieurs façons d'utiliser la magie. L'une était spectaculaire et l'autre, subtile. Il opta pour la seconde, en espérant que Farrell ne la capte pas. N'utilisant que le bout de son index, il fit doucement remonter le gond, qui ne résista pas. « Les serviteurs du maître doivent huiler régulièrement les paumelles », conclut-il. Une fois extraite de son trou, la cheville tomba mollement dans sa paume. Il refit la même opération sur la ferrure du bas et réussit à ouvrir suffisamment le battant pour voir ce que contenait l'armoire et ce, sans même toucher au cadenas.

« Je suis un champion », s'encouragea Liam pour oublier la peur qui lui chatouillait l'estomac. Il faisait plutôt sombre à l'intérieur du meuble. Comment trouver dans le noir les quatre potions dont il avait besoin ? Il devait surtout éviter de créer une source lumineuse trop brillante, qui aurait tôt fait d'alarmer Farrell. Il ferma les yeux un moment pour se concentrer aussi profondément que possible, car il n'était pas aussi doué que Jenifael pour maîtriser la lumière. Il releva la main et y fit apparaître une lueur bleuâtre juste assez puissante pour lui permettre de parcourir les appellations rédigées en langue ancienne. Il reconnut enfin les noms qu'il cherchait. Avec beaucoup de douceur, il glissa les petites fioles dans sa ceinture. Il referma ensuite la porte, puis remit magiquement les chevilles en place. Finalement, sa première mission s'était fort bien déroulée.

Il se retourna et se figea. Dans l'obscurité, il reconnut à peine Fabian, âgé de presque trois ans, qui le regardait avec de grands yeux ébahis. Il portait une robe de nuit qui touchait le sol, probablement parce qu'elle appartenait à l'un de ses aînés.

– Tu es un esprit ? chuchota le bambin, impressionné.

Liam allait s'en défendre, puis il se ravisa. S'il avouait son identité à Fabian, ce dernier la répéterait à ses parents à leur réveil et le plan de Jenifael échouerait.

– Je suis l'esprit de la nuit, confirma Liam. C'est moi qui visite les chambres à coucher pour voir si tout le monde dort. Sais-tu ce qui arrive aux enfants qui ont les yeux ouverts lors de mon passage ?

Fabian hocha négativement la tête.

– Je les emporte avec moi dans un monde où il fait toujours soleil et où ils ne peuvent plus jamais dormir.

– Pas moi..., implora-t-il, au bord des larmes.

– Si tu retournes dans ton lit tout de suite, je ferai comme si je ne t'avais pas vu.

Fabian ne se fit pas prier. Il courut jusqu'à sa couchette pour y sauter en vitesse. Liam le suivit à pas de loup. « Un esprit n'est pas censé faire de bruit », se rappela-t-il.

– À la condition que tu remontes la couette par-dessus ta tête, murmura-t-il en passant près du lit.

Effrayé, l'enfant disparut dans ses draps. Liam en profita pour filer vers l'escalier, qu'il dévala sans demander son reste. Il traversa la salle de cours, plongea dans les marches suivantes pour aboutir dans le palais. Lorsque Fabian raconterait son aventure à Farrell au matin, le magicien croirait sûrement que c'était un rêve.

Il avait été facile pour Liam de sauter du premier étage au rez-de-chaussée de la tour de l'ancienne prison, mais l'opération contraire lui était impossible.

– Si j'avais des griffes comme Kira, je pourrais y arriver, soupira-t-il en examinant le mur usé.

Soudain, il sentit le plancher fondre sous ses pieds. Il se retrouva instantanément devant ses amis.

– Tu n'avais qu'à le demander, lui souffla Lassa.

Fier de son coup, Liam leur présenta les quatre petites bouteilles remplies de poudres de couleurs différentes.

– Tu as réussi ! s'étonna le porteur de lumière.

– Il n'était pas question que je revienne ici les mains vides, tout de même !

– Mais comment as-tu fait ? s'enquit Jenifael, impressionnée.

– J'ai utilisé la méthode indirecte. Je n'ai donc pas eu besoin de briser le cadenas. Personne ne s'apercevra que ces potions ont disparu.

– Commençons tout de suite si nous voulons retourner dans nos lits avant le lever du soleil, se ressaisit Lassa.

Ils s'installèrent en triangle sur le plancher poussiéreux. Liam déposa le cadran solaire entre eux en utilisant ses facultés de lévitation. Jenifael alluma aussitôt un petit feu magique à sa surface. Elle déplia ensuite le papyrus sur lequel Lassa avait transcrit l'incantation.

– Je verserai moi-même les potions, décida-t-elle. Liam, tu jetteras les enveloppes une à une dans le feu quand je te ferai signe.

– Et moi ? la pressa Lassa qui ne voulait pas être mis à part.

– Puisque c'est ton écriture, tu liras l'incantation, dit-elle en lui rendant le papyrus. De cette façon, tu ne pourras pas faire d'erreur. Êtes-vous prêts ?

Ils hochèrent vivement la tête, contents de pouvoir ainsi aider leur grand chef à résoudre son casse-tête d'Écuyers. Jenifael versa un peu de poudre jaune sur sa paume et la répandit au-dessus des flammes. Elle refit la même chose avec les poudres verte, rouge et noire. Une dense fumée s'échappa du cadran. Sans dire un mot, car cela risquait de nuire à l'incantation, Jenifael fit signe à Lassa de procéder à sa partie du sortilège.

– J'implore les maîtres du temps, gardiens des portes de l'au-delà et fidèles serviteurs des dieux, de m'accorder cette requête, récita solennellement le porteur de lumière. C'est avec un cœur pur et de bonnes intentions que je leur demande de modifier le temps en ces lieux afin que les humains dont voici l'identité...

Jenifael fit signe à Liam de commencer à brûler les morceaux de tissu. Ce dernier s'exécuta avec un sérieux qui ne lui était pas habituel. « Tant mieux », pensa la petite déesse. Ces deux garçons auraient pu tout gâcher, le premier par son manque de concentration et le second par sa hardiesse. Lassa nomma tous les adolescents visés.

– Je vous demande d'accélérer leur croissance de..., poursuivit-il.

Jenifael lui montra quatre doigts. Lassa commença par froncer les sourcils, puis comprit ce qu'elle tentait de lui dire.

– De quatre ans...

Ayant levé les yeux du papyrus, le Prince de Zénor dût chercher la ligne où il était rendu. Jenifael faillit lui crier de se dépêcher. Ces précieuses secondes pouvaient sérieusement nuire au sortilège.

– ...afin qu'ils puissent prendre leur place parmi leurs aînés et ainsi mieux servir les intérêts des dieux, acheva-t-elle pour lui, voyant qu'il n'arrivait pas à retrouver l'endroit où il s'était arrêté.

Liam se grilla le bout du doigt en jetant la trentième enveloppe dans les flammes et poussa un cri de douleur. Jenifael ouvrit de grands yeux terrifiés. Ils n'avaient pas utilisé beaucoup d'incantations pendant leurs études, mais Farrell leur avait souvent répété que rien ne devait les interrompre.

– Maîtres du temps, gardiens des portes de l'au-delà et fidèles serviteurs des dieux, accordez-moi cette faveur maintenant, termina le prince qui avait enfin repéré son texte.

Comme Lassa s'était tu, Liam laissa tomber le reste des enveloppes dans le feu. Les flammes passèrent du bleu au vert et léchèrent le plafond, faisant reculer les trois enfants. Puis, d'un seul coup, elles se résorbèrent. Il ne restait plus rien à la surface du cadran solaire, pas même des cendres.

– Avons-nous réussi ? s'informa Liam, incertain.

– On dirait que oui, estima Jenifael, soulagée.

La prochaine fois, s'il devait y en avoir une, elle procéderait toute seule au rituel. Les deux garçons avaient bien failli tout saboter. Ils convinrent de réintégrer leurs dortoirs le plus rapidement possible et Lassa se chargea de remettre le cadran au centre de l'étang. Pour l'instant, tout allait bien. Ils ne pourraient constater les résultats de leurs efforts que le lendemain.

10

Révélations

Pendant que Liam et Jenifael retournaient dans leurs dortoirs et que Lassa replaçait le cadran solaire sur son socle, un autre Chevalier échafaudait des plans nocturnes. Seul dans la grande bibliothèque d'Émeraude, Wellan n'avait pas ressenti l'intervention magique des enfants, car il était plongé dans l'analyse de la liste des élèves. Il envisageait maintenant la possibilité d'en affecter deux à certains Chevaliers, même si les plus jeunes n'avaient aucune expérience de ce genre d'enseignement. Contemplant la table jonchée de feuilles manuscrites, il s'appuya contre le mur. Une autre affaire le tourmentait.

Farrell avait isolé Kevin dans une ferme pour s'assurer que son sang ne contamine personne. Chaque fois que le grand chef avait manifesté le désir de lui rendre visite, ses soldats l'en avaient empêché en prétextant toutes sortes d'excuses, mais elles ne concordaient pas toujours. Wellan s'était bien vite douté qu'on ne lui disait pas la vérité pour le ménager.

Les courts séjours entre les patrouilles ne lui avaient pas permis de constater lui-même l'état de Kevin. Mais maintenant qu'ils étaient coincés au Château d'Émeraude jusqu'à l'affectation des Écuyers, il disposait de plus de temps.

Décidé à en avoir le cœur net, Wellan se posta entre deux rayons et croisa ses bracelets. Le vortex se matérialisa en version miniature, tout juste assez grand pour laisser passer un homme. Le Chevalier s'y engagea. Il n'avait jamais visité les terres de Maïwen et de son mari, mais il connaissait fort bien celles de Bergeau qui s'étendaient non loin. Puisque les maelströms ne transportaient leurs voyageurs qu'aux endroits où ils étaient déjà allés, Wellan se retrouva sur la route de terre devant la propriété de l'homme du Désert. La nuit était fraîche, mais particulièrement belle. Il parcourut le reste du chemin à pied. Des chauves-souris lui frôlèrent les cheveux tandis qu'il obliquait vers de denses bosquets où hululait un hibou.

Les animaux levèrent la tête à son approche, mais ne s'affolèrent pas. Ils reconnaissaient l'odeur d'un humain. Il faisait évidemment trop sombre pour que le grand chef puisse apprécier tout le travail qu'avait fait la Fée autour de la chaumière, mais il ressentit tout de même les bonnes vibrations de ce lieu.

– Wellan ! s'exclama Maïwen en sortant sur le seuil.

Il l'étreignit avec force. Il ne l'avait pas vue très souvent depuis le retour de Kevin.

– Je savais que tu finirais par venir.

– J'ai essayé à plusieurs reprises, mais nos compagnons trouvaient tous les moyens de m'en dissuader. Pourquoi ne veulent-ils pas que je le voie, Maïwen ?

La Fée Chevalier se dégagea de ses bras puissants et baissa la tête. Wellan dut donc chercher lui-même la réponse dans son esprit.

– Jusqu'à quel point s'est-il transformé ? s'alarma-t-il.

– Sa condition est stable depuis quelque temps, mais cela ne veut pas dire que la métamorphose est terminée. Maître Farrell a tout essayé. Je pense que le sorcier nous a bien eus, en fin de compte.

– Je ne ressens pas la présence de Kevin.

– La nuit, il n'est pas à la maison.

– Où va-t-il ?

– Il ne veut pas me l'avouer, mais je sais qu'il chasse... et pas avec ses armes, si tu vois ce que je veux dire.

– Vous auriez dû m'en parler.

– Tu es le chef de l'Ordre, tu as mieux à faire.

– Tous mes soldats sont sous ma responsabilité, Maïwen. Kevin est encore un Chevalier, à ce que je sache.

– Pas dans son état actuel.

Wellan se concentra et balaya la région avec ses sens magiques. Il capta la présence de l'homme ensorcelé au bord de la rivière Wawki, au-delà de la ferme. Le grand chef embrassa les mains de la Fée en lui rappelant que Parandar n'abandonnait jamais ceux qui le servaient. Il partit ensuite à la recherche de Kevin.

Heureusement, les Chevaliers possédaient un sixième sens qui leur permettait de se diriger dans le noir. La lune était descendue à l'ouest et n'éclairait guère la forêt. Pour ne pas effrayer le jeune homme, qui souffrait déjà suffisamment de sa transformation, Wellan ralentit le pas en s'approchant de l'eau.

– Kevin, appela-t-il.

Le soldat descendit de la souche où il était assis. Son chef ressentit sa terreur.

– C'est moi, Wellan.

– Wellan..., répéta Kevin d'une voix rauque.

– Est-ce que tu me permets d'approcher ?

– Farrell dit que c'est trop dangereux. Je m'en voudrais pour l'éternité d'avoir causé la perte d'un héros.

– Premièrement, je n'en suis pas un et, deuxièmement, je suis bien plus résistant que tu ne le crois. La preuve, c'est que je suis allé te chercher sur Irianeth. Vois par toi-même, je n'ai pas subi de séquelles de cette mission de sauvetage.

Kevin demeura silencieux, mais Wellan ne ressentit aucune inspection invisible de sa part. Il continua d'avancer très lentement.

– Je veux t'aider, Kevin.

– Tu ne peux rien faire... Personne ne peut mettre fin à mes souffrances...

L'aîné s'arrêta à quelques pas de lui. Il distinguait sa silhouette amaigrie dans les faibles rayons argentés.

— Laisse-moi te regarder.

Il alluma sa paume, éclairant le visage du soldat. Kevin poussa une terrible plainte et se terra derrière les racines de l'arbre abattu. Mais son chef avait eu le temps de distinguer les pupilles verticales de ses yeux bleus.

— Arrête ! hurla Kevin. J'ai mal !

Wellan fit disparaître la lumière. Ce qu'il avait vu dans les pensées de Maïwen était malheureusement vrai : Kevin se transformait graduellement en insecte. Horrifié, le grand Chevalier marcha résolument vers sa cachette.

— Non ! protesta Kevin en reculant dans les broussailles. Reste où tu es !

Wellan s'immobilisa, le cœur en pièces.

— Pour tout poison, il y a un antidote, affirma-t-il en faisant taire sa peine. Je le trouverai. Dès que Farrell me dira que tu n'es plus contagieux, tu reviendras te battre avec nous.

— De quelle façon ? Je ne vous entends plus dans ma tête, je ne vous ressens même pas. Je vis dans une indescriptible solitude, malgré tous les soins dont Maïwen m'entoure. Je ne vois plus rien le jour. J'ai peur du contact de l'eau. Même mon cheval ne me laisse pas l'approcher. Est-ce que tu comprends, Wellan ? Je ne suis plus un de tes Chevaliers, je suis une monstruosité sans nom.

— Tu es et tu seras toujours un Chevalier d'Émeraude, même si tu dois nous accompagner avec un bandeau sur les yeux ! éclata le grand chef.

Kevin ne jugea pas utile de commenter sa suggestion. À quoi servirait un soldat aveugle qui ne peut même pas communiquer avec ses frères d'armes ?

– Je t'affecterai un Écuyer, décida Wellan, et cet enfant sera tes yeux et ton lien avec nous. Dès que je serai prêt à procéder à la cérémonie, je t'enverrai chercher. Et ne t'avise pas de refuser ou de fuir.

Des larmes de rage coulaient sur les joues du grand Chevalier qui, cette nuit-là, aurait volontiers arraché une à une toutes les plumes d'Asbeth. S'il avait été capable de s'infiltrer une fois dans l'antre de l'Empereur Noir, il pourrait certainement y retourner pour s'emparer de ce sorcier.

– Je ne te laisserai jamais tomber, Kevin..., promit-il.

Il croisa ses bracelets, créant le vortex. Kevin enfouit sa tête dans l'herbe haute pour protéger ses yeux sensibles.

Assise dans le lit inconfortable de l'ancienne chambre de son mari, Kira fut réveillée par le chagrin de Wellan. Elle avait appris, au fil des ans, à se débrancher des émotions de son chef, mais il y avait des fois où c'était impossible. Sage dormait près d'elle, couché sur le ventre. Elle lui caressa doucement le dos, mais ne le réveilla pas. Kevin était son ami. Il se faisait déjà suffisamment de souci pour lui.

Elle sentit Wellan s'enfoncer dans le tourbillon d'énergie qui lui permettait de se déplacer magiquement. C'était l'une des rares occasions où elle perdait tout contact avec lui. Les dernières paroles du grand chef résonnèrent dans son esprit.

Tu es et tu seras toujours un Chevalier, même si tu dois nous accompagner avec un bandeau sur les yeux ! L'une des réponses de Kevin suivit cette affirmation : *Je ne vois plus rien le jour. J'ai peur du contact de l'eau. Même mon cheval ne me laisse pas l'approcher.*

– Mais moi, je connais la solution à ce problème ! s'égaya-t-elle.

Au matin, elle mettrait son plan à exécution.

11

VIRGITH

Kira se réveilla un peu avant le lever du soleil. Elle secoua Sage, qui grogna et voulut glisser la tête sous l'oreiller. « Oh non », se fâcha la Sholienne. « Il n'est pas question que je procède à cette mission de sauvetage toute seule. » Elle appuya le bout de ses griffes sur la peau nue de Sage. Il se redressa aussitôt. Il avait appris, depuis le début de leur mariage, à reconnaître les avertissements sérieux de sa femme.

– Tu ferais mieux d'avoir une bonne raison de me menacer ainsi, maugréa-t-il. J'étais au milieu d'un rêve particulièrement intéressant.

– Dans les bras d'une déesse ?

– Tu n'en sauras rien.

Elle couvrit ses épaules de baisers. Devant ces signaux contradictoires, Sage fronça les sourcils.

– Explique-moi ce qui se passe, s'alarma-t-il.

Kira lui relata la conversation qu'elle avait interceptée, malgré elle, entre leur chef et Kevin. Son mari l'écouta, de plus en plus triste.

– Alors, j'ai décidé de lui venir en aide... du moins pour le cheval. Ce matin, nous irons chercher Virgith. Il est adulte, maintenant, et Hathir passe son temps à le chasser du troupeau.

– Et tu crois qu'il acceptera de te suivre gentiment ?

– Il n'aura pas le choix, crois-moi. Alors, tu viens avec moi, oui ou non ?

– Je viens. Il faudra bien que quelqu'un te ramène à la maison quand ce démon t'aura vidée de toutes tes forces.

Un air triomphant illumina le visage de Kira : un autre indice que Sage avait appris à interpréter. Peu importe ce qu'il dirait, elle ne l'écouterait pas. En soupirant, il repoussa la couette.

– Nous pourrions inviter tes parents et tes sœurs à nous accompagner, suggéra la Sholienne en s'emparant de sa tunique mauve et de son drap de bain.

– Quoi ! s'exclama-t-il.

Trop tard, elle était partie se purifier. Il ne la revit qu'au repas dans le hall des Chevaliers, assise avec sa famille. Sutton se montra désireux de l'accompagner sur les terres d'Émeraude, mais Galli et Payla déclinèrent l'invitation. Quant à Yanné, elle n'avait pas écouté un seul mot de la proposition de sa belle-sœur. Elle mangeait en épiant dis-crètement Santo, assis à l'autre bout de la table. « Je devrais peut-être tenter de les rapprocher, tous les deux », pensa Kira. Le guérisseur était si triste depuis le mariage de Bridgess.

– Ne te mêle pas d'affaires qui ne te regardent pas, lui chuchota Sage en s'asseyant près d'elle.

– Les Chevaliers d'Émeraude sont les gardiens de la paix et de la justice sur Enkidiev, non ?

– On dirait bien que c'est seulement la justice qui t'intéresse. Que fais-tu de la paix ?

Elle lui donna un coup de coude dans les côtes.

Lorsque Sutton eut terminé son assiette, il se pencha sur sa benjamine en réprimant un sourire amusé. Les yeux d'un père sont particulièrement perçants lorsqu'il s'agit de reconnaître d'éventuels prétendants. Il demanda à Yanné si elle désirait se balader dans la campagne avec eux. Heureuse d'échapper à la routine du palais, elle accepta sans hésiter. Kira prit donc les devants et pria les garçons d'écurie de seller deux montures pour ses invités. Elle prépara Hathir pendant que son époux faisait de même avec son beau cheval gris.

– Je pourrais te faire cadeau d'une de mes pouliches, lui offrit Kira.

– Mon destrier me convient parfaitement, merci, affirma Sage.

– Est-ce que tu as peur de mes chevaux-dragons ?

– Disons que je ne possède aucun talent pour les dresser.

– Ils n'ont nul besoin de l'être, sauf les petits, bien sûr ! Les adultes sont des bêtes habituées à être montées, même si c'était par des espèces de soldats-sauterelles.

Sutton et Yanné les rejoignirent. Les palefreniers les aidèrent à grimper en selle, car l'équitation n'était pas un sport que pratiquaient les Espéritiens. Dans leur pays, les chevaux avaient surtout servi au travail de la terre. Le quatuor s'apprêtait à quitter le château lorsque deux autres cavaliers s'avancèrent vers eux.

– Pouvons-nous vous accompagner ? s'informa Santo, flanqué de Mann.

Kira jeta un coup d'œil discret à Yanné, qui jubilait en silence sur son alezan.

– Ce serait une excellente idée, répondit Sage au nom de tous. Nous nous rendons au nord de la rivière, là où Kira fait paître ses chevaux-dragons.

– Est-ce un endroit sûr pour vos invités ? s'inquiéta le guérisseur.

– Les femelles sont paisibles, expliqua Kira. Seuls les mâles ont de forts caractères.

Hathir se mit à piaffer pour indiquer son désaccord.

– L'ennui, c'est que Kira a l'intention de s'emparer du seul poulain que son étalon a conçu avec ces dames, ajouta Sage, découragé.

– Elle ne nous a pas demandé d'intervenir, seulement d'observer la capture, le rassura Sutton.

Cela sembla apaiser Santo. Le groupe sortit de la forteresse au pas. Puis les Chevaliers enseignèrent le trot et le galop aux Espéritiens, qui trouvèrent l'exercice très amusant. Tout comme Kira s'y attendait, Santo chevaucha aux côtés de Yanné. Voyant que son épouse les épiait, Sage lui décocha un regard noir.

– Je n'ai rien à voir là-dedans ! s'indigna-t-elle.

Les cavaliers traversèrent le cours d'eau à gué. Le temps se réchauffait graduellement, mais dans la forêt, il faisait délicieusement frais. Ils suivirent de nombreux sentiers et débouchèrent finalement sur une vaste plaine d'herbe tendre à l'est de la Montagne de Cristal. Un troupeau de plus d'une centaine de chevaux noirs paissaient là en toute tranquillité.

– Quel magnifique spectacle ! s'exclama Yanné.

– Ces bêtes n'ont aucun ennemi naturel, dit Kira à son beau-père. Même les grands chats de Rubis ne les approchent pas.

– Elles viennent de l'Empire Noir ?

– Nous n'en sommes pas certains. Elles sont arrivées ici avec des esclaves qui se battaient pour Amecareth, mais nous ne savons pas s'ils arrivaient d'Irianeth.

– Où est le cheval que vous êtes venue chercher ? demanda Yanné.

– Vous ne devriez pas tarder à le voir.

Hathir poussa un sifflement si aigu que les chevaux normaux s'affolèrent. Sutton parvint à retenir le sien, mais Santo dut saisir rapidement les rênes de celui de Yanné.

Les juments répondirent en chœur à l'appel de l'étalon en relevant l'encolure. Quant aux pouliches, elles se blottirent contre leurs mères en reconnaissant la voix de leur géniteur. C'est alors que de la bande émergea un jeune cheval-dragon en tous points semblables à celui de Kira, sauf qu'une partie de sa crinière était blanche.

— Ne lui fais pas de mal, ordonna la Sholienne à Hathir en mettant pied à terre.

Le géant noir décolla, ses sabots faisant trembler le sol. Il galopa aux devants du jeunot en poussant des sifflements perçants. Les deux mâles se cabrèrent l'un devant l'autre en échangeant des propos que Kira ne jugea pas nécessaire de traduire.

— Mais comment allez-vous capturer cet animal sauvage ? s'enquit Sutton, quelque peu déconcerté.

— C'est une question de hiérarchie. Hathir est en train de rappeler à Virgith qu'il a l'âge de quitter le groupe. Ensuite, il lui dira que j'ai un maître à lui offrir.

— Ce ne sont pas les chevaux qui sont offerts aux hommes, habituellement ? plaisanta Yanné.

— Ni Kira ni son cheval ne font quoi que ce soit de façon normale, soupira Sage.

— Même si elles ressemblent à nos chevaux, ces créatures sont fort différentes, les éclaira Santo. Elles sont plus intelligentes et elles vivent selon leurs propres règles. C'est leur loyauté qui les pousse à s'associer à un cavalier.

— Je ne l'aurais pas mieux expliqué moi-même, le remercia Kira.

Quelques coups de sabots furent échangés entre les rivaux, qui cherchèrent ensuite à se mordre. Même si Virgith était jeune et vigoureux, il n'avait pas la musculature de son père. Il finit par reculer, sans s'avouer vaincu, et fonça vers le nord.

– Ce n'était pas censé se passer comme ça ! se fâcha Kira. Maintenant, il va falloir le poursuivre !

– Je ne crois pas que ce soit une activité prudente pour des gens qui commencent à monter à cheval, estima Santo. Je ferais mieux de les raccompagner à Émeraude.

– Je suis d'accord, l'appuya Sage.

Kira dut admettre que c'était la solution la plus raisonnable. Elle rappela son étalon et s'empressa de grimper en selle avant que Virgith se réfugie dans les forêts de Rubis. Sage talonna son cheval et la suivit. Ils poussèrent tous deux leurs destriers au galop, laissant Hathir suivre la trace de son fils.

– Il file vers les marais ! cria Kira à son compagnon.

– Est-ce qu'il déteste l'eau lui aussi ?

– C'est ce que nous allons bientôt savoir !

Hathir avait cessé de craindre la pluie et les ruisseaux au contact des humains. Kira avait même réussi à lui faire traverser des rivières. Son troupeau de chevaux-dragons, par contre, avait dû contourner la Montagne de Cristal à l'ouest pour accéder à son nouveau pâturage, les juments ayant refusé de s'approcher du moindre cours d'eau. Kira avait jeté quelques ponts sur les rivières du continent, mais elle ne pouvait pas en créer constamment.

Tout comme Kira l'espérait, Virgith s'arrêta brusquement lorsque ses sabots s'enfoncèrent dans la mare. Le jeune étalon voulut rebrousser chemin, mais il se retrouva alors devant les Chevaliers. Une bride à la main, la Sholienne sauta sur le sol et s'avança vers le jeune animal.

– Tout doux, Virgith..., l'exhorta-t-elle.

Le cheval-dragon releva l'encolure avec défi. La Sholienne ne broncha pas. Elle le connaissait depuis sa naissance. Elle leva doucement le bras et posa la main sur ses naseaux. L'étalon s'immobilisa, les oreilles bien droites : il écoutait ses recommandations silencieuses.

– Kevin ne mérite pas ce qui lui arrive, pas plus que toi, poursuivit Kira à voix haute. Il a besoin d'un courageux compagnon pour continuer de combattre notre ennemi à tous.

Virgith ne connaissait pas encore la guerre, mais l'idée de se rendre utile tout en échappant au harcèlement de Hathir lui plaisait. Kira lui passa doucement la bride. Il ne se débattit pas. La Sholienne tira doucement sur les rênes pour le ramener près de son père.

– Hathir ne te fera pas de mal, lui promit Kira.

Les deux bêtes sombres comme la nuit échangèrent quelques sifflements aigus.

– Il serait peut-être préférable que ce soit moi qui l'emmène, suggéra Sage.

– Il ne te connaît pas. Allons, mettons-nous en route et voyons comment il réagira.

Kira monta sur le dos de son étalon. À sa grande surprise, Virgith adopta un comportement soumis.

– Ces bêtes ne finiront jamais de m'étonner, avoua-t-elle à son mari.

Ils revinrent vers la rivière, que le cheval-dragon accepta finalement de traverser, malgré sa terreur. Ou était-ce seulement par orgueil devant Hathir ?

– Kevin sait-il ce que tu mijotes ? s'inquiéta soudain Sage.

– Non.

Le jeune guerrier lui adressa un regard désapprobateur.

– Il se serait enfui si je l'avais fait prévenir, se justifia Kira. Je t'en prie, mon chéri, fais-moi confiance.

Ils empruntèrent la route qui passait par les champs cultivés au lieu de longer le cours d'eau, afin de ne pas alarmer les paysans riverains. En effet, ces derniers ne s'habituaient pas aux yeux enflammés des chevaux-dragons.

Maïwen arrosait ses plants lorsque les deux Chevaliers arrivèrent devant chez elle. Elle déposa l'arrosoir pour accueillir ses visiteurs.

– On dirait que tout le monde s'est donné le mot ! s'égaya-t-elle. Je suis si contente de vous voir !

Sage mit pied à terre et étreignit sa sœur d'armes.

– Kira a un présent pour Kevin, lui apprit-il.

Le beau visage de la Fée s'attrista, car elle savait que son époux n'était pas d'humeur à recevoir qui que ce soit.

– Dans ce cas, vous auriez dû venir après le coucher du soleil, soupira-t-elle. Les yeux de Kevin ne supportent plus la lumière du jour.

– Je m'occupe de lui, assura Kira en attachant les rênes de Virgith au pommeau de sa selle.

En étant ainsi relié à Hathir, le jeune étalon ne chercherait pas à s'échapper. La Sholienne voulut faire un pas vers la maison, mais Maïwen lui bloqua la route.

– Il est de plus en plus agressif, la prévint-elle.

– Je serai prudente.

Kira se glissa par la porte de la chaumière et entra dans le monde des ténèbres où Kevin était désormais condamné à vivre. Les yeux violets de la princesse s'étaient acclimatés à tous les éclairages depuis son enfance, mais ils n'avaient pas perdu la faculté de voir dans le noir. Elle aperçut son compagnon couché sur son lit, tout au fond de la grande pièce. Sans la moindre crainte, elle s'approcha de lui. Kevin sursauta lorsqu'elle posa la main sur son bras.

– Ne me touchez pas ! cria-t-il en s'écrasant contre le mur.

– C'est moi, Kira, le rassura-t-elle. Comment pourrais-tu m'infecter, puisque je suis déjà plus insecte que toi ?

La respiration de Kevin se calma.

– J'ai appris que tu ne pouvais plus t'approcher de ton cheval, alors je suis venue t'offrir un jeune étalon de mon troupeau, poursuivit-elle.

– Ton geste est noble, murmura Kevin, mais je suis aveugle sous le soleil. À quoi me servirait-il de le monter en pleine nuit ?

– Non seulement mes chevaux ont la même vision que toi dans l'obscurité, mais ils sont d'une loyauté à toute épreuve. Laisse-moi t'en donner la preuve. Et puis, comme je te connais, tu n'abandonneras pas Virgith à son sort.

– Virgith ? répéta Kevin.

– C'est le nom que le troupeau a donné au seul mâle à être né sur Enkidiev. Mais puisque les juments ne reconnaissent la domination que d'un seul étalon, Virgith n'a plus sa place parmi elles. Il a besoin d'une raison de vivre. Je lui ai dit que tu te trouvais dans une situation semblable à la sienne et il a accepté de te rencontrer. Je l'ai donc emmené avec moi.

Kevin se tourna vers les épaisses tapisseries qui bloquaient toutes les fenêtres. Des filets de lumière les encadraient.

– Il ne fait pas encore sombre, déplora-t-il.

– J'y pensais, justement.

Avec le bout d'une griffe, Kira déchira une large bandelette dans la couverture de son compagnon.

– Assieds-toi, Kevin.

Il lui obéit sans tenter de dissimuler son appréhension. Kira plaça le morceau de tissu devant ses yeux et l'attacha derrière sa tête. Elle prit ensuite le bras de son compagnon et l'entraîna vers la sortie.

Sage et Maïwen furent surpris de les voir apparaître sur le seuil. « Décidément, personne ne résiste à Kira », pensa Sage. Prudemment, la Sholienne fit marcher Kevin en direction des chevaux. Elle l'arrêta devant Virgith, qui avait relevé les oreilles, tout aussi craintif que son futur maître. Kira détacha ses rênes et demanda à Hathir de l'attendre plus loin. L'énorme animal s'exécuta.

– Kevin, est-ce que tu sens la présence de Virgith ? voulut savoir la princesse.

– Je l'entends respirer... Mais il y a bien longtemps que je ne capte plus rien avec mes sens magiques.

Kira prit la main tremblante de son frère d'armes et l'appocha des naseaux du cheval-dragon. Elle la posa sur la peau satinée de la bête, puis recula pour les laisser faire connaissance. Virgith émit un gazouillis semblable à celui des oiseaux.

– Je ne parle pas ta langue, mais je suis capable de l'interpréter, lui dit le Chevalier.

– Il comprend la nôtre, l'informa Kira.

Maïwen et Sage contemplaient la scène en retenant leur souffle. Kevin avança lentement vers l'animal. Sa main remonta vers sa tête, toucha ses oreilles et glissa sur l'encolure.

– Ta robe est différente de celle des chevaux auxquels je suis habitué, avoua le soldat, étonné.

Virgith était immobile comme une statue. Heureusement, Kira ne remarqua aucun signe d'agressivité de sa part. Kevin caressa le flanc de l'étalon noir et, à la grande surprise des Chevaliers, ce dernier descendit sur ses genoux.

– Que fait-il ? s'alarma Kevin.

– Je crois qu'il t'invite à monter sur son dos, devina Sage, tout aussi consterné que lui.

Kevin repéra la naissance de la crinière de Virgith, l'empoigna et passa prudemment la jambe par-dessus sa croupe. Le cheval se releva d'un bond.

– Je ne veux pas aller loin, le prévint son nouveau maître.

La bête fit quelques pas le long des enclos. Maïwen poussa un soupir de soulagement.

– Je ne pensais pas qu'il remonterait un jour en selle, confia-t-elle à ses amis.

– Moi, je n'en doutais pas un instant, affirma Kira. Et ce n'est pas fini. Petit à petit, nous allons lui faire réintégrer nos rangs.

– Malgré son infirmité ?

– Il n'est désavantagé que le jour et les guerriers de l'empire attaquent le plus souvent la nuit.

– Kira a raison, l'appuya son mari. Il pourrait nous être d'un précieux secours.

– Virgith est désormais son nouveau cheval de combat, conclut la Sholienne, plutôt fière de son initiative.

– Dans ce cas, ce serait une bonne idée que vous rameniez sa jument au château, car elle risque de mourir d'ennui ici, leur proposa Maïwen.

Sage alla donc passer un licol à l'animal blond comme les blés pour le ramener près de sa propre monture.

– Assure-toi que Kevin passe le plus de temps possible avec Virgith, conseilla Kira à la Fée. Il est très important qu'ils apprennent à se connaître avant les prochains affrontements.

– J'y verrai.

Ses deux compagnons remontèrent en selle. Ils observèrent Kevin encore un moment, puis lui dirent qu'ils devaient rentrer. Souriant joyeusement, ce dernier fit tourner son nouveau destrier vers eux et les remercia. Il se pencha ensuite pour caresser l'encolure de Virgith.

– Je pense que nous avons accompli une bonne action, déclara Kira à Sage tandis qu'ils regagnaient la route.

– Je n'ai rien à voir là-dedans, protesta son mari.

Elle lui jeta un coup d'œil amusé.

12

Le premier baiser

Pendant que Kira et Sage capturaient et menaient Virgith chez leur infortuné compagnon, Santo et Mann chevauchaient tranquillement avec Sutton et Yanné dans la campagne d'Émeraude. Ils leur firent longer la rivière en leur pointant diverses pistes d'animaux sauvages. La jeune femme s'émerveilla devant une famille de canards aux plumes chatoyantes. Question d'initier les Espéritiens à leur nouvelle patrie, le Chevalier leur fit traverser un village riverain.

Les paysans, qui reconnaissaient le guérisseur, le saluaient au passage. Sur la petite place centrale, les enfants offrirent à boire à leurs chevaux.

– Le hameau de notre ancêtre se trouve-t-il par ici ? voulut savoir Yanné qui examinait les chaumières avec fascination.

– Non, répondit Santo. Il se situe au sud, à la frontière des Royaumes d'Émeraude et de Perle, près d'immenses forêts très denses. Ici, il n'y a que de petites forêts.

La jeune cavalière poussa son cheval pour rejoindre son guide improvisé et Mann lui céda volontiers sa place. Il ralentit le pas et se posta auprès de Sutton. L'ancien chef de la première famille d'Espérita contemplait les habitations, les puits et les enclos. « Tout compte fait, nous avons reproduit chez nous le style de vie de nos ancêtres d'Émeraude », songea-t-il.

– Vous avez beaucoup voyagé, constata Yanné en posant un regard admiratif sur Santo.

– Cela fait partie de la vie d'un Chevalier. Toutefois, depuis que nous possédons ces ornements magiques, nous nous déplaçons beaucoup plus rapidement, mais sans voir beaucoup de paysage.

Il lui tendit le bras et la laissa toucher le cuir étonnamment soyeux du bracelet noir.

– Je suis rassurée de savoir que des hommes comme vous protègent Enkidiev, lui confia-t-elle.

Santo coupa à travers les terres afin de leur faire visiter un village beaucoup plus important. L'activité qui y régnait plut davantage à Sutton. Les hommes travaillaient dans les champs et enseignaient leur métier à des adolescents. Avec patience, ils chargeaient les charrettes des fruits de leur labeur. Plusieurs d'entre eux bavardaient tout en accomplissant leur besogne et d'autres riaient de bon cœur en faisant avancer les chevaux de trait. La bonne entente semblait régner dans ce petit coin d'Émeraude.

Les cavaliers suivirent la route jusqu'au cœur du village, où des effluves de pain frais rappelèrent à leurs estomacs qu'ils n'avaient rien mangé depuis le matin. De chaque côté de leurs montures, des enfants transportaient des seaux d'eau, des femmes lavaient des vêtements dans des cuves et d'autres faisaient mijoter du ragoût dans de grands chaudrons noirs.

Santo arrêta le groupe devant une vaste maison de bois recouverte de chaume. Des villageois y entraient et d'autres en sortaient. Galamment, le Chevalier aida Yanné à mettre pied à terre.

– Je suis bien content de me délier les jambes, avoua Sutton en faisant quelques pas.

– Et vous le serez encore plus lorsque vous aurez goûté à l'excellente cuisine de cet endroit, affirma Santo.

Le Chevalier les fit entrer dans l'auberge. L'arôme de la viande rôtie chatouilla leurs narines.

– Sire Santo ! s'exclama le propriétaire, un paysan dans la trentaine. C'est un plaisir de vous revoir ! Venez, je vous offre ma meilleure table !

Elle ressemblait pourtant à toutes les autres, de l'avis de Yanné. Ce n'est que lorsqu'ils furent assis qu'elle comprit : située entre deux fenêtres, cette table était constamment balayée par une brise fraîche.

– J'ai du sanglier aujourd'hui, annonça l'homme, visiblement heureux de servir un Chevalier.

– Tout ce que vous préparez est excellent, le complimenta Santo.

– De la bière pour les messieurs et du vin pour la dame ?

– Non, répliqua Yanné en relevant fièrement la tête. Je boirai la même chose qu'eux.

L'aubergiste fila vers la cuisine.

– Nous n'avions rien de tel à Espérita, fit observer Sutton.

– C'est que vous n'y receviez jamais de visiteurs, répliqua le Chevalier.

On leur apporta de la viande grillée, du pain chaud et de la bière. Pendant qu'ils se rassasiaient, Santo leur raconta que la plupart des royaumes possédaient des villages suffisamment gros pour qu'on y bâtisse ce genre d'établissement. Il ajouta que même dans les hameaux plus petits, les gens étaient tout aussi accueillants.

– Au village de Leomphe, les hommes ont érigé de grands chapiteaux pour nous protéger de la pluie, relata le guérisseur. Leur hospitalité nous a donné le courage de poursuivre notre route malgré le mauvais temps.

– Nous n'avons rencontré que des gens bienveillants depuis notre départ d'Espérita, observa Yanné.

Un tumulte s'éleva à l'extérieur. Les yeux de Yanné se voilèrent aussitôt de frayeur.

– Ne craignez rien, ce ne sont pas des ennemis, assura Santo en posant une main apaisante sur son bras.

Une femme fit irruption dans la grande pièce, suivie d'un groupe de paysans. Elle transportait dans ses bras un bébé enveloppé dans une couverture.

– Sire Chevalier, je vous en supplie, aidez-moi, implora-t-elle en se jetant à genoux devant Santo.

Le visage baigné de larmes, la jeune femme découvrit la tête du nouveau-né. Sa peau était crayeuse, presque bleue. Le guérisseur le coucha sur la table et passa une main lumineuse au-dessus de son petit corps immobile. Il avait cessé de respirer, mais son cœur battait faiblement. Santo plaça deux doigts sur le front et sur la poitrine du poupon, puis ferma les yeux. Un éclat aveugla tous les gens présents.

Yanné avait vu les Chevaliers soigner les survivants de son peuple au Royaume d'Opale, mais elle n'avait jamais senti autant de compassion lors de ces interventions. On lui avait raconté que chaque fois qu'ils opéraient une guérison, ces vaillants soldats mettaient leur vie en péril. Pourtant, Santo n'avait pas hésité un seul instant à se porter au secours de l'enfant.

La bouche du poupon s'ouvrit et il se mit à pleurer, au grand soulagement de l'assemblée. Le guérisseur l'examina à nouveau avec ses paumes sensibles. Sa force vitale était rétablie. Santo allait en informer la mère, mais il n'eut pas le temps de prononcer un seul mot : elle perdit conscience et s'écrasa sur le sol. C'est à ce moment que le Chevalier vit le sang qui maculait ses jupes.

– Quand a-t-elle accouché ? s'alarma-t-il.

– Juste avant qu'on entre ici, répondit une femme.

Yanné s'empressa de cueillir le bébé pour le réconforter. Santo passa la main au-dessus de la poitrine de sa patiente.

– Mann ! appela le Chevalier épuisé.

L'adolescent bondit à ses côtés. Sans que Santo lui dise quoi faire, l'apprenti illumina ses mains et les posa sur le cou de la jeune mère. Il leva aussitôt des yeux incrédules sur son maître.

— Elle est morte..., murmura-t-il, la gorge serrée.

Rassemblant toute son énergie, Santo émit un puissant rayon dans le corps de la défunte. Elle ne broncha pas.

— Vous savez bien que nous ne pouvons rien pour ceux qui ont perdu tout leur sang, chuchota Mann pour ne pas affoler les paysans.

Santo ferma les yeux un instant et un fleuve de larmes s'en échappa. Dans ces moments-là, il n'arrivait tout simplement pas à comprendre la volonté des dieux.

— Où est son mari ? articula-t-il enfin.

— Il est mort pendant la saison des pluies, répondit un vieil homme. Son cheval l'a rué.

— A-t-elle de la famille ?

— Je suis son frère, se présenta un villageois. Nous n'avons plus de parents.

— Pouvez-vous élever son enfant ?

— J'ai déjà cinq bouches à nourrir, Chevalier, s'excusa-t-il en se détournant.

— Dans ce cas, je m'en occuperai, annonça Yanné en attirant sur elle tous les regards.

– Tu n'as pas d'époux, s'objecta Sutton.

– Il n'est pas nécessaire que je sois mariée pour lui trouver une bonne famille, répliqua-t-elle.

Sa réponse sembla soulager son père.

– À moins que quelqu'un du village ne désire l'adopter, offrit le guérisseur, qui faiblissait.

Personne ne s'avança. Santo savait bien que ces gens de la terre en avaient suffisamment sur les bras avec leurs propres enfants. Il n'insista pas. Le paysan souleva le corps de sa soeur et quitta l'auberge, suivi des autres villageois. Le silence devint alors oppressant. Voyant que le guérisseur fixait la mare de sang sur le sol, Mann lui saisit le bras.

– Venez, maître.

– J'aurais dû m'occuper d'elle d'abord, sanglota Santo.

– Vous savez bien qu'elle vous en aurait empêché.

L'Écuyer força le Chevalier à s'allonger sur le plancher de paille. Quelques secondes plus tard, une douce lumière blanche enveloppait le guérisseur.

– Que lui arrive-t-il ? s'effraya Yanné.

– Il reprend ses forces, la rassura Mann.

Le bébé continuait de pleurer dans les bras de l'Espéritienne et il devint évident qu'elle ne savait pas comment le consoler. La femme de l'aubergiste lui prépara un biberon de lait de chèvre. Le bébé se mit à téter, puis finit par se calmer.

– La femme qui l'adoptera saura quoi faire, s'excusa Yanné, les joues cramoisies.

Lorsque Santo revint finalement à lui, l'enfant dormait, appuyé contre la large poitrine de Sutton. Mann aida le guérisseur à se remettre sur pied. Il déposa une pièce d'or dans la main de l'aubergiste et emmena son maître vers la porte. Les Espéritiens les suivirent.

Sans dire un mot, ils remontèrent à cheval pour se remettre en route, en direction du château, cette fois. Dans son sommeil, le poupon émettait de petites plaintes qui attendrissaient Sutton. Cet homme mûr, qui avait eu trois enfants, semblait maîtriser la situation.

Le Chevalier, son apprenti et leurs invités passèrent les portes de la muraille à la fin de la journée, n'ayant pu galoper à cause du bébé.

– À qui dois-je confier le petit ? demanda Sutton en se laissant glisser sur le sol.

– Mann le portera à Armène en attendant qu'une décision soit prise à son sujet, indiqua Santo.

L'apprenti tendit les bras et l'Espéritien lui remit l'enfant. Mann se dirigea aussitôt vers l'une des tours extérieures de la forteresse.

– Vous pouvez vous rafraîchir dans notre hall, poursuivit le guérisseur, toujours ébranlé par la mort de la jeune mère.

– Et vous ? s'inquiéta Sutton.

– Je m'occuperai des chevaux, puis j'irai dormir un peu.

Yanné allait protester lorsque son père lui saisit le bras et l'entraîna vers le palais. Il comprenait le besoin de solitude du Chevalier.

Santo tira les bêtes jusqu'à l'écurie. Les palefreniers se hâtèrent de lui venir en aide. Finalement, le guérisseur n'eut que sa propre monture à soigner. Il retira la selle et la bride de l'animal et le brossa en se rappelant les événements de la journée. « Pourquoi n'ai-je pas remarqué qu'elle perdait autant de sang ? » se reprochait-il. En refermant la petite porte métallique de la stalle, il vit Yanné, une coupe à la main.

– C'est pour vous, annonça-t-elle en la lui offrant. J'ai pensé que vous en auriez besoin.

Santo but d'un seul trait.

– Merci, murmura-t-il, penaud.

– Vous ne devez pas souvent perdre de patients, constata la jeune femme.

– Non, pas souvent. Je n'ai pas été assez attentif.

– Qu'auriez-vous pu faire ?

– Mann aurait pu arrêter l'hémorragie pendant que je ranimais le bébé.

– Peut-être aussi était-il temps que cette femme soit admise auprès des dieux... Peut-être cet enfant a-t-il été délibérément placé sur votre route...

– C'est beaucoup de suppositions.

Il lui remit le gobelet en forçant un sourire de gratitude, puis fit quelques pas en vacillant.

– Je croyais que cette belle lumière autour de vous servait à vous redonner votre énergie, s'étonna Yanné.

– En partie. Je dois aussi dormir un peu pour reprendre complètement mes forces. Au repas de ce soir, il n'y paraîtra plus.

– Laissez-moi au moins vous accompagner jusqu'à votre chambre.

Elle déposa la coupe dans la main d'un palefrenier qui passait par là et prit le bras de Santo. Il aurait pu se rendre seul jusqu'à l'aile des Chevaliers, mais il décida de lui faire plaisir. Il marcha lentement à ses côtés, respirant le doux parfum de ses cheveux roux. En arrivant dans le couloir jalonné de portes, Yanné ne put retenir une exclamation de surprise.

– Mais comment vous rappelez-vous laquelle est votre chambre ? Il n'y a aucune indication !

– C'est une question d'habitude, je crois. La mienne est la troisième sur la droite.

Yanné l'y fit entrer. Avec beaucoup de précautions, elle l'aida à s'asseoir puis à s'allonger sur le lit.

– Même si vous n'avez pas pu sauver la mère, ce que vous avez fait aujourd'hui était vraiment remarquable, estima la jeune femme en s'asseyant près de lui.

– J'ai suivi l'élan de mon cœur, souffla Santo, qui s'assoupissait.

– Y a-t-il un peu de place dans ce cœur pour une femme qui vous aime ?

Santo ouvrit la bouche pour répondre, mais Yanné en profita pour y déposer un baiser. Comme le Chevalier ne protestait d'aucune façon, elle l'embrassa à nouveau. Santo ferma les yeux. Cette soudaine marque d'amour lui apportait un curieux réconfort. Il laissa les douces lèvres de l'Espéritienne caresser les siennes jusqu'à ce que le sommeil le réclame.

13

UN Choix difficile

À son retour au château, Kira rayonnait de bonheur. Incapable de garder plus longtemps son secret, elle laissa Sage s'occuper des chevaux et fonça vers le palais. Wellan n'avait pas souvent eu l'occasion de la féliciter depuis le début de sa vie de soldat, puisqu'elle faisait plus de bêtises que d'actes dignes de mention. Alors, quand elle accomplissait un beau geste, elle ne manquait pas de le lui faire savoir.

Elle grimpa à la bibliothèque, où le grand chef aimait se réfugier chaque fois que les Chevaliers rentraient à Émeraude. Wellan était accoudé à la table. Devant lui étaient étalés un grand nombre de parchemins.

– Tu peux approcher, Kira, dit-il. Je n'arrive à rien de toute façon.

Elle se hissa sur le tabouret de bois en face de lui. Wellan avisa son air de triomphe.

– Comme tu le sais déjà, j'ai encore accès à tes pensées et à tes émotions de temps en temps, commença-t-elle.

Wellan se redressa, inquiet.

– Je t'ai entendu dire à Kevin que tu l'obligerais à revenir parmi nous, même s'il devait porter un bandeau sur les yeux, expliqua Kira.

– Et alors ?

– J'ai décidé de te venir en aide... sans usurper ton autorité, évidemment. C'est toi qui décideras du rôle qu'il jouera parmi nous.

– Qu'as-tu fait, exactement ?

La Sholienne lui raconta en détail la capture de Virgith, la visite à la ferme et le lien qui semblait s'être établi entre la bête et l'homme.

– C'était la seule façon de lui procurer un cheval qui ne le craigne pas, conclut-elle.

– Cet étalon est-il entraîné au combat ?

– Non, mais il est très intelligent.

Le grand chef poussa un soupir de découragement. Kira n'était pourtant plus une enfant. Elle avait compris depuis longtemps que pour être efficaces, les Chevaliers de l'Ordre devaient s'en remettre aveuglément au jugement de leur chef. Alors, pourquoi continuait-elle de prendre ce genre d'initiative sans lui en parler ?

– Je suis la seule personne qui pouvait approcher Virgith, argumenta-t-elle en suivant le cours de ses pensées.

– Je n'en doute pas une seconde, répliqua Wellan en s'adossant au mur de pierre. Ce qui me désole, c'est que tu ne me consultes jamais, même lorsque tes actions pourraient avoir des conséquences désastreuses pour tous tes compagnons.

– J'ai seulement fourni une monture à un Chevalier qui en avait besoin, se défendit la Sholienne.

– Et ta décision de ne pas terminer tes études magiques ? Ta mère m'en a parlé. As-tu pris le temps de penser à ce qu'il adviendra de l'Ordre, de Lassa et de tout Enkidiev ?

Les oreilles pointues de Kira se rabattirent sur ses cheveux violets. « Fan a donc dit vrai », comprit Wellan.

– C'est plus compliqué que tu le crois, murmura-t-elle.

– Tu n'as plus envie de faire cet effort ?

– Disons que je préférerais le faire de mon vivant.

Wellan arqua un sourcil.

– Ma mère t'a-t-elle dit qu'il faudrait que je reçoive l'enseignement des dieux ?

– Et pour atteindre cet état..., commença Wellan.

– Il faudrait que je me donne la mort, termina Kira.

La Sholienne descendit du banc. Elle se croisa nerveusement les bras et fit quelques pas dans la pièce en contemplant les dalles usées.

– Je ne crains pas de quitter cette vie, déclara-t-elle en levant un regard malheureux sur le chef des Chevaliers. Je n'ai tout simplement pas le courage d'abandonner mon mari...

– Même pour sauver toutes nos existences ?

– J'y ai pensé des centaines de fois, mais l'amour de Sage me paralyse. Je vis tellement de bonheur auprès de lui. Essaie de comprendre...

Wellan conserva le silence, ce qui ne fit qu'accroître l'angoisse de Kira.

– Est-ce que toi, tu quitterais Bridgess et Jenifael pour toujours ? renchérit-elle.

– Il le faudra peut-être. Je ne sais pas ce que me réserve l'avenir.

– Volontairement, je veux dire. Planterais-tu un poignard dans ton propre cœur si les dieux l'exigeaient ?

– Je n'en sais rien...

– Moi, avant d'en arriver là, je veux être bien certaine qu'il n'y a aucune autre façon de vaincre Amecareth.

La gorge trop serrée, Kira prit la fuite. Wellan demeura immobile. Comment réagirait-il si Parandar devait réclamer de lui un tel sacrifice ? Les visages de Bridgess et de Jenifael apparurent dans son esprit. « Pourrais-je délibérément me séparer d'elles ? » se demanda-t-il. Il fut incapable de répondre à cette question.

Kira courut à en perdre haleine jusqu'à l'escalier, le dévala et se précipita dans la salle des bains. Sage venait d'entrer dans le bassin lorsqu'elle fit irruption dans la pièce couverte de petites tuiles de céramique. Sans prendre le temps de se dévêtir, elle sauta dans l'eau et se réfugia dans les bras de son époux en pleurant à chaudes larmes.

– Mais qu'est-ce qui t'arrive ? s'inquiéta Sage. As-tu appris une mauvaise nouvelle ?

– J'aurais dû te le dire il y a si longtemps, mais je ne m'y résignais pas, sanglota-t-elle.

Il la berça tendrement. Il la connaissait suffisamment pour savoir qu'il ne servirait à rien de la brusquer.

– Est-ce que tu es prête à m'en parler maintenant ? susurra-t-il.

– Non...

– Te livrerais-tu à quelqu'un en qui tu as confiance ?

– Ce n'est pas une question de confiance...

Sage devina que ce jeu du chat et de la souris risquait de se poursuivre toute la nuit s'il ne se montrait pas plus ferme. Il voulait qu'elle lui ouvre son cœur sans qu'il ait à lire ses pensées.

– Si cela me concerne, tu dois me mettre au courant, exigea-t-il.

Elle demeura silencieuse, ce qui lui fit craindre qu'il soit peut-être responsable de ce déchirement.

– Wellan veut nous séparer sur la côte ? avança-t-il.

– Non...

– S'agit-il de paroles que j'aurais prononcées sans faire attention ?

– Non... Arrête de me torturer...

– Je suis ton mari, Kira. Nous nous sommes juré fidélité et assistance dans le besoin. Laisse-moi t'aider.

Elle se pressa davantage contre lui et Sage sentit qu'elle rassemblait son courage. Il lui caressa doucement le dos pour l'encourager.

– Je suis allée dire à Wellan que nous avions offert un nouveau cheval à Kevin, murmura-t-elle finalement.

« Ils se sont encore querellés », supposa Sage. Mais il ne fit aucune remarque, de peur qu'elle ne se referme comme une huître.

– Il aurait préféré que je le consulte d'abord, mais il a compris mes raisons d'agir ainsi.

– Alors, pourquoi es-tu si bouleversée ? s'étonna le jeune guerrier.

– Il connaît un secret que je n'étais pas prête à partager avec toi. Il a appris que je devrai sacrifier ma vie pour terminer mon entraînement magique.

– Quoi ? bredouilla Sage.

– Pour devenir maître magicien, un mage doit d'abord mourir...

– Non ! protesta-t-il violemment en repoussant Kira. Il n'en est pas question ! Il y a certainement un autre moyen !

Un orage se formait dans les yeux opalescents de l'Espéritien, mais la princesse sut que c'était son amour pour elle qu'il exprimait ainsi. Elle voulut le rassurer, mais aucun son ne s'échappa de sa gorge, une fois de plus comprimée.

– Je ne laisserai pas les dieux t'enlever à moi ! tempêta Sage.

Son visage, habituellement pâle comme la neige, se colorait de plus en plus. Kira ne l'avait jamais vu dans un tel état de panique.

– J'affronterai tous les dieux et tous les Immortels plutôt que de te voir périr ! cria-t-il.

– C'est parce que je savais que tu réagirais ainsi que je ne me résignais pas à t'en parler, articula enfin son épouse.

– Dis-moi que tu n'as pas l'intention de leur obéir !

– Je ne sais plus ce que je dois faire, Sage... Je t'aime de tout mon cœur et je veux vivre le reste de mes jours auprès de toi, mais qu'adviendra-t-il d'Enkidiev si je refuse ?

– Ton frère est un Immortel, non ? Demande-lui conseil.

La Sholienne se blottit à nouveau contre son époux.

– Nous trouverons une solution, pleura-t-il en frottant son nez sur l'oreille de Kira.

Les amoureux ne parurent pas au repas du soir. Ils passèrent plutôt la soirée dans les jardins intérieurs du palais, à se raconter les instants de bonheur qu'ils avaient vécus depuis leur rencontre à Espérita, bien décidés à poursuivre leur vie ensemble.

aveux

Ꝺès que le soleil fut couché, les Chevaliers et les Écuyers se rendirent dans le hall pour manger. Wellan promena son regard paternel sur l'assemblée. Kira et Sage n'étaient pas là, mais il comprenait la décision de la princesse d'avoir un peu de temps seule avec son époux. Elle avait une importante décision à prendre. Il fut par contre surpris d'apercevoir Farrell et Swan parmi les soldats. Habituellement, ils aimaient rester avec leurs enfants lors des courtes visites des Chevaliers à Émeraude.

Les petits sont chez la Princesse des Elfes, lui précisa Farrell, par voie télépathique. Cet ancien combattant de la première évasion maîtrisait suffisamment les pouvoirs de son esprit pour s'adresser à une seule personne à la fois. Il avait enseigné cette remarquable faculté à ses élèves. Malheureusement, Wellan n'arrivait pas à faire la même chose. Il choisit donc de ne pas répondre au magicien, car tous ses compagnons l'auraient entendu.

– Je suis allé rendre visite à Kevin, laissa-t-il plutôt tomber.

Les Chevaliers et les Écuyers se turent et le considérèrent avec appréhension. « Pensaient-ils vraiment que je ne découvrirais pas leur petit secret ? » s'étonna-t-il.

– Depuis combien de temps ce complot dure-t-il ?

– Ce n'est pas un complot ! protesta Nogait, insulté. Nous ne t'avons rien dit parce que nous ne voulions pas que ton esprit soit distrait tandis que l'ennemi nous attaquait sur la côte !

– Kevin est un soldat sous ma responsabilité.

– Il est plutôt difficile de savoir ce qu'il est en ce moment, argumenta Wimme.

Farrell se leva, réclamant l'attention du grand chef.

– Ils ont agi ainsi à ma demande, affirma-t-il en fixant Wellan. Au début, je craignais que Kevin ne soit contagieux, puis j'ai compris, après avoir en vain tenté de le soigner, que sa métamorphose se poursuivait. Je me doutais que vous tenteriez de lui faire reprendre sa place dans son unité, alors j'ai entretenu le mensonge.

– Il est différent de nous, je l'ai constaté de mes yeux, répliqua le grand Chevalier, mais il peut certainement servir sa patrie plutôt que de se morfondre dans cette ferme.

– Il ne possède plus de facultés magiques.

– Il en a d'autres ! tonna Wellan.

Bridgess posa la main sur le bras de son époux courroucé pour lui signaler que ce n'était pas le moment de perdre son sang-froid.

— Pardonnez-moi, s'excusa le chef en prenant une longue inspiration.

Ses soldats apprécièrent son effort, surtout les apprentis, qui modelaient leur comportement sur leurs aînés.

— Nous te connaissons bien, Wellan, intervint Chloé, conciliante. Ton cœur est tendre. C'est pour cette raison que nous voulions t'épargner cette épreuve.

— J'ai juré devant les dieux de défendre Enkidiev et de prendre soin de chacun de mes soldats.

— Ce que tu as toujours fait, témoigna Dempsey. Mais tu ne pouvais pas prévoir que ce sorcier de malheur allait s'emparer de l'un de nous pour l'empoisonner.

— Pendant que tu te concentrais sur ta stratégie de guerre, nous avons accepté d'aider discrètement maître Farrell à traiter Kevin, ajouta Falcon.

— Nous ne l'avons certainement pas fait pour te déplaire, l'appuya Swan.

Wellan examina chacun de leurs visages. Il était parfois si difficile de diriger autant de guerriers et, bientôt, ils seraient plus de deux cents.

— Dis-nous que tu ne condamnes pas notre décision, réclama Ariane en brisant le silence.

— Votre dévouement envers votre frère invalide me touche beaucoup, admit le grand chef.

— Mais tu n'aimes pas qu'on te fasse des cachotteries, observa Jasson qui venait d'entrer dans le hall. Je suis désolé d'être en retard.

– Tu as pourtant des bracelets magiques qui te permettent de te déplacer rapidement, lui reprocha Bergeau.

– Ils ne me sont d'aucune utilité lorsque ma femme décide de me retenir à la maison.

Le traînard alla s'asseoir entre Volpel et Arca en servant un regard ironique à Bergeau.

– Où en étiez-vous ? s'informa Jasson avec un sourire qui détendit l'atmosphère.

– Je crois que Wellan a des projets pour Kevin, conjectura Chloé qui étudiait son chef depuis un moment.

– Rien qui puisse mettre sa vie en danger, au moins ? s'empressa Nogait.

– Je n'ai pas passé beaucoup de temps avec lui, mais je l'ai scruté, les informa Wellan. Il possède de nouvelles facultés qui nous seraient fort utiles : sa vision parfaite dans l'obscurité pourrait lui permettre d'espionner un bataillon d'insectes et sa nouvelle essence pourrait le faire passer inaperçu parmi nos ennemis.

– Un éclaireur, en somme, résuma Dempsey.

– Kira lui a procuré un cheval-dragon, mentionna le grand chef.

– Qui n'a pas la même odeur que nos destriers, précisa Falcon.

– Non, s'opposa Nogait en secouant la tête. Ce n'est pas une bonne idée de l'envoyer tout seul au milieu d'une armée de créatures sanguinaires qui auraient tôt fait de le tuer.

– Il s'est fort bien défendu lors de sa capture, lui rappela Farrell, impassible. Il a coulé les embarcations qui nous ont échappé.

– Mais il avait encore des pouvoirs magiques à ce moment-là !

– Je faisais référence à son ingéniosité.

Les soldats échangèrent tous en même temps des commentaires sur la possibilité de réintégrer Kevin dans leurs rangs. Certains étaient d'accord, les autres trouvaient qu'il avait assez souffert.

– Jadis, commença Farrell avec un léger mouvement de la main, nous ne nous posions même pas ce genre de question.

Une image fantomatique du Roi Hadrian d'Argent apparut au milieu de la table. Il était debout, portant l'armure des Chevaliers d'Émeraude, une main sur le pommeau d'une magnifique épée dont la garde était composée de deux hippocampes. L'illusion, fort bien réussie, calma aussitôt les esprits agités.

– Hadrian était un grand chef, comme Wellan, raconta le magicien en faisant appel aux souvenirs d'Onyx. Il n'avait pas une centaine de soldats à commander, mais des milliers. Lui aussi avait besoin de toute sa concentration sur le champ de bataille. Maintes fois, nous, ses lieutenants, avons eu à prendre des décisions sans le consulter. Hadrian n'avait certainement pas le temps de solutionner tous les problèmes auxquels nous devions quotidiennement faire face.

Farrell se mit à marcher le long d'une des tables, ses yeux pâles rivés sur l'apparition de son vieil ami.

– Jamais nous n'aurions fait quoi que ce soit pour lui nuire, ajouta-t-il, presque en transe.

– Pourtant, après la guerre, la plupart de ses soldats se sont entretués, fit observer Jasson.

Un éclat sauvage anima les yeux du magicien.

– Personne ne s'en est pris à Hadrian, rétorqua-t-il sèchement, même lorsqu'il a voulu calmer la rage de ses hommes.

– Ce que Farrell tente de nous dire, l'aida Chloé en se tournant vers Wellan, c'est qu'à l'instar des anciens Chevaliers, nous t'avons caché la vérité au sujet de Kevin pour t'épargner des soucis.

La silhouette translucide du roi d'antan salua Wellan d'un geste de la tête et s'évapora, émerveillant les apprentis qui ne possédaient pas ce pouvoir. Wellan respira profondément.

– J'admire vos intentions, dit-il enfin, mais je ne suis pas Hadrian d'Argent. Tout comme maître Farrell l'a si bien dit, je n'ai pas des milliers d'hommes sous mes ordres. Tant que vous ne serez qu'une centaine, j'exige d'être mis au courant de ce qui se passe dans l'Ordre en tout temps.

– Eh bien, j'ai mal au coude depuis deux jours, l'informa Bergeau avec un sourire espiègle.

– Moi, c'est mon petit doigt qui me fait mourir, l'imita Jasson, moqueur.

Les Chevaliers et les Écuyers éclatèrent de rire. Seul Nogait ne réagit pas. La pensée que son ami, aveugle et incapable de communiquer avec ses frères par télépathie, soit jeté dans la mêlée le terrorisait.

Wellan secoua la tête en se doutant qu'il allait faire les frais de ces plaisanteries pendant quelque temps. Au moins, la bonne humeur était revenue dans le hall.

– Tout ce que je te demande, l'implora Nogait, c'est que tu ne mettes pas la vie de Kevin en danger juste pour le ramener parmi nous.

Le Chevalier angoissé repoussa son banc et quitta la pièce. Wellan fit un geste pour se lever, mais Bridgess l'en empêcha.

– Rien de ce que tu pourrais lui dire ce soir ne le rassurera, lui chuchota-t-elle. Il finira par comprendre que la seule façon de sauver Kevin, c'est de lui redonner une raison de vivre.

Wellan apprécia son implacable logique en se perdant dans ses magnifiques yeux bleus.

– Quand aurons-nous enfin des Écuyers ? lança Bergeau d'une voix forte.

– Bientôt, répondit Farrell en retournant à sa place.

Wellan ne pouvait pas condamner cette ingérence du magicien dans ses affaires, car Farrell n'était pas réellement un soldat, même s'il se battait de plus en plus souvent à ses côtés. Il choisit plutôt de vider d'un trait sa coupe de vin.

« Mais où est donc Santo ? » se demanda-t-il soudain.

15

LA FILLE DE MORRISON

Dans le hall du roi, à l'autre extrémité du palais, les élèves d'Émeraude prenaient aussi le dernier repas de la journée. Les jours passaient et la cérémonie d'attribution des Écuyers n'avait toujours pas eu lieu. Ils avaient d'abord profité de leur nouvelle liberté, mais leur enthousiasme déclinait rapidement. La vaste salle, habituellement bruyante lorsque les enfants l'envahissaient, était de plus en plus silencieuse. Les serviteurs s'employaient à leur servir leurs mets préférés, mais ces joies gastronomiques ne les comblaient plus.

Jenifael était déjà assise avec ses amies Coralie et Ambre lorsque Liam et Lassa arrivèrent enfin. Le premier se laissa tomber sur le banc à la droite de la petite déesse. Ambre céda sa place au porteur de lumière en lui adressant un sourire admiratif qui le fit rougir.

– Mais où étiez-vous ? leur glissa Jenifael.

– Je lui ai montré comment diriger le ballon avec ses pieds, expliqua Liam en plongeant les mains dans les pommes de terre.

Des deux garçons, il était celui qui adorait l'exercice et les jeux. La plupart du temps, Lassa ne l'accompagnait que pour lui faire plaisir. Si on l'avait laissé à lui-même, le Prince de Zénor aurait sans doute passé ses journées à gratter la harpe et à composer d'autres chansons sur Kira.

– Avez-vous remarqué des changements au château ? voulut savoir Jenifael.

– Nous avons croisé Mann en rentrant, l'informa Lassa. Il revenait des villages avec Santo et les gens d'Espérita. Il a toujours le même âge.

– Est-ce que nous avons échoué ? se désola Liam en garnissant son assiette de légumes chauds.

– On dirait, soupira sa camarade.

Elle se doutait bien que les bévues de ses amis étaient à l'origine de ce revers. Elle avait toujours les potions magiques en sa possession. Il lui suffirait de rassembler une fois de plus des morceaux des couvertures des Écuyers et le cadran solaire. Cette fois, par contre, elle opérerait seule.

– Je pense qu'il est temps d'en parler à maître Farrell, suggéra Lassa.

– Surtout pas ! s'affola Jenifael. Nous serions obligés de lui avouer ce que nous avons fait et tu sais ce qu'il nous en coûterait. Je vous en prie, ne le dites à personne.

– Au moins, nous avons tenté quelque chose, se consola Liam.

La fillette leur fit signe de se taire. Ils comprirent pourquoi en voyant approcher Hawke, le nouveau magicien d'Émeraude. Avait-il entendu leur conversation ? L'Elfe portait une longue tunique vert pâle. Les bras croisés, il avait caché ses mains dans ses amples manches. Jenifael enfonça ses dents dans une bouchée de viande en baissant les yeux. Hawke n'était pas leur professeur, mais son statut lui donnait parfaitement le droit de les questionner.

Le mage poursuivit sa route entre les tables. Généralement, il mangeait seul dans ses appartements en étudiant des grimoires. Mais ce jour-là, il avait ressenti le besoin de se mêler à la vie du château. La nourriture préparée pour les enfants était excellente et il s'était régalé en écoutant leurs bavardages.

Hawke traversa le hall sans se presser. Wellan tardait à décider de l'avenir de ces jeunes magiciens. Le grand chef savait pourtant que les nouveaux élèves auraient besoin des dortoirs. Perdu dans ses pensées, Hawke continua dans le couloir qui menait jusqu'à l'aile des Chevaliers. Un chat courut près de lui et frôla le bas de sa tunique. Cet animal, qui avait appartenu à Élund, cherchait probablement sa pitance.

L'Elfe obliqua vers les portes principales. Il y avait bien longtemps qu'il n'avait pas respiré l'air du soir. Pourtant, il était né dans un pays où les gens vivaient dans la nature. Il fit quelques pas dans la cour. Les palefreniers rentraient les chevaux et les dernières charrettes de paysans quittaient l'enceinte fortifiée. Un serviteur allumait les flambeaux de chaque côté de l'entrée. Hawke leva les yeux sur la tour qu'il habitait depuis toujours. Il avait passé toute sa vie à étudier la magie afin de remplacer un jour son maître. C'était une noble entreprise de former les Chevaliers de demain, mais il aurait aimé, lui aussi, accomplir un grand exploit pour sauver cette terre qu'il aimait.

Il s'arrêta près de l'étang et haussa un sourcil. « Pourquoi le cadran solaire est-il à l'envers ? » se demanda-t-il. Il dégagea une main de ses manches. D'un subtil mouvement des doigts, il fit pivoter la pierre plate à la bonne position. Elle aurait dû être scellée à son socle, mais elle ne lui opposa aucune résistance. Les enfants l'avaient sans doute déstabilisée en se pourchassant dans la mare.

Hawke recula pour vérifier l'angle des symboles. C'est alors qu'il reçut au visage ce qui lui sembla être un bassin d'eau tout entier. Saisi, ses longs cheveux blonds dégoulinant sur sa tunique, il se retourna vers l'écurie. Sur le seuil, une jeune fille s'était figée, un seau à la main.

– Maître Hawke, je suis vraiment désolée, s'excusa-t-elle.

– Dites-moi que ce n'était pas de la..., tenta-t-il de plaisanter.

– Oh, mais bien sûr que non !

Elle laissa tomber le récipient et tenta d'éponger le cou et le visage du magicien avec son tablier.

– J'ai rempli les abreuvoirs, mais j'ai puisé trop d'eau, alors j'ai voulu m'en débarrasser. Je suis vraiment navrée. C'est la première fois que j'arrose quelqu'un. Habituellement, quand les chevaux sont rentrés, il n'y a plus personne dans la cour.

– C'est ma faute. À cette heure-ci, je suis généralement chez moi.

– Je remplacerai votre vêtement si je l'ai abîmé.

– C'est gentil, mais j'en ai plusieurs autres. Vous êtes Élizabelle, la fille du forgeron, n'est-ce pas ?

– Oui, c'est moi. Comment puis-je faire pardonner ma stupidité ?

Hawke ne répondant pas, Élizabelle risqua un œil sur son visage trempé, question d'évaluer son humeur. Le sourire qu'il tentait de réprimer étonna la jeune femme. C'était la première fois qu'elle voyait un magicien d'aussi près et celui-là ressemblait davantage à un petit chat mouillé.

– Laissez-moi au moins vous offrir du thé pour vous réchauffer, offrit-elle. Enfin, ai-je le droit de faire une telle invitation à un mage ?

– Nous sommes des êtres comme les autres, je vous assure.

Il lui offrit amicalement son bras. Élizabelle s'y accrocha en rougissant. Elle l'entraîna le long des enclos. Ils traversèrent la cour en direction de la forge de Morrison et s'arrêtèrent à la porte d'un petit bâtiment, adossé à la muraille du château.

– L'intérieur est plus coquet, affirma-t-elle en apercevant l'expression de surprise sur le visage de l'Elfe.

Elle avait raison. Dès qu'il eût franchi le seuil, Hawke se retrouva dans une oasis de fraîcheur. Il y avait des plantes vertes partout : sur le plancher, sur des tablettes, sur l'appui des fenêtres. Au centre de la pièce se dressait une imposante table de chêne dont la surface était recouverte de céramique. Le magicien s'en approcha et découvrit qu'il s'agissait en fait d'une mosaïque représentant Nadian, le dieu des forges, debout devant son enclume géante. Ses quatre mains serraient de puissants marteaux et l'une d'elles s'abattait sur une épée en lui arrachant des étincelles.

– Mon père a des talents cachés, avoua la jeune femme en tirant une chaise de paille tressée d'une alcôve.

En y prenant place, Hawke vit qu'un rideau de lierre dissimulait une chambre. Un four était creusé dans le mur du fond. Élizabelle y alluma un feu et suspendit une petite marmite au-dessus des flammes. En attendant que l'eau bouille, elle vint s'asseoir devant le magicien.

– C'est la première fois que nous recevons un personnage important dans notre humble demeure, à part sire Wellan et sire Dempsey, évidemment, lui apprit-elle.

– Notre grand chef vous rend visite ?

– Souvent. Mon père et lui sont de bons amis.

– Je sens de la magie en vous, Élizabelle. Pourquoi n'êtes-vous pas devenue une élève d'Élund ?

– Ma mère est morte quand j'étais toute petite, alors mon père a eu besoin de moi. De toute façon, à quoi cela m'aurait-il servi de développer mes dons ?

– À faire pousser les végétaux, suggéra-t-il avec un sourire.

– Vous croyez que c'est la raison de mon succès avec les plantes ? s'étonna-t-elle.

– Vos mains sont enchantées, chère dame.

Élizabelle examina ses paumes avec ravissement. Morrison lui disait souvent qu'elle avait le don d'accélérer la croissance des légumes, des fines herbes et des fleurs, mais elle croyait que ce n'était qu'un compliment paternel. Elle raconta sa jeune vie au magicien. Comme elle était la seule enfant du forgeron, elle avait appris à travailler le métal, en plus d'accomplir ses tâches domestiques. Hawke l'écouta en sirotant son thé.

– Votre époux doit être très fier de vous, osa le mage lorsqu'elle eût terminé son récit.

– Je ne suis pas mariée, soupira-t-elle. J'ai eu plusieurs prétendants, mais aucun ne plaisait à mon père. Il n'est pas facile d'être la fille d'un homme aussi imposant que lui, vous savez.

– Je ne peux que l'imaginer. J'aime bien votre compagnie, mais il se fait tard et je dois retourner à mes bouquins.

L'Elfe se leva et fit un tour sur lui-même pour montrer à Élizabelle que sa tunique n'avait subi aucun dommage : un léger repassage suffirait à lui redonner forme. Le geste fit rire la demoiselle. Jamais elle n'avait pensé que les magiciens pouvaient être aussi amusants.

– Je vous remercie pour le thé, lui dit Hawke. Saluez votre père de ma part.

Elle inclina légèrement la tête. Le mage sentit alors naître en lui un sentiment nouveau. Effrayé par l'attirance qu'il éprouvait tout à coup pour la jeune femme, il se hâta de graver dans sa mémoire son visage épanoui, ses longs cheveux blond-roux et ses yeux aussi verts que les siens, puis il recula sur le seuil.

– Bonne nuit, bredouilla-t-il.

Il quitta la maison presque en courant. Élizabelle n'eut même pas le temps de se lever. « Quelle curieuse rencontre », songea-t-elle.

16

UN PETIT ORPHELIN

Il était tard lorsque Kira réussit à ramener Sage à son ancienne chambre. Leur soirée intime dans les jardins avait finalement rassuré son âme. Afin de l'arracher au banc de pierre sous la jolie tonnelle, la Sholienne lui avait promis de trouver une façon de terminer son entraînement magique sans avoir recours au suicide. Elle découvrirait un maître, mortel ou divin, qui accepterait de la diriger.

Épuisé, Sage s'endormit contre elle. « Par où commencer ? » se demanda Kira. Les magiciens qu'elle connaissait ne lui étaient d'aucun secours. Hawke n'avait appris que les incantations et les potions. Quant à Farrell, il possédait certainement de grands pouvoirs, mais il les avait acquis auprès d'un faux Immortel. D'ailleurs, personne ne comprenait pourquoi Nomar avait entraîné le renégat et enseigné à Wellan, au Royaume des Ombres, à se défendre contre les sorciers. Pour pouvoir s'infiltrer dans l'Ordre plus tard ?

Plus Kira tentait de s'expliquer son comportement, plus elle était confuse. Après l'attentat de cet imposteur à l'entrée de la tour de Farrell, ce dernier avait raconté aux Chevaliers les tortures auxquelles Nomar avait eu recours pour briser sa volonté cinq cents ans plus tôt. Il le tenait même responsable de la disparition d'Abnar.

Plusieurs Immortels étaient au service des dieux, mais très peu pouvaient intervenir chez les humains sans leur permission. Seuls Fan et Dylan s'occupaient sporadiquement d'Enkidiev. La défunte mère de Kira lui avait déjà adressé un ultimatum : elle n'accepterait donc pas d'achever elle-même son instruction. Empêcherait-elle aussi Dylan de lui venir en aide ?

La princesse mauve continuait de chercher une solution lorsque le visage bienveillant du Roi Hadrian apparut dans son esprit. « Ceux qui ont quitté cette vie ont-ils accès aux secrets magiques des Immortels ? Où Abnar a-t-il caché l'anneau ensorcelé qui me permettait de faire apparaître l'ancien Chevalier ? »

Elle se dégagea doucement de l'étreinte de son époux et enfila une tunique. Elle quitta le palais en silence. La tour de l'Immortel baignait dans l'obscurité. Kira grimpa au premier étage. Elle sonda l'édifice sans détecter l'objet envoûté. Armène était couchée un peu plus loin : elle avait fait transporter son lit à cet étage, jugeant que Lassa méritait plus d'intimité là-haut. Avant de la réveiller pour la questionner, le Chevalier fit un nouvel essai magique.

– Que l'anneau auquel j'ai jadis jeté un sort retrouve son chemin vers moi, ordonna-t-elle en ouvrant sa main.

Rien ne se produisit. Kira tendit l'oreille, au cas où le bijou aurait fait des efforts pour se libérer d'un contenant quelconque. Elle ne perçut pas le moindre bruit.

– Kira, est-ce toi ? appela Armène en allumant une chandelle.

– Mène ! s'égaya la princesse.

Kira sauta sur les draps et étreignit la servante.

– D'habitude, tu me visites en plein jour, se moqua cette dernière.

– Tu sais bien que lorsque j'ai une idée en tête, je n'arrive pas à trouver le sommeil, lui rappela Kira.

– C'est donc que cette obsession me concerne.

– Indirectement. Il y a plusieurs années, lorsque je suis devenue Écuyer, le Magicien de Cristal m'a pris un anneau en or auquel je tenais beaucoup. Je me demandais si tu l'avais vu quelque part dans cette tour.

– J'ai fait le ménage ici des centaines de fois, ma petite chérie, mais je n'ai jamais trouvé le moindre bijou.

Les oreilles pointues de Kira se rabattirent sur sa tête, exprimant sa déception.

– Mais si tu veux, je chercherai encore, voulut la consoler son ancienne gouvernante.

– Ce serait bien inutile, Mène. Je ne capte pas sa présence. J'ignore ce que maître Abnar a bien pu en faire.

– Il a d'autres cachettes, tu sais.

« La Montagne de Cristal », se souvint la Sholienne. Elle ne l'avait jamais escaladée jusqu'au sommet, là où l'Immortel avait creusé sa caverne. En fait, personne ne savait si cet endroit existait vraiment.

– Lassa a d'étranges facultés que n'ont pas les autres élèves d'Émeraude, lui dit Armène. Je lui demanderai de m'aider.

Kira se doutait bien que le porteur de lumière n'aurait pas plus de succès qu'elle, mais elle acquiesça pour faire plaisir à Armène. Elle allait l'embrasser sur la joue pour lui souhaiter bonne nuit lorsqu'une plainte arrêta son geste.

– Mais qu'est-ce que c'est ? s'exclama le Chevalier.

– C'est la nouvelle addition à ma marmaille, l'informa Armène. L'Écuyer de Sire Santo m'a emmené ce petit garçon pendant le repas.

Armène se pencha pour cueillir le nouveau-né dans le berceau, de l'autre côté de son lit.

– Il est aussi minuscule que Lassa lorsqu'on me l'a confié, ajouta-t-elle.

Elle dégagea son petit corps de la couverture dans laquelle elle l'avait emmailloté pour le tenir bien au chaud.

– C'est vrai qu'il a l'air d'un pou, observa Kira. Qui sont ses parents ?

– Des paysans, apparemment. Ils sont morts tous les deux. Le pauvre est seul au monde.

« Comme moi à mon arrivée à Émeraude », s'attrista la princesse.

– Tu veux le prendre un instant ? lui offrit Armène.

– Je ne sais pas m'occuper d'un bébé.

La servante n'attendit pas qu'elle proteste davantage : elle déposa le poupon dans ses bras mauves. Il se mit aussitôt à gémir.

– Mais pourquoi pleure-t-il ? s'énerva Kira.

– Il aime se faire serrer.

Armène lui montra comment appuyer le nourrisson sur sa poitrine d'une façon plus confortable.

– Tu vois, c'est déjà mieux, la félicita la gouvernante.

Si elle n'avait pas eu à régler le problème de son entraînement magique, Kira aurait adopté ce petit malheureux sur-le-champ.

– Sire Santo t'a-t-il dit pourquoi il l'a ramené au château ?

– On m'a seulement demandé de m'en occuper. Peut-être est-ce à toi qu'il désire le confier...

– À moi ? se récria Kira. Non, c'est impossible.

– Tu m'as pourtant dit que Sage et toi ne pouviez pas avoir d'enfants.

– C'est vrai, mais même si nous en étions capables, nous attendrions la fin de la guerre pour élever une famille. Sinon, quelle sorte de vie auraient nos fils et nos filles ?

– La même que Jenifael.

La princesse mauve baissa honteusement la tête.

– Je crois que c'est moi qui ne suis pas prête à être mère, avoua-t-elle.

– Il faudra pourtant lui trouver des parents si nous voulons qu'il jouisse des mêmes avantages que tous les autres habitants du royaume.

– Tu devrais d'abord interroger Santo. Il a peut-être déjà pris une décision à son sujet.

Kira observa le visage du nouveau-né, qui dormait sans se douter que son sort reposait entre les mains de purs étrangers. Son instinct maternel risquant de faire surface, la Sholienne remit l'orphelin à Armène.

– En attendant qu'on me le réclame, j'ai décidé de l'appeler Maximilien, comme mon père, annonça la servante.

– Tu ne m'as jamais parlé de tes parents, Mène.

– Ils étaient depuis longtemps repartis vers les dieux lorsque tu es arrivée à Émeraude. Ils sont morts en même temps d'une terrible maladie qui a fait plusieurs victimes dans ce royaume.

– Quel âge avais-tu ?

– Cinq ou six ans, je ne me souviens plus très bien. Le roi m'a prise à son service, heureusement.

– Il est donc notre père adoptif à toutes les deux.

– Disons que dans ton cas, c'est plus officiel, précisa la servante, amusée.

– Maintenant, je comprends pourquoi tu m'as entourée d'autant d'amour, s'attendrit Kira. Tu étais orpheline, comme moi.

– J'ai vu dans tes yeux la terreur de te retrouver cata-pultée dans un monde peuplé d'inconnus. Tu m'as donné l'occasion de faire pour toi ce que j'aurais aimé qu'on fasse pour moi.

– Personne ne s'est occupé de toi quand tes parents sont morts ?

– Toutes les servantes veillaient sur moi, mais elles me donnaient plus de corvées que de marques d'affection, si tu vois ce que je veux dire. Je ne voulais pas que la même chose t'arrive. C'est pour cette raison que j'ai demandé à Sa Majesté de devenir ta gouvernante.

– Et ensuite, on t'a confié Lassa...

– Et Jenifael et les petits garçons de maître Farrell lorsqu'il a rejoint les Chevaliers à la guerre. Vraiment, les dieux m'ont comblée. Quand je vois le magnifique soldat que tu es devenue, je suis si fière !

Avec douceur, Kira essuya une larme de joie sur la joue de la servante.

– Tu devrais retourner auprès de ton époux, recommanda-t-elle.

– Je t'aime, Armène.

La princesse l'embrassa et quitta la tour, contente d'en avoir appris davantage sur sa mère adoptive, mais déçue de n'avoir pas mis la main sur l'objet qui lui aurait permis de communiquer avec son fantôme préféré. Elle regagna son lit sans réveiller Sage. En se blotissant dans son dos, elle se remit à penser au mignon minois de Maximilien.

17

PERTURBATIONS

Ce qui aurait dû être un matin comme tous les autres allait bientôt devenir le début d'une journée mémorable au Royaume d'Émeraude. En ouvrant l'œil, Wellan décida qu'il avait assez perdu de temps. Tout comme Élund l'avait fait autrefois, il affecterait deux apprentis à ses soldats. Les Chevaliers pourraient donc retourner patrouiller sur la côte avant que l'ennemi ne profite de leur absence pour l'envahir. Mais, avant de s'asseoir une fois de plus devant sa pile de papiers, le grand chef voulut aller profiter de l'air matinal. Sans réveiller Bridgess, qui dormait encore profondément, il quitta sa chambre.

Le temps était magnifique. Le vent frais lui permettrait d'exercer son destrier sans l'épuiser. Il entra dans l'écurie et salua les palefreniers, déjà au travail. Tout en continuant de songer à ses plans militaires, Wellan sella son cheval. Ses gestes étant devenus mécaniques pour les avoir répétés si souvent depuis le début de sa carrière, il n'y porta d'abord aucune attention. Il conduisit l'animal dehors et constata qu'il avait oublié sa gourde. Il revint à l'intérieur et décrocha l'outre de peau du clou sur lequel il l'avait suspendue.

Lorsqu'il sortit du bâtiment, son cheval n'était plus attaché à la clôture de l'enclos. Avait-il défait ses rênes ? Wellan scruta toute la cour et ne vit la bête nulle part. Pourtant, il ne s'était absenté qu'une minute. Fronçant les sourcils, le grand chef retourna pour questionner les garçons d'écurie. À sa grande surprise, sa selle reposait sur son caisson. Au pas de course, le Chevalier regagna la stalle : sa jument alezan mangeait calmement sa ration de grain.

Wellan était en état de choc. Comment l'animal avait-il réintégré l'écurie et qui l'avait dessellé ? Il pivota vers l'un des jeunes palefreniers.

– Bien le bonjour, sire Wellan ! lança ce dernier comme s'il voyait le Chevalier pour la première fois ce jour-là. Vous devriez faire sortir Grizald ce matin. Elle a besoin d'exercice.

– C'est ce que je viens de faire, protesta le chef, mais un petit coquin a décidé de la rentrer.

– En êtes-vous certain ? demanda le garçon, étonné par cette accusation. Elle n'a pas quitté sa stalle depuis hier. Je viens juste de la nourrir.

« Cela n'a aucun sens, à moins que je sois encore endormi », songea Wellan. Il sonda son environnement. « Non, ce n'est pas un rêve... », conclut-il. La gourde en bandoulière, il harnacha sa jument dès qu'elle eut terminé son repas. Cette fois, il ne la quitterait pas une seconde. Enroulant les rênes dans ses mains, il la guida à l'extérieur. S'il s'agissait d'une farce de la part des serviteurs, ils devaient se rouler par terre.

Wellan mit le pied à l'étrier et grimpa sur le cheval. La sentinelle l'avait vu se préparer à partir. Elle ouvrit les grandes portes, puis abaissa le pont-levis. Le grand Chevalier s'éloigna de l'enceinte fortifiée. Plus il repensait à ce curieux événement, moins il comprenait ce qui s'était passé. Il galopa le long de la rivière, à travers la forêt et dans les champs où l'herbe était maintenant bien haute. Les fleurs répandaient un délicieux parfum. La brise caressait l'homme et sa monture en les incitant à fournir un effort supplémentaire.

Le Chevalier arrêta la jument sur la colline où il aimait se retirer pour réfléchir. À respectable distance du château, cet endroit lui permettait d'embrasser du regard une bonne partie de la campagne et de la forteresse. Il sauta à terre et laissa brouter la bête. Il contempla ce royaume pour lequel il se battait depuis bien des années déjà en se demandant si un jour il pourrait en profiter. Sa fille grandissait loin de lui, ce qui lui déchirait souvent le cœur. Il aurait tellement aimé vivre une vie normale...

Lorsqu'il se retourna, le cheval avait une fois de plus disparu. « Celui qui se paie ma tête va le regretter », maugréa-t-il en cherchant Grizald à l'aide de ses sens magiques. Elle n'était nulle part ! Mécontent, Wellan courut jusqu'à l'orée de la forêt. Il n'y capta que la présence de cerfs, de sangliers, de lièvres et d'autres petits animaux. Aucun signe de sa jument. Il rentra donc au palais à pied.

Au même moment, le capitaine Kardey éprouvait le même genre de difficulté. Après le déjeuner, il alla aiguiser ses armes, sentant que les Chevaliers allaient bientôt repartir en mission. Il se rendit à la forge, où Morrison avait installé tout ce dont les guerriers avaient besoin pour procéder eux-mêmes à l'affûtage.

Il commença par son épée. Actionnant la grosse meule à l'aide de la pédale de bois, il affila la longue lame avec beaucoup de soin. Soldat de carrière, il savait qu'il était important de toujours être prêt pour le combat.

Lorsque le métal fut suffisamment tranchant, il déposa l'épée sur la table et retira son poignard de sa ceinture. Il refit la même opération pour la dague. Mais, lorsqu'il voulut reprendre l'épée, il constata avec stupeur que sa lame était émoussée.

– Mais c'est impossible ! s'écria l'Opalin, incrédule.

Son éclat attira évidemment Morrison, qui craignait que son équipement ne soit défectueux. Le géant, les cheveux attachés sur la nuque, vint examiner sa meule.

– Elle ne semble pourtant pas endommagée, estima le forgeron en passant la paume sur la surface du disque.

– Elle ne l'est pas, assura le capitaine. C'est ma lame qui semble corrompue.

Morrison souleva l'épée. Son œil expérimenté inspecta le métal, qui lui parut parfaitement normal. Il l'aiguisa lui-même. Kardey l'observa pour voir comment il s'y prenait. « Il fait pourtant la même chose que moi », s'étonna-t-il. Le forgeron lui tendit son arme, aussi reluisante que lorsqu'on la lui avait remise pour la première fois à Opale.

– Je vous bénis, Morrison, le remercia le capitaine, content du résultat.

Le soldat rengaina son épée et retourna à l'aile des Chevaliers. Il entra dans la chambre d'Ariane, son épouse. Pendant qu'elle s'habillait, il lui raconta sa curieuse aventure. En sortant l'épée de son fourreau, il vit qu'elle était une fois de plus émoussée !

– Encore ! s'exclama Kardey, irrité. Est-ce que tu ressens une mauvaise magie dans cette arme ?

– Seulement la force que les Immortels lui ont donnée, rien de plus. Nous devrions en parler à nos compagnons.

– J'y compte bien ! Je n'ai pas l'intention de passer tout mon temps à la forge !

Ariane comprenait l'exaspération de son époux, mais ce qui l'inquiétait davantage, c'était la possibilité d'une infiltration ennemie au château. Wellan devait en être informé au plus tôt.

Hawke aussi s'était levé avec le soleil. En jetant un coup d'œil par la fenêtre de sa tour, il se surprit à regarder du côté de la forge, mais Élizabelle n'y était pas. Il vit Wellan quitter la forteresse à cheval et Kardey s'entêter à aiguiser une lame qui lui résistait. Tout lui sembla normal, du moins à première vue. Il mangea le pain, le fromage et les fruits que lui avait apportés un serviteur, puis s'installa à sa table de travail. Depuis quelques jours, il s'employait à traduire un vieux livre de magie datant de l'époque des anciens Chevaliers. Il était écrit dans la langue ancestrale et comportait plusieurs difficultés de syntaxe. De plus, Wellan lui avait expliqué que ces hommes avaient l'habitude d'écrire en code. Il s'agissait donc d'un défi intéressant pour le magicien.

L'Elfe trempa sa plume dans l'encrier. Il n'avait pas écrit le premier mot qu'un phénomène étonnant se produisit : le livre se referma de lui-même. Hawke passa sa main au-dessus de la couverture et capta une curieuse énergie. Lequel de ses élèves possédait d'assez grandes facultés pour accomplir ce genre de lévitation ? Tous ces enfants magiques étaient nés le même soir que Lassa... Lassa ! Le mage avait appris de Farrell que le jeune prodige pouvait subtiliser des livres à la bibliothèque par sa seule volonté.

Comme pour confirmer sa réflexion, le grimoire disparut. Puisque cet ouvrage ne convenait pas à un enfant de son âge, Hawke décida de le mettre en garde. Il quitta le palais et localisa le porteur de lumière avec son esprit. Lassa s'amusait avec ses amis près des grandes portes de la forteresse ! « Probablement pour masquer son larcin », pensa l'Elfe. Il traversa donc la cour en direction des enfants. Liam fut le premier à l'apercevoir.

– Est-ce que vous voulez jouer avec nous, maître Hawke ? s'exclama joyeusement le gamin en dirigeant le ballon de cuir vers lui.

Hawke l'arrêta avec son pied. Son air autoritaire mit les futurs Écuyers aux aguets.

– Un livre très important vient de disparaître de ma tour, leur apprit-il.

– Voulez-vous que nous vous aidions à le retrouver ? offrit Jenifael.

– Non. Je veux que celui qui me l'a pris me le rende.

– Mais pourquoi pensez-vous que nous sommes les responsables ? s'offensa Liam.

– Parce qu'il n'y a pas beaucoup de magiciens qui peuvent s'emparer ainsi d'un objet.

– Les Chevaliers aussi peuvent le faire, se défendit Ali, une autre élève.

– Les Chevaliers demandent d'abord la permission à celui qui est en train de lire le bouquin qu'ils convoitent.

Les élèves échangèrent des regards vexés. C'est alors que Lassa s'avança vers le mage.

– Je crois bien être le seul de ma classe à posséder ce talent, avoua le prince. Mais lorsque le Magicien de Cristal m'a demandé de ne plus m'en servir, je lui ai obéi. Si quelqu'un vous a dérobé votre livre, ce n'est pas moi.

Hawke promena un regard sévère sur tous ces minois inquiets. « Pas question de leur demander de chercher le grimoire », décida-t-il. « Ils auraient tôt fait de mettre le château sens dessus dessous. »

– Je trouverai le coupable, les menaça-t-il, plutôt.

– J'espère que ce n'est pas un sorcier, s'énerva Lassa.

L'Elfe tourna les talons. En regagnant sa tour, il analysa mentalement le caractère de tous les Chevaliers. Certains étaient plus espiègles que d'autres, mais seul Wellan connaissait l'existence de ce grimoire. Il aurait donc une franche discussion avec lui à son retour.

Swan étant partie aux bains avec leurs trois garçons de cinq, quatre et trois ans, Farrell profita de ce moment de répit pour aider Wellan à affecter les futurs Écuyers. Puisqu'il connaissait bien les forces et les faiblesses de chacun de ses cinquante élèves, il avait commencé à les consigner dans un journal qu'il remettrait sous peu au grand chef. Il ne voulait pas lui dire comment diriger l'Ordre d'Émeraude, mais le retard qu'il prenait risquait de devenir coûteux pour Enkidiev.

Après avoir rempli toute une page sur Liam, le magicien revint en arrière pour relire ce qu'il avait écrit sur Jenifael. À sa grande surprise, la feuille était vierge. Farrell s'adossa dans son fauteuil, stupéfait. Il avait pourtant utilisé une encre qui ne s'effaçait pas facilement. Il tourna la page précédente : il n'y avait plus rien non plus sur Ambre, Shangwi et Maxense. Par mesure de précaution, le magicien examina son encrier, au cas où l'un de ses brillants élèves lui aurait jeté un sort. « Ce n'est pas l'encre », comprit-il. Mais il flairait tout de même une certaine magie... dans l'air !

Farrell redevint instantanément Onyx. Il bondit à la fenêtre et jeta un coup d'œil dehors. La vie du château paraissait normale, mais quelque chose attira son regard : le soleil se déplaçait très lentement de l'ouest vers l'est ! Seul un puissant sorcier, sinon un Immortel, pouvait opérer un tel maléfice !

– Où sont mes enfants ? paniqua-t-il.

Utilisant ses facultés magiques, il les repéra dans le grand bassin du château à se chamailler pendant que Swan tentait de les réconcilier. Il ne se passait rien d'insolite de ce côté. Il scruta ainsi tout le château et trouva dans l'esprit de plusieurs personnes des interrogations sur des événements étranges qui venaient de se produire.

– Nomar ! hurla-t-il, persuadé que cette canaille avait trouvé une nouvelle façon de les attaquer.

Il se précipita dans l'escalier et fonça dans le palais. Il fit irruption dans la cour au moment où Wellan franchissait les portes de la muraille.

– Pourquoi êtes-vous à pied ? voulut savoir Farrell en s'efforçant de se calmer.

– Si je vous le dis, vous me prendrez pour un fou, maugréa le grand Chevalier.

– J'ai entendu beaucoup d'histoires invraisemblables dans ma vie.

En marchant vers le palais, Wellan lui raconta les disparitions répétées de sa jument. L'intervention d'un humain lui semblait peu probable.

– Mais pas celle d'une créature magique, insinua Farrell.

– Qui soupçonnez-vous ? s'inquiéta Wellan.

– Nomar, si c'est vraiment son nom. J'aurais dû me douter qu'il reviendrait à la charge. Le feu qui a coûté la vie au magicien Mori n'était probablement pas accidentel. Et si Sage n'avait pas intercepté cette créature sournoise au pied de la tour de Hawke, ce dernier aurait probablement subi le même sort.

– Mais pourquoi tente-t-il de se débarrasser uniquement des mages ?

– Uniquement des mages ? répéta Farrell. Que faites-vous d'Abnar ?

– En effet... Si Nomar est l'une des divinités déchues, comme vous le prétendez, il continuera de s'attaquer à tous leurs serviteurs immortels... y compris mon fils, raisonna Wellan, visiblement ébranlé.

– Les dieux sont mieux placés que nous pour protéger Dylan, le rassura aussitôt Farrell. Nous devrions plutôt penser à notre propre défense.

Ils arrivèrent sur le porche. Hawke les y accueillit, l'air préoccupé.

– Une étrange magie est à l'œuvre dans le château, leur annonça le magicien d'Émeraude.

Les trois hommes s'isolèrent dans la bibliothèque. C'est alors que Wellan se mit à recevoir des communications télépathiques de ses compagnons.

Wellan, il se passe des choses vraiment stupéfiantes depuis ce matin, l'informa Santo. *Les blessures que je soigne s'ouvrent et saignent quelques secondes plus tard, comme si je ne leur avais appliqué aucun traitement magique.* Dempsey se mit de la partie : *Justement, on essaie de comprendre pourquoi les auges et les abreuvoirs qu'on remplit se vident dès qu'on tourne le dos.*

Hawke se croisa nerveusement les bras en tentant de comprendre pourquoi un dieu banni perdrait ainsi son temps, après avoir cherché à le tuer quelques années auparavant. Wellan écouta le récit de ces incidents et remarqua qu'ils avaient tous eu lieu autour de la forteresse. Il demanda à ses soldats qui vivaient à la campagne s'ils avaient connu des problèmes semblables.

Tout est normal chez moi, assura Bergeau. *Kiefer plaque régulièrement ses sœurs au plafond et ma petite pleure parce qu'elle perce des dents.* Wellan releva un sourcil. Cela ne correspondait pas à sa définition de la normalité, mais comme il s'agissait d'un commentaire de l'homme du Désert qui exagérait tout... *Ce serait vraiment le comble si on devait travailler la terre pour rien,* grogna Jasson. *Je n'ai rien remarqué d'inhabituel chez moi,* assura Maïwen.

– Le phénomène se limite donc au château, résuma Farrell.

Que tout le monde se rende dans le hall immédiatement, ordonna Wellan, troublé.

18

Le courage d'un chevalier

Bergeau avait fait fructifier ses terres depuis que le roi les lui avait offertes. Ses arbres produisaient les plus beaux fruits de la région et ses champs fournissaient tellement de blé et de céréales qu'il en donnait une grande partie aux habitants des hameaux voisins. Il possédait aussi un imposant troupeau de vaches laitières et un immense poulailler. Si Bergeau avait ainsi fait les choses en grand, c'est qu'il voulait élever une famille nombreuse.

Catania lui avait d'abord donné des jumelles, Proka et Broderika, qui se ressemblaient tellement que même leurs parents avaient du mal à les différencier. Elles n'avaient pas hérité des traits ni des dons de leur père. Âgées de onze ans, elles aidaient leurs mère à la maison et se rendaient deux fois la semaine au village le plus proche pour apprendre à lire et à compter. En raison des nombreuses absences de son mari, Catania n'avait donné naissance à un troisième héritier que cinq ans plus tard. Contrairement à ses sœurs, le petit Kiefer était un enfant magique. Il allait bientôt avoir six ans. Il déplaçait les objets et les gens en se servant uniquement de sa pensée. Il comprenait le langage des animaux, un talent plutôt pratique dans une ferme, du moins lorsque le gamin voulait bien leur transmettre le bon message.

Depuis quelques mois, une petite fille s'était ajoutée à la famille. Danitza avait récemment commencé à percer des dents et elle privait toute la famille de sommeil pendant la nuit. Tout comme son frère, elle ressemblait à Bergeau. Le duvet sur sa tête n'était pas roux, mais brun doré. Il était encore trop tôt, cependant, pour dire si elle possédait des talents spéciaux. La famille de l'homme du Désert vivait dans une vaste maison, où chacun possédait sa propre plate-forme. Il y avait là de la place pour une dizaine d'enfants !

Bergeau venait d'emprisonner Kiefer dans ses bras pour qu'il accepte de laisser redescendre ses sœurs sur le plancher lorsqu'il reçut le message de Wellan.

– Écoute-moi bien, petit chenapan, le menaça le père en l'embrassant dans le cou. Je dois m'absenter un moment.

Le garçon se débattit en criant, mais Bergeau ne le libéra pas.

– Je veux que tu laisses les jumelles tranquilles, tu entends ? Et tu obéiras aussi à maman.

– Il m'obéit quand tu n'es pas là, affirma Catiania en tentant de calmer la petite dernière qui mâchait son poing en gémissant.

– Es-tu bien sûre de pouvoir t'en tirer sans moi ?

– Est-ce que tu as besoin que je te tienne la main quand tu affrontes ces ignobles insectes sur la côte ? se moqua-t-elle. Ici, c'est mon champ de bataille à moi et je gagne toujours. Allez, va. Wellan t'attend.

Bergeau déposa son fils sur le sol et l'enfant s'enfuit en riant. « Il est vraiment temps qu'il soit admis à l'école du château », soupira le père. Il embrassa sa femme et ses filles, puis sortit de la maison afin de matérialiser le tourbillon d'énergie en toute sécurité.

Il croisa ses bracelets, mais ne réapparut pas devant le palais : il se retrouva plutôt dans la ferme de Maïwen et Kevin, pour offrir à la jeune femme de l'accompagner au château sans avoir à chevaucher jusque-là. Il s'avança vers la maison et trouva la Fée parmi ses fleurs, dont elle s'occupait avec amour.

– Je savais que tu viendrais ! s'exclama Maïwen. Je n'ai même pas sellé mon cheval !

Bergeau l'étreignit avec affection, puis son expression s'assombrit.

– Je sais qu'il est mal en point, commença-t-il, mais cet ordre s'adresse à tous les Chevaliers d'Émeraude, même Kevin.

– Wellan sait pourtant que mon mari n'est pas en état de participer à cette rencontre.

– Pour quelle raison ? s'enquit une voix familière.

Bergeau fut agréablement surpris d'apercevoir son jeune frère d'armes sur le seuil de la chaumière. Kevin portait un bandeau sur les yeux. Il avait repoussé la porte d'une main et s'agrippait au chambranle de l'autre pour conserver son équilibre.

– Tu peux approcher, Bergeau. Contrairement à ce qu'on prétend, je sais maintenant que je ne suis pas contagieux.

L'homme du Désert ne se fit pas prier. À grandes enjambées, il fonça vers le soldat métamorphosé pour le serrer à lui en rompre les os.

– Tu ne sais pas à quel point tu m'as manqué, jeune vaurien ! se réjouit Bergeau.

Il repoussa Kevin au bout de ses bras pour mieux l'examiner. À part ses griffes, qui ressemblaient à celles de Kira, il avait l'air tout à fait normal.

– J'ai bien réfléchi, annonça Kevin. Wellan a raison : je suis un Chevalier d'Émeraude. Ce handicap ne devrait pas m'empêcher de faire mon devoir. Laissez-moi vous accompagner.

– Alors partons avant que notre grand chef s'impatiente, conseilla Bergeau.

Il créa le maelström lumineux. Saisissant le bras de son compagnon, il le guida dans le tunnel. Émue, Maïwen les suivit en essuyant des larmes de joie.

L'arrivée du trio dans le grand hall causa tout un choc aux guerriers d'Enkidiev. D'abord surpris de voir apparaître Kevin, ils s'immobilisèrent comme des statues. Ce fut Nogait qui brisa le silence en bondissant vers son meilleur ami. Il arracha Kevin de l'emprise de Bergeau et le ramena contre lui en pleurant.

– Mais calme-toi, voyons, le pria le nouveau venu.

– Après tout ce que tu as enduré, sanglota Nogait. Je ne pensais pas que tu reviendrais un jour.

La scène était bouleversante, même pour Kira qui n'aimait pas toujours ce Chevalier malicieux. Wellan décida de s'en mêler avant que tous ses frères ne se précipitent sur Kevin, risquant ainsi de l'accabler.

– J'aimerais que vous preniez place autour de la table, réclama le chef.

Nogait saisit le bras de Kevin pour l'emmener s'asseoir près de lui. Wellan en profita pour sonder son soldat empoisonné. Il tremblait de peur, mais il se tenait droit sur son banc : il incarnait le courage qui animait tous les Chevaliers d'Émeraude.

Resté debout, Wellan était flanqué des deux magiciens du château. Leurs visages étaient graves.

– Comme certains d'entre vous l'ont remarqué, commença leur chef, certaines anomalies se sont produites depuis ce matin.

Les autres soldats ayant vécu des épisodes insolites les racontèrent à leurs frères. Il devint rapidement évident que seuls ceux vivant à l'extérieur de la forteresse n'avaient pas été touchés.

– Le phénomène est magique, confirma Hawke.

– Nous ne croyons pas qu'il soit l'œuvre d'un sorcier de l'empereur, mais plutôt de Nomar, qui cherche à tuer tous les magiciens d'Enkidiev, ajouta Farrell.

Les Chevaliers échangèrent des regards inquiets. Ils avaient appris à combattre leurs ennemis avec leurs pouvoirs, mais que pouvaient-ils faire contre cet imposteur ?

– Je veux savoir d'où émane cette perturbation, lança Wellan. Nous devons y mettre fin avant qu'une tragédie ne se produise.

– Est-ce que les tuniques qui s'élargissent à vue d'œil en font partie ? s'alarma Nurick, l'Écuyer de Curtis.

Les adultes assis près de l'adolescent constatèrent avec stupéfaction que ses manches étaient en effet devenues trop longues.

– Y en a-t-il d'autres qui expérimentent la même chose en ce moment ? demanda Wellan, consterné.

Seuls les apprentis semblaient visés. Dunkel et Jukos montrèrent aussi à leurs maîtres leurs ceintures de cuir soudainement trop grandes pour leur taille.

– Le scélérat ne s'attaque qu'aux enfants ! se révolta Bergeau en frappant la table de ses deux poings.

Wellan rassembla toute sa force et sonda le palais. N'y trouvant rien d'anormal, il étendit sa recherche à tout le château.

– La turbulence est subtile, lui souffla Farrell. Comme un poison qui n'agit que plusieurs heures après avoir été ingéré.

– Allons-nous périr aussi bêtement ? se fâcha Honsu, l'Écuyer de Milos.

– Je ne laisserai mourir personne ! tonna Wellan, irrité. Ce maléfice a une origine et nous avons été entraînés à localiser ce type d'énergie !

– Mais nous ne l'avons pas fait souvent ces dernières années, lui rappela Falcon.

– Je veux que vous vous mettiez au travail tout de suite. Scrutez chaque coin de la forteresse, mais si vous trouvez le coupable, ne l'affrontez pas seuls.

– Allons-y ! les enjoignit Jasson.

Les Chevaliers et les Écuyers se précipitèrent vers la sortie. Ne possédant plus ses facultés de jadis, Kevin demeura assis sur son banc. Près de lui, Nogait et Sage hésitaient à suivre leurs frères.

– Viens, nous allons faire équipe, l'encouragea le premier.

– C'est inutile, je ne ressens plus rien, Nogait.

– Et si tu possédais des capteurs différents des nôtres ? suggéra Sage. C'est le moment idéal de le découvrir, non ?

Kevin se laissa finalement convaincre. Les deux Chevaliers lui prirent les bras et le guidèrent vers la porte, suivis de Maïwen. Ne restaient plus dans la salle que Wellan, les magiciens, Santo et Mann. Connaissant l'étonnante sensibilité du guérisseur, le grand chef marcha jusqu'à lui en observant son visage angoissé.

– Santo, dis-moi ce qui te tourmente, le pressa Wellan.

– Abnar a donné à mes mains une force supplémentaire et pourtant, je ne perçois rien du tout, soupira-t-il. Je crois qu'un nouvel adversaire vient d'entrer dans la mêlée et que c'est quelqu'un qui n'a rien à voir avec l'empire.

– Ce ne peut être que Nomar, répéta Farrell.

– C'est possible, admit le guérisseur, mais son intervention est insaisissable...

– Nous mettrons sans doute un peu plus de temps à en retrouver la source, mais nous y arriverons, mon frère, le rassura Wellan en lui serrant amicalement l'épaule.

Mann incita son maître à tenter tout de même quelque chose, car il ne voulait certainement pas disparaître dans ses vêtements. Tandis qu'ils quittaient le hall, Wellan interrogea les magiciens du regard.

– Je vais commencer dans ma propre tour, décida Farrell.

De la tête, Hawke indiqua qu'il ferait la même chose.

19

UN CAS DE CONSCIENCE

Depuis que le magicien Élund était mort, Jenifael se faisait un devoir de donner du lait à ses chats. Elle savait bien que ces bêtes rusées trouvaient toujours à manger quelque part dans le château : quand ils n'attrapaient pas de souris, ils volaient de la nourriture dans les cuisines. Mais la petite déesse tenait à répéter ce geste que posait l'ancien mage autrefois afin de rassurer ses félins.

Elle versa le lait de la cruche dans les bols de grès sur le plancher, à l'entrée de la tour qui appartenait désormais à maître Farrell. Quatre chatons accoururent en miaulant.

– Mais quand avez-vous eu des bébés ? s'exclama Jenifael en cherchant les adultes du regard.

Ils se mirent à boire en poussant des plaintes. La fillette remarqua alors que leur pelage ressemblait étrangement à celui des chats d'Élund. Elle les examinait plus attentivement lorsqu'elle aperçut, au détour du couloir, ce qui ressemblait à un bout de corde. Elle s'empressa de le ramasser et constata avec stupeur qu'il s'agissait d'un des colliers que les servantes avaient tressés pour les animaux favoris d'Élund.

– Comment cela se peut-il ? murmura Jenifael en se tournant vers les chatons. Vous ne pouvez pas être les mêmes chats, à moins que...

Elle se rappela le sort qu'elle avait jeté avec Liam et Lassa pour accélérer le temps. Leurs poils ou leurs moustaches s'étaient-ils retrouvés par mégarde dans les draps des Écuyers ? Ce n'était pas impossible, puisqu'ils furetaient partout.

– Mais si notre magie vous a fait rajeunir au lieu de vous faire vieillir, cela veut dire que...

L'horreur de la situation la frappa de plein fouet : les maladresses commises par les garçons avaient renversé l'envoûtement ! Si elle n'avouait pas son méfait à son père, tous les apprentis risquaient de se retrouver dans des langes avant la fin de la journée. Elle localisa Wellan et s'élança pour le rejoindre.

Wellan avait choisi d'inspecter l'endroit où personne ne s'attendait à trouver le coupable : la bibliothèque. La plupart des livres recelaient une si grande quantité de magie qu'ils pouvaient facilement masquer la présence d'un sorcier ou d'un dieu déchu. Le grand Chevalier marcha lentement entre les rayons, sondant chaque pierre, chaque tablette. Il allait atteindre la section des grimoires défendus lorsque sa fille arriva en courant. La terreur que Wellan ressentit dans le cœur de son enfant le bouleversa. Il s'agenouilla et reçut Jenifael dans ses bras.

– Oh papa, j'ai fait quelque chose de terrible ! sanglota la petite déesse.

Wellan la transporta dans une alcôve. Il la déposa sur la table et se tint devant elle.

– Calme-toi, susurra-t-il en essuyant ses larmes.

– Je voulais juste t'aider... Je ne savais pas que j'échouerais...

Pour gagner du temps, le grand Chevalier voulut lire les pensées de sa fille, mais elles étaient bien trop emmêlées. Il fut donc contraint d'utiliser la méthode normale pour comprendre ce qui se passait.

– Raconte-moi tout depuis le début, l'encouragea-t-il en tâchant de ne pas se monter sévère.

L'enfant calma sa respiration. Son père ne la pressa pas.

– Tout a commencé lorsque j'ai compris qu'il n'y avait pas suffisamment de Chevaliers pour moi et tous mes amis. J'ai alors décidé d'intervenir.

– De quelle façon ? voulut savoir Wellan en arquant un sourcil.

– J'ai eu l'idée de faire la même chose que les dieux il y a plusieurs années, lorsqu'ils ont accéléré le temps.

Jenifael savait que cet aveu l'empêcherait probablement de devenir Écuyer, alors elle décida de ne pas impliquer Liam et Lassa.

– J'ai trouvé une incantation.

– J'ignorais qu'il en existait une, s'étonna Wellan. Est-ce que tu pourrais la retrouver ?

– Oui, bien sûr. Je l'ai copiée.

« Un autre mensonge. Pourvu qu'il ne reconnaisse pas l'écriture de Lassa », pensa-t-elle. Elle sortit le morceau de papyrus de sa ceinture et le tendit au chef des Chevaliers. Wellan le déplia.

– Il n'y a rien sur ce bout de papier, lui fit-il observer.

Jenifael le lui reprit. Il disait vrai : la page était blanche. Le temps continuait donc de filer à l'envers : il était revenu avant que le prince ne transcrive la formule magique ! Elle éclata en sanglots amers, persuadée qu'elle avait condamné tout le château à disparaître à tout jamais. Wellan la cueillit dans ses bras.

– J'ai vécu le même genre d'incident ce matin, ma chérie, chuchota-t-il à son oreille. Je sais à quel point c'est frustrant.

Elle fit de gros efforts pour arrêter de pleurer. Wellan continua de la bercer jusqu'à ce qu'il sente le courage renaître en elle.

– Tu n'as qu'à me dire dans quel livre tu l'as trouvée, suggéra-t-il. Tu sais bien que j'ai appris à renverser un sort.

– Ce n'est pas aussi simple que ça.

– C'était un livre interdit ?

– Oui, je crois...

– Il se trouvait donc dans cette section. Pointe-moi le rayon et la tablette.

– Je ne peux pas.

Wellan capta l'image de Lassa dans l'esprit de la fillette : il avait participé à cette désobéissance ! Il n'était pas étonnant que la fille de la déesse de Rubis et le porteur de lumière aient réussi à accomplir ensemble ce tour de force digne des maîtres eux-mêmes !

— Comment as-tu découvert ce grimoire, Jeni ? insista le père.

— Lassa était avec moi, avoua-t-elle. Il m'a demandé de penser à ce que nous voulions faire et une centaine de volumes ont volé vers nous. Je lui ai dit qu'il n'avait pas été assez précis. Alors il a reformulé sa demande. Un vieux grimoire s'est élevé au-dessus des autres et il s'en est emparé.

— Très intéressant, fit la voix de Farrell, derrière Wellan.

Jenifael baissa misérablement la tête. Cette fois, elle allait être vertement punie en plus de perdre toutes ses chances de servir l'Ordre. Son maître de classe s'approcha, les sourcils froncés. On ne pouvait jamais savoir à quoi pensait Farrell. Ses yeux d'un bleu encore plus clair que celui de son père étaient insondables.

— Où étiez-vous exactement ? voulut savoir le magicien sans adopter un ton accusateur.

Wellan déposa sa petite déesse sur le sol. Résignée, elle alla se placer à l'endroit exact où le Prince de Zénor s'était tenu quelques jours plus tôt.

— Répète-moi exactement ce que Lassa a dit, l'invita le maître.

— Il m'a demandé de penser aux mots « magie destinée à modifier le temps ». Ensuite, il a précisé qu'il voulait une formule magique pour faire vieillir les Écuyers.

Cette explication sembla suffire au magicien. Il ferma les yeux. L'air se mit à crépiter et le sol trembla légèrement sous leurs pieds. Jenifael recula contre les jambes de son père. Ce dernier observait avec curiosité le travail de cet homme qui possédait des pouvoirs remarquables. Un vieux livre se dégagea des autres et tomba sur le plancher avec un bruit sourd.

– C'est lui ! se réjouit l'enfant.

Farrell l'ouvrit sur la table, Wellan regardant par-dessus son épaule. Il le feuilleta avec attention.

– Cet ouvrage contient de dangereuses incantations rédigées par Nomar. Il ne devrait pas être ici.

– Mais ce ne sont que des formules inoffensives, estima le grand chef.

– En apparence, seulement. Il y a une façon particulière de les lire. J'imagine que les enfants ont utilisé ceci.

Le magicien fit apparaître un petit miroir dans sa main. Jenifael fit aussitôt signe que non.

– Alors, comment l'avez-vous réussie ? s'étonna le maître.

– Lassa l'a transcrite sur un bout de papier. Je ne sais pas comment il s'y est pris.

– Et les potions ?

La fillette baissa une fois de plus la tête. Allait-elle devoir incriminer Liam ? Lassa se matérialisa soudain près d'elle. Il portait de petites fioles de poudre, qu'il avait récupérées dans les affaires de Jenifael.

– Mais d'où viennent-elles ? s'ébahit Farrell.

– De votre armoire, répondit Lassa en soutenant bravement son regard.

– Comment avez-vous réussi à les prendre ?

– Je n'en sais rien. C'est Liam qui s'est chargé de cette partie du plan.

« Ces enfants n'ont-ils donc rien appris durant mes classes ? » regretta le mage. Wellan capta son interrogation. Il savait pourtant que les petits n'avaient pas posé ce geste pour nuire à leurs aînés, au contraire.

– Je crois qu'ils ont interprété le code à leur façon, fit remarquer le grand chef.

– Le code ne s'interprète pas, sire Wellan, répliqua durement le magicien. Il est même très clair.

– Nous regrettons ce que nous avons fait, maître Farrell, s'excusa Lassa.

– Nous ne méritons pas de devenir Écuyers, murmura Jenifael, le cœur gros.

– Je ne suis pas prêt à vous infliger une punition aussi sévère, surtout si j'arrive à renverser ce maléfice. Mais vous serez punis, c'est certain.

Ce n'était pas le moment de sévir. Il fallait empêcher le recul du temps et remettre les choses dans leur état initial. Farrell parcourut rapidement la liste des ingrédients pendant que Wellan avertissait ses soldats par télépathie qu'il avait découvert les auteurs de la perturbation. Ils pouvaient donc cesser leurs recherches, tout allait bientôt rentrer dans l'ordre.

D'un geste de la main, le magicien fit surgir le cadran solaire au milieu de la table. Sans perdre une seconde, il y alluma un feu et jeta la poudre sur les flammes. Utilisant le miroir, il prononça une incantation qui ne ressemblait en rien à celle que les enfants avaient utilisée. Ils ressentirent tous un pincement au milieu de leur corps. Le malaise ne dura qu'un instant. Satisfait, Farrell fit disparaître tous les ingrédients, y compris le vieux grimoire. Jenifael et Lassa échangèrent un regard inquiet, car il n'avait pas utilisé les morceaux de vêtement des apprentis.

– Maintenant, la sentence, dit-il en jetant un œil à Wellan. Puisque ce sont mes flacons que vous avez dérobés, je pense que c'est moi qui devrais la choisir.

– Vous avez raison, l'appuya le chef, au grand désespoir de Jenifael.

Son père n'ayant jamais été capable de la punir depuis sa naissance, elle s'en serait tirée à bien meilleur compte avec lui. Farrell fixa d'abord les deux enfants. Tout à coup, il ressemblait à Onyx.

– Autrefois, on condamnait les voleurs à une vingtaine de coups de fouet au milieu de la place publique, commença-t-il.

Wellan ne s'en mêla pas. Il savait bien que le magicien ne traiterait jamais ses élèves de cette façon. Moins convaincu, Lassa s'était mis à trembler.

– Mais puisque c'est votre première offense, je serai indulgent, poursuivit Farrell. Cet après-midi, vous vous excuserez au milieu de la cour, devant tous les habitants du château.

« C'est humiliant, mais plus acceptable que la flagellation », se dit Jenifael en se détendant. Le magicien leur ordonna de transmettre son jugement au fils de Jasson. Puis, d'un bref mouvement de la tête, il leur commanda de partir. Les enfants ne se firent pas prier. La petite déesse saisit la main de Lassa et l'entraîna vers la sortie.

– J'admire votre magnanimité, le complimenta Wellan.

– C'est mon fils Nemeroff que vous devez remercier, plaisanta Farrell. Il m'a donné de nombreuses occasions de l'utiliser.

Jenifael et le porteur de lumière dévalèrent les marches et firent irruption dans la cour comme si toute l'armée d'Amecareth était à leurs trousses. Ils coururent jusqu'au groupe d'élèves qui se disputaient le ballon avec leurs pieds. Au moment où Liam allait le pousser entre les deux charrettes, ses amis lui saisirent chacun un bras pour l'emmener vers l'écurie.

– Mais qu'est-ce qui vous prend ? protesta-t-il, furieux. J'allais marquer un point !

Lassa et Jenifael le tirèrent jusqu'à la dernière stalle. Une fois qu'ils lui eurent expliqué ce qui venait de se passer, le fils de Jasson passa de la colère à la résistance. Fier comme un paon, il ne pouvait pas supporter de s'exhiber en public, surtout pour reconnaître ses torts.

– Si tu n'obtempères pas, tu ne pourras jamais devenir Écuyer, l'avertit Lassa.

– Nous n'avons rien fait de mal ! protesta Liam, les joues en feu.

– À cause de nous, plusieurs personnes ont travaillé pour rien aujourd'hui, tenta de lui faire comprendre Jenifael. Le résultat de tous leurs efforts s'effaçait instantanément.

– Si ce foutu sortilège avait fonctionné, on nous féliciterait au lieu de nous châtier !

Le gamin offusqué donna un violent coup de pied dans le mur, affolant le cheval de la stalle voisine, puis s'enfuit en courant.

– Liam ! le rappela Lassa.

– Laisse-le se défouler, conseilla la petite déesse. Il nous fera moins honte tout à l'heure. Viens, ça nous fera du bien de marcher.

Ils sortirent par la porte du fond. Leurs amis apprendraient tôt ou tard ce qu'ils avaient fait, mais pour l'instant, ils préféraient les éviter. Ils longèrent la muraille derrière l'aile des Chevaliers, puis continuèrent en direction des jardins, demeurant dans l'ombre. Tout compte fait, ce châtiment n'était pas si terrible. Il était même important pour un Écuyer d'apprendre à s'excuser lorsqu'il faisait une bêtise.

– Mais devant tout le monde ? soupira Lassa.

Jenifael s'assit sur un banc et le prince se laissa tomber près d'elle.

– Pense un peu à la peine que nous aurait imposée le Magicien de Cristal s'il avait été ici, l'encouragea-t-elle.

Lassa frissona d'horreur. Jenifael avait raison : Farrell avait été clément. Liam voyait pourtant la situation d'un œil différent. Après avoir quitté l'écurie, il avait traversé la cour en vitesse sans répondre aux appels de ses copains qui avaient interrompu le jeu pour le regarder passer. La sentinelle étant occupée à bavarder avec un paysan assis sur un tombereau, le gamin se faufila facilement à l'extérieur de la forteresse sans qu'on l'arrête. Il s'élança sur le pont-levis et fonça sur la route qui menait à la ferme de ses parents.

Ce fut son père qui le sentit s'éloigner du château, ce qui était évidemment interdit aux élèves d'Émeraude. Jasson revenait des cuisines lorsque l'énergie orageuse de Liam l'effleura. Il quitta prestement le palais par l'entrée des domestiques.

Il repéra son fils avec ses sens magiques : l'enfant courait en direction de leur maison, qui se trouvait à plus d'une heure de là. Le Chevalier croisa ses poignets et apparut quelques pas devant Liam. Ce dernier fut incapable de s'arrêter : il fonça directement dans les bras de Jasson.

– Mais où vas-tu comme ça ? l'interrogea-t-il sur un ton amical.

– Laisse-moi ! cria le gamin en se débattant.

– Tout doux... Je veux seulement savoir pourquoi tu fuis ainsi. Dis-moi ce qui t'a effrayé.

– Je n'ai peur de rien !

Tout en le retenant par un poignet, Jasson appliqua sa paume sur le front de son fils. Il commença par le calmer, puis assista dans son esprit à sa dernière conversation avec ses amis.

– Les élèves d'Émeraude qui désirent devenir des Écuyers doivent accepter les conséquences de leurs actes, signala le Chevalier.

– Je voulais seulement venir en aide à l'Ordre ! clama Liam. Il est injuste de nous punir pour cela !

Jasson le hissa sur ses épaules et revint à pied vers la forteresse. Légèrement assommé par la vague d'apaisement, le jeune téméraire cessa toute résistance. Il raconta plutôt en détail l'épisode du sortilège. « Nomar n'est donc pas responsable de ces anomalies temporelles », en déduisit le Chevalier en rassemblant les morceaux du casse-tête.

– Dans ton cœur, tu sais que tu as bien agi, n'est-ce pas ?

– J'essayais de procurer des maîtres à tout le monde, geignit Liam. C'était une bonne action.

– Mais tu ignorais que l'envoûtement nuirait à tous les habitants du château.

– Ce n'était pas écrit dans la formule.

– Farrell ne vous a jamais dit que chaque fois que nous causons du souci à quelqu'un, il faut lui demander pardon ?

– Je ne m'en souviens pas...

– Fais un petit effort, Liam.

Le garçon ne répondit pas. Jasson ne le pressa pas, même s'ils approchaient des murailles.

– Si Lassa te mettait dans l'embarras sans le faire exprès, que ferait-il ? continua le père.

– Il s'excuserait, grommela Liam.

« Il a compris », se réjouit Jasson en s'engageant sur le pont-levis. Il ramena son fils dans le palais et le garda avec lui jusqu'au moment tant redouté. Lorsque tous les habitants du château furent réunis dans la cour, il poussa le gamin en direction de ses deux complices.

Lassa, Jenifael et Liam montèrent sur une petite estrade de fortune qu'on avait rapidement fabriquée pour l'occasion. C'était une expérience humiliante pour les trois enfants, mais elle comportait une importante leçon qu'ils n'oublieraient jamais. La fille de Wellan prit la parole la première et relata ce qu'ils avaient fait. Ensuite, Lassa expliqua pourquoi ils avaient agi ainsi.

– Nous vous demandons pardon, réclama finalement Liam en regardant ses pieds.

Jasson décocha un regard satisfait à son chef. Un sourire ravi flottait sur les lèvres de Wellan. Lui aussi était content de sa fille. Ces excuses publiques auraient dû clore cette journée mouvementée, mais ce soir-là, tout de suite après le repas, un autre incident se produisit : tandis qu'ils allaient quitter le hall avec leurs maîtres, les Écuyers se transformèrent sous les yeux des soldats ébahis.

– Je croyais que vous aviez renversé cette magie ! reprocha Wellan à Farrell, qui s'était immobilisé près de la porte.

– Les morceaux d'étoffe appartenant aux Écuyers ! se rappela alors le mage. J'ai remis le temps en place pour tout le monde, mais pas pour eux.

– Êtes-vous en train de nous dire que les enfants ont réussi ce sortilège ? s'étonna Falcon.

– C'est ce qu'il semble...

Les Chevaliers aidèrent les pauvres adolescents à se déshabiller. Ils grandissaient si rapidement que leurs tuniques leur éclataient sur le dos. Les serviteurs s'empressèrent d'aller chercher des couvertures pour qu'ils ne prennent pas froid. Ce phénomène fascina Wellan. Sous la peau des apprentis, on pouvait voir grandir leurs os. Leurs visages prenaient aussi une forme plus allongée et leurs cheveux poussaient à une vitesse effroyable. La plupart souffrirent pendant la métamorphose, mais ils tinrent bon. Le prodige ne dura que quelques minutes, mais il assomma ces nouveaux adultes de fatigue. Santo les sonda pour s'assurer que tous leurs organes fonctionnaient normalement. Puis, le grand chef leur sourit amicalement pour les encourager et laissa les Chevaliers les emmener.

– Il faudra faire aménager des chambres au deuxième étage de votre aile, fit remarquer Farrell.

– J'en ai justement parlé au conseiller du roi il y a quelques jours, lui apprit Wellan.

Le magicien perdit son sourire.

– Votre petite fille n'est pas comme les autres, mentionna-t-il à brûle-pourpoint.

Wellan le fixa pendant un moment avant de lui répondre. Onyx étant désormais dans leur camp, il ne vit pas de mal à lui avouer la vérité.

– Theandras a enfanté Jenifael, lui révéla-t-il. Elle me l'a confiée.

Farrell arqua les sourcils. Il avait remarqué la puissance de la fillette durant ses années auprès de lui, mais il n'avait jamais soupçonné ses origines divines.

– Nous ne devrions donc pas nous étonner que le porteur de lumière et la fille de la déesse soient parvenus à modifier le temps, conclut-il. Jeni est-elle au courant de sa filiation céleste ?

– Non. J'attendais qu'elle soit Chevalier pour lui en parler. Je voulais qu'elle conserve une attitude humble pendant son apprentissage.

– Vous avez raison.

– J'aimerais bien passer plus de temps avec vous, mais je dois commander des vêtements et des armures. Quant à l'affectation des Écuyers, si vous voulez bien me rencontrer demain matin avec maître Hawke, je crois que nous pourrons enfin y procéder.

Le mage acquiesça d'un signe de la tête. Wellan se rendit chez les couturières du palais, puis alla informer le roi de la situation. Le vieil homme l'écouta avec un air bienveillant et lui promit de rester éveillé lors de la cérémonie. « La vie commence à le déserter », remarqua Wellan. Il ne resta pas plus longtemps. Il s'inclina et quitta ses appartements. « Mais qui régnera sur Émeraude lorsqu'il aura rejoint ses ancêtres ? » se demanda-t-il en grimpant à l'étage supérieur. Kira ne voulait pas du trône et Émeraude Ier n'avait pas d'enfants. Le grand Chevalier se souvint d'avoir lu quelque chose au sujet des rois sans héritiers : les conventions entre les monarques prévoyaient qu'un royaume pouvait alors choisir un prince ou une princesse parmi les familles royales des autres pays.

Wellan mit fin à sa réflexion en arrivant au dortoir des filles. La servante lui barra la route en lui demandant poliment ce qu'il voulait. En effet, même le chef des Chevaliers ne pouvait pas entrer dans cette salle quand bon lui semblait. Les enfants étaient en train de se changer, alors Wellan dut attendre dans le couloir. Lorsqu'on lui en donna finalement la permission, il se rendit au chevet de sa petite déesse. En longue robe de nuit blanche, elle ouvrait ses draps.

– Papa ? s'étonna-t-elle en l'apercevant.

Wellan la prit dans ses bras et l'embrassa dans le cou.

– Nous n'avons pas eu le temps de nous parler depuis ce matin, mais je tenais à te dire, avant que tu te couches, que je suis fier de toi. Tu t'es comportée comme un véritable Chevalier, aujourd'hui.

– J'ai seulement appliqué les principes que maman et toi m'avez enseignés.

– Est-ce que je t'ai déjà dit que je t'adore, Jenifael d'Émeraude ?

– Oui, mais j'aime bien que tu me le dises encore.

Wellan la serra en savourant chaque instant de son bonheur.

20

RUMINATIONS

La destruction de ses pouponnières avait enragé l'Empereur Noir. Les deux humains qui s'étaient infiltrés dans sa forteresse ne s'étaient pas contentés de libérer leur compagnon empoisonné : ils s'en étaient pris à d'innocents enfants à peine sortis de l'œuf et ils avaient abattu l'un de ses deux dragons mâles.

Les ouvriers de la collectivité avaient mis de longs mois à dégager les décombres dans la montagne. Aucun des futurs guerriers noirs n'avait survécu. Disposant d'une armée de travailleurs infatigables, Amecareth avait ordonné la reconstruction des galeries. Jour et nuit, les foreurs avaient creusé dans le roc toutes les alvéoles où auraient lieu les prochaines pontes. Lorsque les excavations furent suffisamment avancées, le grand seigneur alla inspecter lui-même les installations.

Suivi de ses conseillers et de ses intendants, l'empereur s'arrêtait devant chaque cellule, imaginant déjà sa progéniture. Heureusement, cette pouponnière n'était pas la seule qu'il avait cachée dans les contreforts d'Irianeth.

Un homme-insecte portant le manteau bleu des adjoints de l'empire vint alors à la rencontre de son maître. Il commença par s'incliner, puis livra son important message.

– J'ai transmis vos ordres aux nourrices de Bombieth, monseigneur, annonça-t-il.

Ces collaborateurs provenaient d'une caste à mi-chemin entre les ouvriers et les soldats. Amecareth possédait un lien particulier avec eux. Il leur confiait des missions sans utiliser ses facultés télépathiques, de façon à ne pas alerter le peuple.

– Les guerriers qu'elles soignent sont encore jeunes, mais ils sont plus féroces que ceux que vous avez perdus. Ils sont alimentés de chair fraîche depuis leur naissance et ils ne cessent d'en réclamer.

– Très bien, approuva l'empereur. Mes commandants ont mémorisé la carte du monde des humains que m'a gracieusement offerte Kasser, le lézard. Mes hommes de confiance dirigeront les troupes de Bombieth. Le demi-dieu Ucteth m'a promis mon trophée si nous rasons tout le continent d'Enkidiev.

– Il en sera fait selon votre volonté.

– Après la période d'accouplement, vous amènerez ici ces nouveaux combattants.

D'un geste de la main, l'empereur chassa l'adjoint. Ses femmes allaient bientôt s'installer dans ces galeries et il lui faudrait dépenser beaucoup d'énergie pour féconder tous leurs œufs. Ce n'était pas le moment de penser à la guerre.

Accompagné de tout son cortège, Amecareth retourna dans sa forteresse en empruntant les tunnels creusés sous la plage rocailleuse. Toutefois, au lieu de réintégrer ses appartements afin de se préparer à son rôle de géniteur, l'empereur congédia tous ses gens et alla se recueillir dans une alvéole connue de lui seul.

Comme tous ses ancêtres, il vénérait un dieu puissant et cruel. Listmeth avait été le premier empereur d'Irianeth, des milliers d'années auparavant. C'était grâce à lui que cette race régnait désormais sur la moitié du monde. À sa mort, les hommes-insectes l'avaient déifié. Une petite caverne avait été creusée au sommet de la nouvelle forteresse par le père d'Amecareth. Là, devant un autel où avaient eu lieu maints sacrifices, se dressait une statue de Listmeth en pierre polie.

Amecareth contempla l'idole pendant un moment avant de poser les mains sur la surface raboteuse de la table tachée de sang. Il avait essuyé plusieurs échecs aux mains des Chevaliers d'Émeraude depuis qu'il tentait de reprendre sa fille hybride. Cette fois, il voulait les écraser. Il sollicita l'assistance du protecteur de son peuple et lui expliqua pourquoi Narvath devait reprendre sa place. Il réclama aussi la vie du porteur de lumière que les dieux païens avaient conçu pour le détruire. L'univers appartenait aux hommes-insectes. Il était maintenant temps que cesse cette résistance. En terminant, il promit à Listmeth le sacrifice des humains qu'il capturerait pendant la campagne militaire.

En revenant dans sa cellule, l'empereur se sentait déjà plus fort. Il convoqua son sorcier, même si ce dernier n'avait jamais réussi les missions qu'il lui avait confiées. Ce n'était pas la faute d'Asbeth s'il n'arrivait pas à s'emparer de la princesse. « C'est elle qui est trop forte pour lui », avait conclu Amecareth. Elle avait échappé à Sélace, le sorcier le plus dangereux qu'il ait conçu parmi les peuples qui le servaient. Elle était donc aussi puissante qu'il l'avait espéré.

Asbeth entra dans l'alvéole, mettant fin à la rêverie de son maître. Amecareth prit place sur son trône et informa l'homme-oiseau de ses intentions. Le sorcier convint que les guerriers de Bombieth étaient immatures, mais que leur inexpérience pourrait leur être utile.

– Les Chevaliers d'Enkidiev se sont habitués aux stratégies militaires de vos soldats d'élite, lui fit remarquer Asbeth. Ils s'attendront au même comportement de la part des nouveaux contingents. Mais puisque vos conquérants n'auront pas eu le temps d'apprendre à se battre comme eux...

– Ils réussiront là où leurs aînés ont échoué.

C'était un plan parfait. Amecareth s'adossa profondément en faisant tinter les breloques cousues à son manteau pourpre.

– Et en quoi consistera mon rôle lors de cette attaque, monseigneur ? voulut savoir Asbeth.

– Tu accompagneras les troupes. Puisque tu as le pouvoir de t'élever dans le ciel, je veux que tu observes les déploiements des airs et que tu me les rapportes. Cette fois, nous nous rendrons jusqu'au château où ils cachent l'enfant porteur de lumière.

– Je partirai quand vous voudrez.

L'empereur le renvoya en agitant une griffe. Il avait bien d'autres choses à penser avant cet assaut.

21

Des choix contraignants

Les Chevaliers avaient déjà connu le vieillissement prématuré de certains Écuyers, mais ils ne s'habituaient tout simplement pas à cet étrange phénomène. Les trente-neuf soldats, qui auraient dû parfaire l'éducation de leurs apprentis pendant encore trois ans, furent contraints de le faire en quelques jours. C'étaient désormais des hommes et des femmes mûrs qui les accompagnaient.

Santo s'émerveillait du changement qui s'était opéré chez l'adolescent qu'il formait. Non seulement le visage de Mann affichait-il maintenant des traits différents, mais même sa voix était plus profonde. L'apprenti ayant atteint la même taille que son maître en quelques heures, ce dernier lui avait prêté une tunique en attendant que les couturières parviennent à vêtir tous ces nouveaux adultes.

Pour lui faire ses dernières recommandations, Santo emmena son Écuyer marcher dans la campagne. Le temps se réchauffait, mais ils seraient de retour bien avant que le soleil ne leur brûle la peau.

– Je suis conscient que je t'ai déjà dit tout ceci à un moment ou à un autre, mais je pense qu'il est important que je le répète, puisque nous allons bientôt nous séparer, commença le guérisseur, le cœur gros.

– Je serais content de vous l'entendre dire encore cent fois, maître, assura Mann avec un large sourire.

Santo n'avait pas besoin de le sonder pour deviner qu'il serait exactement le même genre d'homme que lui : dévoué et extrêmement sensible.

– Tu connais déjà le premier règlement du code, poursuivit le Chevalier.

– Respecte l'autorité et ceux qui placent leur foi en toi, récita fièrement Mann.

– Ce que tu as toujours fait. Que ce soit sur le champ de bataille ou ailleurs, tu ne dois jamais trahir la confiance de tes compagnons d'armes ni les mettre dans l'embarras.

– Je ne vois pas pourquoi je ferais une chose pareille. J'admire beaucoup trop tous ces vaillants soldats qui risquent constamment leur vie pour sauver les innocents.

– L'empereur pourrait fort bien un jour faire à certains d'entre nous une offre difficile à refuser, argumenta Santo.

Mann prit le temps d'y penser, puis il secoua la tête pour dire non.

– Les Chevaliers d'Émeraude ne sont pas à vendre, se révolta-t-il.

« Excellent », songea le guérisseur. Ils poursuivirent leur route en sens contraire des charrettes, qui apportaient légumes et animaux au château.

– Tu dois aussi chasser le mensonge de ta vie, respecter ta parole et ne jamais donner cette dernière à la légère, lui rappela le Chevalier. Mais je connais déjà ta loyauté.

– Je l'ai apprise de vous.

– Sois poli, courtois et attentif, quoiqu'il arrive. Ne fais jamais de remarques désobligeantes à tes compagnons d'armes. Tu peux les taquiner, comme Jasson le fait avec Bergeau, ou Nogait avec Kira, mais tu ne dois jamais être méchant avec eux.

– Cela va de soi.

Les deux hommes longeaient à présent un immense champ de blé. La brise du matin faisait onduler les tiges blondes en émettant un doux sifflement.

– Fais toujours preuve d'une grande maîtrise de toi. N'affiche aucune arrogance, tant en présence des rois que des gens du peuple. Comporte-toi avec noblesse et donne le bon exemple.

– Ce doit être bien difficile au milieu d'une bataille, lorsque la furie s'empare de nos cœurs, soupira Mann, qui n'était jamais allé au front.

– Ce n'est pas toujours évident, en effet. Tu ne dois utiliser ta force que pour servir le bien, jamais dans un but de gratification personnelle. Il n'y a aucune gloire à tuer un ennemi.

Dans la forêt, à peine une lieue plus loin, un autre Chevalier donnait le même genre de conseils à son Écuyer soudain plus costaud que lui. Derek, né au Royaume des Elfes, contemplait la nouvelle apparence de Radama avec émerveillement. L'adolescent maniait déjà l'épée et la lance avec beaucoup de force. Sa croissance avait raffermi ses muscles. Ses cheveux noirs lui atteignaient presque la taille. Content de ressembler à Onyx, le jeune homme avait choisi de ne pas les faire couper. Il était assis sur une souche, fixant son maître avec attention. Derek, quant à lui, s'appuyait sur le tronc d'un arbre déraciné par la foudre.

– Recherche l'excellence dans toutes tes entreprises, lui conseilla l'Elfe. Garde la foi et ne cède jamais au désespoir.

– Même lorsque tout semble perdu ? s'informa Radama.

– Surtout dans ces moments-là. Un Chevalier d'Émeraude doit se battre jusqu'au bout. Tu dois aussi faire régner la justice où que tu sois, tout en demeurant humain et miséricordieux.

– Je ne sais pas si je serai capable de l'être devant un soldat-insecte.

– Tu dois respecter la vie en tout temps, Radama. Un Chevalier ne recule jamais devant un ennemi, mais il n'attaque jamais un adversaire désarmé. Son rôle est de soulager la souffrance et l'injustice, pas de décimer l'empire.

– Cela règlerait pourtant tous nos problèmes...

– Tu as raison, mais c'est au porteur de lumière que les dieux ont confié cette mission, pas à nous. En tant que soldats d'Enkidiev, notre devoir est de repousser tous ceux qui tentent de s'emparer de nos terres ou de voler nos gens.

– Il y a beaucoup de principes à honorer, se découragea le nouvel adulte.

– Oui, c'est vrai, mais ce qui est important, pour l'instant, c'est que tu les connaisses. Tu auras bientôt l'occasion de les mettre en pratique.

Un large sourire éclaira le visage de Derek.

– Que dirais-tu d'aller chasser une dernière fois en tant que maître et apprenti ? suggéra-t-il pour remonter le moral de Radama.

Ce dernier bondit sur ses pieds, content d'avoir la chance de tester ses nouveaux muscles.

Pendant ce temps, à la bibliothèque, Wellan, Hawke et Farrell s'affairaient à attribuer les cent dix-huit enfants aux Chevaliers. Il fut relativement facile de trouver pour chaque soldat un apprenti dont le caractère s'harmonisait au sien. Mais lorsque le nom de Lassa franchit les lèvres de Farrell, le grand chef se montra inflexible. Même si le porteur de lumière n'affichait aucune de ses propres qualités, Wellan voulait l'entraîner lui-même.

– Je faillirais à mon devoir envers l'Ordre si je le confiais à un autre Chevalier, expliqua-t-il.

– Lassa est un garçon très impressionnable qui se fige lorsqu'on lève le ton, lui rappela Farrell.

– Je ne suis pas un monstre, tout de même.

– Mais vous n'êtes pas le plus patient des hommes, non plus.

– Par contre, le sorcier d'Amecareth craint sire Wellan, raisonna Hawke. Lassa serait en sécurité auprès de lui.

– Votre code n'ordonne pas seulement aux Chevaliers de protéger et de respecter leurs Écuyers, avança l'autre magicien, il leur demande de leur transmettre leur science et leurs belles valeurs avec honnêteté et simplicité.

– Et vous m'en croyez incapable ? s'étonna Wellan.

– Vous avez toute une armée à diriger, sire, répondit Farrell. Il est facile, dans le feu de l'action, d'oublier l'enfant qui nous accompagne.

– Faudra-t-il que je jure sur la tête de Theandras que cela ne se produira pas pour que vous me laissiez éduquer le porteur de lumière ?

Farrell aurait préféré le confier à Santo ou à Jasson, qui disposaient de plus de temps pour répondre aux besoins d'un apprenti, mais Wellan ne lâcherait pas prise. Il pouvait le sentir dans toutes les fibres de son corps crispé. Si ce grand héros avait décidé de se charger de cette mission, même Parandar aurait du mal à l'en dissuader.

– Ce ne sera pas nécessaire, céda Farrell. Lassa sera votre Écuyer.

– À qui confierez-vous votre fille ? enchaîna Hawke.

– Certainement pas à Bridgess, qui lui passerait tous ses caprices, se détendit Wellan.

– Votre fille raisonne bien, mais elle manque d'audace, exposa Farrell qui avait été son professeur. Je suggère que vous la remettiez à Swan.

Wellan releva un sourcil, indécis.

– Jenifael apprendrait à foncer et peut-être pourrait-elle enseigner à mon épouse à réfléchir, ajouta le mage.

Le grand chef aperçut l'espièglerie dans les yeux pâles de Farrell. Cette paire pourrait donner d'heureux résultats. Il acquiesça donc d'un signe de la tête, soulageant Hawke qui ne tenait pas du tout à trancher cette question.

– Je propose aussi que Liam devienne l'apprenti de Kevin, lança Farrell.

– Quoi ? s'exclama Wellan. Vous voulez que mon soldat aveugle soit guidé par le petit garçon le plus imprudent de tout Enkidiev ?

– Jusqu'à présent, cet enfant n'a affiché que son côté téméraire, admit Farrell, mais il a été mon élève pendant plusieurs années. Je le connais mieux que ses propres parents. La seule façon d'éviter que sa présence dans vos rangs ne se solde par une catastrophe, c'est de lui donner de grandes responsabilités. Il ne s'aventurera pas seul en territoire ennemi si la vie de son maître invalide dépend de son habileté à l'orienter.

Wellan fit quelques pas le long des rayons en envisageant tous les autres problèmes qui pouvaient surgir de cette combinaison.

– Liam a besoin d'être solidement encadré si vous voulez le maîtriser sur le champ de bataille, insista Farrell.

– Kevin ne fait pas partie de mon groupe, soupira le chef.

– Je vous en prie, faites-moi confiance.

– Alors, soit. J'espère ne pas le regretter, une fois sur la côte.

– Vous vous inquiétez pour rien, répliqua Farrell avec le sourire d'Onyx.

Le magicien se tourna vers son confrère Elfe.

– Désirez-vous garder un élève auprès de vous afin d'en faire votre apprenti ? demanda-t-il.

– Non, refusa Hawke. En agissant ainsi, je priverais un Chevalier d'une aide précieuse, car il y a tout juste assez d'enfants pour eux. J'en choisirai un dans le prochain groupe qui doit bientôt étudier à Émeraude.

– La liste est donc complète, comprit Wellan, satisfait. Nous procéderons d'abord à l'adoubement des nouveaux Chevaliers, puis, dans trois jours, nous affecterons à tous leurs Écuyers.

Les deux mages se dirent d'accord. Hawke nota les dernières attributions et Wellan roula le parchemin avec précaution : il s'agissait d'un document très précieux qu'il garderait sur lui jusqu'à la cérémonie.

22

La quatrième génération

Le matin de l'adoubement des Écuyers désormais adultes, Wellan inspecta les nouvelles chambres au-dessus de celles de ses compagnons. Jusque-là, ces appartements avaient surtout servi d'entrepôt pour toutes les vieilleries du palais. Le grand chef ignorait où on les avait transportées, mais il se doutait qu'il restait de moins en moins de place au château. Les quartiers des nouveaux Chevaliers ressemblaient au sien : même ameublement, même disposition. « De toute façon, nous passons si peu de temps ici », songea Wellan en redescendant dans le long couloir qui menait aux bains.

Il entra dans la vaste salle sans se presser. Il se déshabilla, accrocha sa tunique au mur et rejoignit ses frères en pensant au massage qui l'attendait après le bain.

Santo s'était appuyé dans un coin, de l'eau chaude jusqu'au menton. Les yeux fermés, il continuait de se questionner au sujet de Yanné. La jeune fille lui avait clairement fait connaître ses sentiments et il n'y était pas indifférent. Mais chaque fois qu'il pensait à l'Espéritienne, le visage de Bridgess revenait le hanter.

– Arrête donc de te torturer ainsi, murmura une voix près de lui.

Le guérisseur sursauta et ouvrit les yeux. Jasson s'était approché sans qu'il s'en aperçoive. « A-t-il lu mes pensées ? » se demanda-t-il.

– Ce serait bien inutile, continua de chuchoter son frère d'armes. C'est écrit sur ton visage. Est-ce que tu partages ses sentiments ?

– Là est la question, fit Santo, confus. Je n'en sais rien.

– N'as-tu pas envie de dormir dans ses bras ? Ou as-tu des préférences différentes ?

– Mais non..., soupira tristement Santo.

Il n'allait certes pas lui avouer que Bridgess était son âme sœur et qu'il lui serait difficile d'aimer qui que ce soit tant qu'il la côtoierait.

– Je suis d'abord et avant tout un guérisseur, tenta-t-il, maladroitement.

– Cette profession n'empêche pas de prendre épouse, à ce que sache. Santo, suis mon conseil. Arrête d'analyser tes sentiments et épouse-la. Tu ne le regretteras pas.

Le Chevalier tourmenté lui décocha un air découragé. « Que dira Wellan ? » s'inquiéta-t-il.

– La même chose que nous, affirma Jasson. Il est grand temps que tu te laisses aimer.

Le guérisseur ne pouvait pas lui faire part de ses craintes. Il se contenta donc de sourire timidement pour éviter que d'autres Chevaliers ne s'en mêlent.

L'adoubement eut lieu durant l'après-midi. Après une période de relaxation aux mains des masseurs et une méditation en groupe, les Chevaliers se rassemblèrent dans la cour. Le roi s'était déjà endormi sous le dais, mais son conseiller principal fit signe à Farrell de commencer sans lui. « Au moins, il est présent », apprécia Wellan. Les trente-neuf Écuyers furent proclamés Chevaliers devant une foule en liesse, qui aimait voir leur nombre croître sans cesse.

Les soldats aidèrent leurs nouveaux compagnons à attacher leurs armures et leurs ceintures d'armes. Fous de joie, les heureux élus sautèrent dans les bras de tout le monde, y compris les serviteurs et les paysans, pour les remercier.

Comme c'était la coutume, un grand banquet fut donné en leur honneur. Puisque le ciel était clément, il eut lieu à l'extérieur. Les musiciens se mirent à jouer tout de suite après le repas. Un grand feu fut allumé. Tout le monde était invité à cette fête et les Chevaliers célibataires en profitèrent pour reluquer les filles. En retrait, Santo vida sa coupe de vin, puis se leva. Il se doutait bien que tout le monde connaissait l'intérêt que lui portait Yanné. Il était temps de rendre la chose publique.

D'un pas assuré, il se dirigea vers l'endroit où Sutton mangeait avec sa famille. Galamment, le Chevalier aux boucles noires s'inclina devant sa cadette. Il lui tendit la main et Yanné l'accepta en rougissant. Les soldats qui se trouvaient dans cette partie de la cour se mirent à siffler. Santo choisit de les ignorer. Il entraîna la jeune femme parmi les danseurs. Bridgess tira la manche de Wellan et pointa le couple. « Enfin », pensa le grand chef, qui connaissait la raison de la tristesse de son meilleur ami.

Santo étonna tout le monde, car il s'avéra un excellent danseur. Il ne manquait aucun des pas, tournait au bon moment, présentait le bras à temps.

– Mais où a-t-il appris à bouger comme ça ? s'exclama Bergeau.

– Certains hommes savent instinctivement ce qui plaît aux femmes, le piqua Catania, à ses côtés.

– Je sais danser, mais pas comme lui ! protesta son mari.

Yanné et Santo ne pouvaient pas entendre les commentaires des Chevaliers et des serviteurs, qui espéraient une future union. Galli se mit même à parler de trousseau avec Armène, assise près d'elle. Quant à Sutton, il ne savait plus trop que penser. Sa benjamine semblait bel et bien s'éprendre de ce soldat beaucoup plus vieux qu'elle. Un peu à l'écart, Payla, son aînée, faisait de beaux yeux à Hettrick, qui avait davantage son âge.

– On dirait bien que nous ne serons que deux dans notre nouvelle ferme, soupira-t-il.

– C'est le cycle de la vie, lui fit remarquer Wellan, qui s'était approché. Il n'y a pas si longtemps, nous étions aussi des enfants.

Le grand chef observait la fête, l'esprit tranquille. Il avait trouvé un maître pour tous les enfants magiques qui avaient terminé leurs études. Bridgess ne l'avait heureusement pas encore poussé parmi les valseurs, mais il sentait que cela ne tarderait pas. Elle attendait probablement une danse moins rapide pour épargner son amour-propre.

Il vit Jenifael qui tentait d'enseigner quelques pas rudimentaires au porteur de lumière. Lassa regardait ses pieds en faisant de son mieux. « Il ne sera pas un expert non plus », s'amusa Wellan.

Chloé passa devant son chef et lui souffla un baiser. Elle poursuivit sa route, ayant depuis longtemps perdu son époux dans la foule. « Il doit être en train de discuter de politique avec Morrison », devina-t-elle avec un sourire narquois. Ces deux hommes passaient en effet des heures à réviser les dernières décisions prises par les monarques de tous les royaumes, comme s'ils pouvaient y changer quelque chose. La doyenne des femmes Chevaliers cueillit un gobelet de vin dans le plateau d'un serviteur. Elle en prit une gorgée et aperçut le visage sombre de Falcon. Elle n'eut pas besoin de le sonder pour comprendre que quelque chose n'allait pas.

– C'est une belle fête, dit-elle en s'asseyant à ses côtés.

Il garda le silence.

– Où est Wanda ?

– Dans la tour d'Armène, avec notre fils qui terrorise les autres enfants.

– C'est lui qui te chagrine ainsi ?

– Je ne sais plus quoi faire avec lui. Quand il était petit, Nartrach ne s'apercevait pas que sa mère et moi étions souvent partis, mais maintenant qu'il a trois ans, il nous fait chèrement payer nos absences.

– Il est encore bien trop jeune pour raisonner ainsi, Falcon.

– Il ne ressemble pas aux garçons de son âge. Il n'agit pas comme eux. C'est peut-être à cause de sa naissance difficile.

– Allons donc. Je pense que tu es seulement un père qui s'inquiète pour son petit et en cela, tu es parfaitement normal. Tous les Chevaliers qui ont eu des bébés m'ont fait le même genre de commentaire.

– Vraiment ? se rassura Falcon.

– Contrairement à ce que l'on dit, les enfants ne sont pas tous semblables. Chacun est unique, et encore plus aux yeux de ses parents. Prends Nemeroff, par exemple. C'était une petite peste il y a quelques années, mais maintenant, il se comporte de façon civilisée.

– Donc, il y a de l'espoir pour nous ?

– Il y a toujours de l'espoir.

Bergeau se mit alors à raconter des blagues de sa voix tonitruante, captivant aussitôt son auditoire. Kardey, qui venait de remplir deux coupes, passa près de lui et alla rejoindre Ariane, son épouse. Elle accepta le vin avec un large sourire. Le mariage n'avait nullement changé ce beau capitaine d'Opale : il était toujours aussi galant. Cependant, la Fée capta de l'appréhension dans ses yeux gris.

– L'arrivée d'une apprentie dans notre vie menacera-t-elle notre couple ? voulut-il savoir.

– Non, je ne crois pas, jugea Ariane. Les Chevaliers mariés ont le droit de les installer dans une chambre contiguë à la leur. Je serai officiellement son maître, mais elle bénéficiera des conseils de deux soldats plutôt qu'un. Ce sera aussi une merveilleuse façon de savoir si nous voulons avoir des enfants après la guerre.

– Je ne voyais pas les choses ainsi.

– Rien ne mettra notre bonheur en danger, Kardey.

Elle déposa un baiser prometteur sur ses lèvres, le rassurant jusqu'au fond de l'âme.

– Je t'aime tellement, murmura-t-il.

– Moi aussi...

Il se défit de sa coupe, prit la main de sa belle et l'entraîna vers le palais en se disant qu'il valait mieux profiter de leur intimité avant la cérémonie d'attribution des Écuyers.

À quelques pas d'eux, Amayelle et Sage tentaient de faire manger Kevin, qui levait le nez sur les tranches de viande rôtie et le maïs chaud. Puisqu'il faisait sombre, le Chevalier n'était pas contraint de porter son bandeau sur les yeux. Nogait lui avait aussi présenté une dizaine de bières différentes et du vin de toutes les robes. Le Chevalier invalide s'entêtait pourtant à boire de l'eau. Ce fut finalement Kira qui comprit ce qui se passait. Quelques minutes plus tard, elle déposa dans les mains griffues de Kevin un morceau de viande crue. Ses amis furent surpris de le voir dévorer cette nourriture avec appétit.

– Tant que nous n'aurons pas renversé le maléfice qui l'afflige, il faudra respecter ses goûts, les informa la princesse mauve.

– Mais ni toi ni moi n'aimons la chair sanglante, raisonna Sage en grimaçant.

– Parce qu'on nous a imposé des goûts différents dès l'enfance, j'imagine.

– Je ne sais pas pourquoi les aliments que je mangeais autrefois me répugnent maintenant, maugréa Kevin. Moi-même je ne comprends pas ce qui m'arrive.

– Je n'ai pas fait cette remarque pour te blesser, assura aussitôt l'Espéritien.

– C'est seulement qu'on trouve ton comportement un peu déroutant, ajouta Nogait.

– Moi aussi, avoua Kevin avec un sourire triste.

Amayelle se contentait de l'observer en se demandant ce qu'elle aurait fait si Asbeth avait capturé son mari au lieu de Kevin. Douce comme une fleur, elle ignorait qu'en elle dormait une grande force. Elle adorait Nogait et leur petit Cameron. Cet enfant, le premier demi-Elfe à naître sur Enkidiev, représentait l'avenir de leurs deux peuples. Seules ses oreilles trahissaient ses origines sylvestres. Son apparence était tout à fait humaine. Mais son cœur ressemblait à celui de son grand-père, le Roi Hamil. Même à cinq ans, Cameron se souciait déjà du sort du monde.

Amayelle promena son regard sur la foule. Tous ces magnifiques Chevaliers méritaient bien de s'amuser de temps en temps. Elle savait que Wellan veillait secrètement sur eux : elle sentait son énergie balayer l'ouest régulièrement.

À bout de souffle, Jasson abandonna la farandole. Heureuse de pouvoir échapper à la solitude de leur ferme, Sanya continua de sautiller avec les danseurs. Le Chevalier se laissa tomber à côté de Dempsey et Morrison, qui suivait des yeux le cortège en liesse.

– Tu vieillis, se moqua Dempsey qui l'avait déjà vu se trémousser jusqu'au petit matin.

– C'est le manque d'exercice ! se défendit Jasson en riant. Depuis que Wellan a détruit les pouponnières de l'Empereur Noir, nous n'avons fait face qu'à des ennemis qui préfèrent rebrousser chemin. Je suis en train de rouiller, mon frère.

– Justement, j'en parlais avec Morrison.

À ses côtés, le forgeron fumait tranquillement sa pipe, les bras croisés. Il était exceptionnel de le voir porter autre chose qu'un tablier de cuir. Vêtu d'une chemise blanche au col délacé, il semblait lui aussi profiter de cette fête pour se reposer.

– Amecareth est un conquérant, poursuivit Dempsey. Il prépare certainement quelque chose pendant qu'il force ses peuples les moins combatifs à nous attaquer.

– Il ne serait pas un grand chef de guerre s'il décidait de rester chez lui pour bouder, l'appuya Morrison.

– Peut-être bien, réfléchit Jasson, mais je ne suis pas inquiet. Nous sommes capables de le vaincre n'importe où et n'importe quand.

Sans en avoir l'air, Morrison surveillait sa fille unique. Vêtue d'une magnifique robe rose, Élizabelle avait mis des fleurs dans ses cheveux. « Comme une mariée », s'inquiéta-t-il. Pourtant, il avait systématiquement repoussé tous ses prétendants. Avait-elle un admirateur secret ?

À une distance respectable, Hawke la dévorait des yeux. Dans toute cette joyeuse assemblée, elle étincelait comme un joyau.

– Même les magiciens apprécient les attentions d'une belle femme, chuchota alors Farrell à son oreille pointue.

L'Elfe sursauta. Son cœur battait la chamade, car son secret était découvert. Il fixa son confrère sans pouvoir prononcer un seul mot.

– À moins qu'Élund vous ait fait croire qu'un maître de classe devait demeurer célibataire...

– Il n'a jamais rien dit de tel.

– Profitez donc de la vie, maître Hawke.

– Je dois donner l'exemple...

– Comme moi.

Farrell le poussa en direction de la jeune personne qui, manifestement, refusait toutes les invitations des hommes qui désiraient l'inviter à danser. Les joues cramoisies, le magicien se retrouva devant Élizabelle.

– Maître Hawke, se réjouit-elle. Je craignais que vous ne retourniez bientôt dans votre tour.

– La soirée débute à peine..., bafouilla-t-il.

– Savez-vous danser ?

– Pas vraiment, non.

– Il s'agit d'une ronde avec très peu de changements de mains. Je suis certaine que vous y arriveriez.

Hawke jeta un coup d'œil vers Farrell, qui lui faisait de grands signes l'incitant à accepter cette invitation.

– Même au risque d'importuner tous les autres danseurs ? hésita l'Elfe.

– Ils sont indulgents envers les novices. Regardez, vous n'êtes pas le seul.

Quelques pas plus loin, Bridgess souriait devant les efforts de Wellan, qui suivait le rythme de son mieux.

– Lui aussi se trompe, mais il essaie tout de même pour faire plaisir à sa femme, insista Élizabelle.

Hawke rassembla son courage avant que Farrell ne le jette lui-même dans la mêlée. Il offrit sa main à Élizabelle. Ils ouvrirent une brèche dans le cercle et suivirent la cadence des participants. « En fin de compte, ce n'est pas si difficile », conclut le magicien en captant le radieux sourire de sa compagne. Il marcha sur les pieds de ses voisins à quelques reprises, mais moins souvent que le grand chef, qui ne tournait jamais dans le bon sens. Les danseurs s'empilaient dans le dos de Wellan en riant, mais ne lui en gardaient pas rancune : ce Chevalier ne pouvait pas avoir tous les talents !

Farrell observait la scène avec amusement, sa coupe aux lèvres. Ses yeux ne voyaient pas seulement le spectacle qui se déroulait devant lui, mais ils se rappelaient aussi une autre époque. À la cour du Roi Hadrian d'Argent, il avait dansé lui aussi. Même ivre mort, il ne manquait jamais un pas. La main de son épouse effleura alors son bras. Farrell tourna légèrement la tête vers elle.

– Tes iris changent de couleur quand tu es nostalgique, remarqua Swan.

– Et quand je bois trop aussi, plaisanta-t-il.

– Quelle belle jeune fille a provoqué ces souvenirs ?

– La plus exquise d'entre toutes. Elle est née au Royaume d'Opale, où on n'a pas voulu la garder parce qu'elle était trop farouche.

– C'est ce que tu appelles un compliment ? s'indigna Swan en comprenant qu'il parlait d'elle.

D'un seul bras, il l'attira habilement contre lui pour l'embrasser. Elle commença par le repousser, puisqu'ils étaient en public, puis se laissa gagner peu à peu. Farrell laissa tomber sa coupe sur le sol pour étreindre davantage la femme soldat.

– Lequel d'entre vous essaie de me séduire : Farrell ou Onyx ? susurra-t-elle.

– Je pense que nous pourrions régler la question une fois pour toutes si je prenais un nom différent, car je ne suis plus tout à fait l'un ou l'autre.

– Et comment aimerais-tu t'appeler ?

– Je voudrais porter le nom d'un dieu.

Swan éclata de rire. L'homme nouveau qu'était devenu Farrell lorsque l'esprit d'Onyx s'était fusionné avec le sien lui plaisait de plus en plus.

– Ou celui du vent le plus puissant du Désert... ou de...

Elle l'embrassa passionément pour le faire taire. Ils restèrent ainsi un long moment sans se soucier des commentaires qu'ils provoquaient.

– J'ai quelque chose à te montrer, dit-il soudain en se dégageant.

Swan n'arrivait jamais à deviner ses pensées. Au début, cela l'avait irritée, mais avec le temps, elle avait appris à aimer les surprises. Elle le suivit donc dans la tour d'Armène, en se disant que ce n'était pas là l'endroit le plus romantique du château : la plupart des enfants y étaient couchés, sous la surveillance de Wanda.

Farrell mit son index sur ses lèvres pour lui recommander le silence, puis l'entraîna dans l'escalier. Ils aboutirent au premier étage. Épuisée, Wanda s'était endormie sur le lit d'Armène, son fils dans les bras. À l'étage supérieur, ils pouvaient entendre les chuchotements des autres enfants, qui n'avaient pas encore fermé l'œil. Le magicien poussa doucement sa femme près d'un berceau dans lequel dormait un minuscule bébé.

– Explique-toi, Farrell, exigea-t-elle, inquiète.

– Ce poupon n'a plus de parents, lui apprit-il.

– Tu ne vas pas me dire que...

Avant qu'elle ne termine sa phrase, le magicien cueillit l'enfant dans ses bras. Les yeux remplis de vénération, il embrassa son tout petit front.

– Nous avons déjà trois fils, protesta Swan.

– Tu n'en veux pas d'autres parce que les grossesses t'empêchent de combattre. Celui-là n'a pas besoin d'être porté.

– Mais pourquoi éprouves-tu le besoin d'avoir autant d'enfants ?

– Parce qu'ils sont l'avenir de ce monde et parce que j'ai perdu les miens, jadis.

La femme Chevalier le considéra un moment. Il était certes bien difficile de ne pas s'attendrir devant un tel spectacle.

– Dis-moi au moins que ce n'est pas un autre garçon, soupira-t-elle.

Farrell lui décocha un regard suppliant.

– Je dois avoir sérieusement offensé Parandar durant ma vie pour être punie ainsi, maugréa-t-elle.

– Il s'appelle Maximilien.

Ce magicien, qui se montrait si implacable sur un champ de bataille, était tout à fait incapable de résister à l'innocence d'un bébé. L'air déconfit, Swan s'appuya contre son époux pour contempler le minois de l'orphelin.

– Donne-moi au moins quelques heures pour y penser, réclama-t-elle.

Le sourire qui éclata sur le visage de Farrell indiqua qu'il connaissait déjà sa réponse.

23

UNE SOMBRE ÉNERGIE

Le lendemain de la fête, Lassa se réveilla en sursaut sur son lit de fortune, puisqu'il avait cédé le sien aux enfants qu'Armène avait gardés pour la nuit. Le prince tendit l'oreille. Il n'y avait aucun bruit au château, mais une peur innommable lui comprimait l'estomac. Il se rendit à la fenêtre et jeta un coup d'œil du côté des grandes portes : elles étaient fermées. Pourtant, il continuait de ressentir la menace. Il enfila ses sandales en vitesse, puis dévala l'escalier. La servante dormait encore, mais le berceau de l'orphelin avait disparu !

– Mène ! appela Lassa, terrorisé.

La pauvre femme tressaillit. Elle s'assit dans son lit en posant ses deux mains sur son cœur.

– Qu'y a-t-il ? haleta Armène.

– Maximilien n'est plus là ! On l'a enlevé !

– Mais non, fit-elle en se calmant. Il a trouvé de nouveaux parents hier soir.

Cette bonne nouvelle aurait dû le rassurer, mais le danger était toujours présent. Il se faufila dans les bras de la servante et cacha son visage dans son cou.

– J'ai du mal à croire qu'ils feront de toi un soldat, plaisanta Armène.

– Je n'aurai plus peur quand un Chevalier veillera sur moi nuit et jour.

– Et moi, alors ? Tu penses que je ne suis pas une bonne gardienne ?

– Ce n'est pas ce que j'ai voulu dire, se défendit Lassa en se dégageant.

Il caressa le visage de sa gouvernante comme pour l'amadouer. Mais Armène le connaissait bien, ce petit prince craintif.

– Que dirais-tu de m'aider à préparer le déjeuner, ce matin ? proposa-t-elle.

Puisqu'elle était probablement la seule personne debout à cette heure, il accepta volontiers de rester en sa compagnie, quitte à faire la cuisine. Sa frayeur l'empêchait de capter la présence d'autres personnes à l'extérieur, qui percevaient exactement la même chose que lui.

Hawke et Élizabelle étaient grimpés sur la passerelle à la fin de la fête pour voir le soleil s'étirer au-dessus de la rivière Wawki. L'Elfe ne comprenait pas les sentiments qui l'animaient, mais il repoussait le moment de leur séparation. Pourtant, sa compagne allait bientôt devoir rentrer, sous peine d'être sévèrement punie par son père.

Le magicien lui pointa les étoiles du matin et lui en expliqua la signification. Élizabelle ne se lassait pas de l'écouter. Il était si savant, si doux et si différent des autres hommes ! Elle voyait souvent passer les Elfes qui faisaient partie de l'Ordre, mais jamais elle ne leur avait adressé la parole. Hawke était le premier représentant de sa race qu'elle côtoyait. Elle savait cependant que Nogait avait épousé la Princesse des Elfes : il n'était donc pas défendu, pour une humaine, de se marier avec un homme provenant du peuple des forêts...

– Pourquoi n'avez-vous pas encore d'épouse ? se risqua la fille de Morrison.

– Je croyais que je ferais un meilleur travail auprès des enfants en n'ayant aucune attache, répondit honnêtement le mage. J'avais tort. Farrell a une femme et trois petits garçons et ses élèves sont encore plus doués que les miens.

Soudain, le visage de Hawke devint livide. Le croyant malade, Élizabelle lui offrit aussitôt de le ramener chez elle pour prendre soin de lui. Il secoua vivement la tête.

– Il s'agit d'une force inconnue, murmura-t-il, tous ses sens en alerte. Elle est à peine perceptible, mais elle ne me dit rien de bon. Cette vibration s'approche d'Émeraude. Je vais vous reconduire et alerter Farrell.

Élizabelle le suivit sans poser de questions. Elle avait trop souvent entendu parler des immenses pouvoirs de ces mages pour ne pas leur faire confiance. Hawke la laissa à la porte du forgeron et poursuivit son chemin vers la tour de son confrère.

La jeune entra en vitesse. Elle trouva son père assis à la table qu'il avait si patiemment décorée. Morrison fronça les sourcils en l'apercevant.

– Ce n'est pas une heure pour rentrer, lui reprocha-t-il.

– Je suis restée sur la passerelle pour voir le soleil se lever.

– Avec le magicien ?

– Oui. Mais, comme tu me le répètes sans cesse, rien n'arrive jamais pour rien. Parce que nous étions sur les créneaux ce matin, il a pu capter une menace qui s'approche d'Émeraude.

– Des soldats ennemis ? s'alarma le forgeron en se levant.

– Il n'en sait rien encore.

Morrison passa près de sa fille.

– Nous reparlerons du magicien plus tard, l'avertit-il.

Impuissante, elle baissa la tête tandis qu'il sortait à la hâte.

Farrell faisait boire son fils adoptif lorsqu'il ressentit le danger. Il laissa téter l'enfant et lança son esprit à la recherche de cette mystérieuse et sombre énergie : elle provenait du nord et non de la côte. Swan dormait, le petit Fabian collé contre elle. Nemeroff et Atlance étaient lovés dans leurs propres couchettes. Le magicien ne voulait pas brusquer le petit être qu'il tenait au creux de son bras. Cependant, s'il n'agissait pas rapidement, il risquait d'y perdre toute sa famille.

Dès que Maximillien refusa la tétine, Farrell le remit dans son lit, puis le couvrit pour qu'il soit bien au chaud. Il enfila une tunique, mais ne prit même pas la peine de se chausser. Il descendit les deux escaliers à la course et faillit entrer en collision avec Hawke.

– Vous le sentez aussi ? s'informa l'Elfe .

Farrell hocha vivement la tête, toujours en contact avec la force étrangère.

– Savez-vous ce que c'est ? le pressa Hawke.

– Je n'en suis pas tout à fait certain, mais je capte une intervention maléfique.

– Asbeth ?

– Non... Il s'agit d'une magie beaucoup plus ancienne.

– L'Empereur Noir aura donc recruté d'autres démons pour le servir.

– Peut-être bien. Cette énergie m'est étrangement familière, mais elle remonte à la vie d'Onyx.

– Alors, faites appel à lui. Il serait utile de pouvoir l'identifier avant d'alerter les Chevaliers.

Hawke observa le magicien dont le regard était absent. Il lui enviait ses facultés, même s'il savait qu'il les tenait de la sorcellerie qu'avait jadis maîtrisée Onyx.

– Elle est encore loin d'ici, mais elle progresse vers nous, déclara le renégat en émergeant de sa transe.

– Comment voulez-vous procéder ?

– Allez réveiller Wellan. Je vais poursuivre le guet.

Pendant que Hawke se précipitait vers le hall des Chevaliers, Farrell grimpa sur la passerelle. À grands pas, il se rendit jusqu'à la section qui faisait face au nord. La majestueuse Montagne de Cristal s'élevait devant lui. Les premiers rayons du soleil faisaient miroiter ses neiges éternelles.

– Ils se servent de la puissance magique de ce pic pour couvrir leur remontée, comprit le renégat.

La nuit fut plutôt courte pour Wellan et ses soldats. Réveillés par leur chef quelques heures à peine après avoir posé la tête sur l'oreiller, ils enfilèrent leurs armures et se rassemblèrent dans le hall, où Hawke les attendait. Ce dernier leur confia ce que Farrell et lui avaient décelé. Il sentit aussitôt que le grand Chevalier procédait lui-même à un examen de la région.

– Je ne capte qu'un filet de négativité, s'étonna Wellan.

– La force est encore éloignée, mais elle avance, assura Hawke. À cette vitesse, elle pourrait être ici dans deux ou trois jours.

– Au moment où nous voulions attribuer les apprentis... Il faudra donc le faire dès aujourd'hui afin d'être prêts à nous défendre.

Wellan partagea d'abord les nouveaux Chevaliers entre les six groupes commandés par les aînés, s'efforçant de les rendre uniformes. Chaque unité compterait désormais plus ou moins dix-neuf Chevaliers et autant d'Écuyers.

– Chloé, avise les conseillers du roi que nous procéderons à la cérémonie cet après-midi. Santo, pourrais-tu...

Il s'aperçut alors que le guérisseur n'était pas parmi eux. Inquiet, Wellan l'appela avec son esprit. *Je suis en route*, répondit-il sans chercher à justifier son absence.

– Je peux me charger de sa tâche, suggéra Dempsey.

Puisque le temps pressait, le chef le chargea d'informer les nouveaux Chevaliers des obligations qui les attendaient une fois qu'ils auraient des enfants à éduquer. Puis, il demanda à Bridgess, Kagan et Ariane d'aller apprendre la bonne nouvelle aux enfants. Il pria également Volpel et Bailey de prévenir le forgeron et le dresseur de chevaux, puis il envoya les autres se préparer.

– Kira, viens avec moi, ordonna-t-il.

Elle sauta de son siège sans poser de questions. Nogait posa une main rassurante sur le bras de Sage, qui s'inquiétait toujours lorsque son épouse se voyait confier des missions spéciales. Wellan n'était pas facile à suivre dans les couloirs lorsqu'il était pressé : Kira dut courir derrière lui. Ils débouchèrent finalement dans la cour. Farrell était juché sur la passerelle du nord. Dès qu'il perçut la présence des Chevaliers, le magicien pivota. En l'espace d'une seconde, il se matérialisa devant Wellan et Kira.

– Ils se cachent derrière la Montagne de Cristal, annonça Farrell.

– Vous savez de qui il s'agit, n'est-ce pas ? devina Wellan.

– Je n'en suis pas tout à fait certain. Il y a fort longtemps que je n'ai pas ressenti cette force.

Pendant qu'ils discutaient, Kira projeta son esprit au-delà des rochers. Cette magie n'était pas celle d'Asbeth et encore moins celle de l'Empereur des insectes...

– Avons-nous un nouvel ennemi ? s'exclama-t-elle en reprenant contact avec la réalité.

– Je ne crois pas, avança Farrell. Je connais cette énergie et je n'ai affronté que les serviteurs d'Amecareth, jadis.

– Des sorciers ?

– C'est ce que je crois.

– Je vais me rendre à Opale en éclaireur, décida Wellan. Je compte sur vous pour sonner l'alarme si l'ennemi change de cap.

Le grand Chevalier croisa ses bracelets et fit signe à Kira d'entrer dans le vortex avant lui.

24

La clairière

Vers la fin de la fête, Santo offrit à Yanné de lui montrer une clairière où il aimait se retirer pour méditer. Il faisait nuit, mais il l'assura qu'elle n'avait rien à craindre. Dans l'espoir que le Chevalier réponde enfin à ses avances, la jeune fille s'éclipsa avec lui à l'extérieur des remparts. À l'aide de son vortex, le guérisseur l'emmena sur la berge, à l'endroit où l'affluent de la rivière Wawki coupait vers l'est pour aller mourir au pied des montagnes de Béryl. Il s'agissait d'un endroit difficile d'accès pour les villageois, en raison des rapides qui précédaient cet embranchement.

Le sol était couvert de mousse verte et de petites fleurs qui s'étaient refermées pour la nuit. Au centre de l'échappée se dressait une large pierre plate. D'un geste de la main, Santo y alluma un feu magique. Sa lumière révéla les troncs des grands arbres qui les entouraient comme une palissade. Le guérisseur étendit sa couverture sur le sol. Galamment, il invita sa jeune amie à y prendre place avec lui.

Yanné contempla les flammes irréelles en se demandant comment une simple paume pouvait créer un tel phénomène.

– Nos mains canalisent notre énergie, expliqua le Chevalier en lisant la question dans son esprit. Nous mettons des années à apprendre à l'utiliser. C'est notre volonté qui décide de l'intensité de leur rayonnement. Nous pouvons donc produire des flammes, des rayons d'énergie tranchants comme une lame ou une lumière calmante.

– Votre monde est fascinant, s'extasia-t-elle, des étoiles plein les yeux.

– S'il n'y avait pas cette guerre, je serais d'accord avec vous, soupira-t-il. Mais nous gaspillons nos pouvoirs à détruire des vies.

– Ce doit être déchirant pour un homme qui n'aspire qu'à soigner les malades.

– Possédez-vous aussi la faculté de lire mes pensées ? plaisanta-t-il.

– Non, répondit-elle en riant.

Elle devint soudain très grave.

– Mais je sais interpréter les expressions du visage, lui dit-elle. Il n'est pas difficile de voir que votre cœur souffre.

Santo baissa les yeux. Il aurait préféré passer la soirée à chanter pour elle plutôt que de lui faire des confidences douloureuses.

– Quelqu'un vous a fait du mal, poursuivit Yanné, et à cause de cette personne, vous élevez une barrière autour de vous.

– Ce n'est pas tout à fait exact, soupira-t-il.

Un Chevalier d'Émeraude ne devait jamais mentir. C'est ce qu'il avait enseigné à tous ses Écuyers depuis son adoubement.

– J'aimais une femme, mais je n'ai pas eu le courage de lui avouer mes sentiments. Alors, elle a épousé un autre homme sans savoir qu'elle me déchirait le cœur.

– L'aimez-vous toujours ?

– Une partie de mon âme continue de la réclamer, mais jamais je ne la priverai du bonheur qu'elle a trouvé auprès de son mari.

– J'admire votre franchise, sire Santo, apprécia Yanné. Me parlerez-vous aussi des sentiments que vous éprouvez pour moi ?

– En fait, c'est pour cela que je vous ai emmenée ici. Il aurait été plus convenable que j'en demande la permission à votre père, mais je craignais un refus en raison de votre âge.

– J'ai le droit de me marier et mon père le sait très bien. D'ailleurs, il a déjà remarqué votre intérêt. S'il avait voulu s'opposer à nos fréquentations, il vous l'aurait déjà fait savoir.

Santo n'eut pas besoin de plus d'encouragement. Il embrassa les douces lèvres de l'Espéritienne en fermant les yeux. Comme il le récitait si souvent dans ses poèmes, une bienfaisante chaleur s'empara de tout son être. Yanné n'était pas son âme sœur, mais elle l'aimait. Comment pouvait-il refuser tout ce qu'elle avait à lui offrir ?

Le Chevalier éteignit le feu et raconta à Yanné certaines légendes au sujet des étoiles qui les veillaient en silence. Le ciel commençait à se teinter de rose lorsqu'ils s'endormirent finalement dans les bras l'un de l'autre.

Ce fut l'appel de Wellan qui réveilla le guérisseur en sursaut au matin. Les yeux chargés de sommeil, Santo chercha à s'orienter. Près de lui, la jeune femme ouvrait les yeux.

– Que se passe-t-il ? s'effraya-t-elle en apercevant ses traits tendus.

– Nous devons rentrer, l'informa-t-il.

Il scruta les environs. Il capta alors la vague menace qui planait sur le Royaume d'Émeraude. Comme le Magicien de Cristal avait doté ses mains de pouvoirs supérieurs, il leva la paume pour mieux interpréter l'information qui lui parvenait.

– Yanné, dépêchez-vous, exigea-t-il en blêmissant.

Elle saisit sa main et s'enfonça dans le vortex avec lui.

25

La colère du ciel

Kira sortit du maelström devant une majestueuse falaise d'où tombait une cascade. En attendant l'arrivée de Wellan, elle examina la paroi rocheuse. Là-haut se trouvaient les Royaumes de Shola et des Ombres. La princesse mauve avait accompagné les Chevaliers dans cette partie d'Enkidiev alors qu'elle n'était qu'une adolescente curieuse et indisciplinée. C'était là-haut qu'elle avait affronté Asbeth pour la première fois... Cependant, la passerelle qu'elle avait construite alors se situait beaucoup plus à l'est.

Le grand Chevalier émergea à son tour du tourbillon lumineux. Son regard se porta aussi sur les hauteurs, où il s'attendait à voir apparaître l'armée d'Amecareth.

– Que ressens-tu ? demanda-t-il à la princesse.

– De la colère..., murmura-t-elle, impressionnée.

Pour sa part, Wellan captait la même énergie qu'à Émeraude. Curieusement, il ne semblait pas s'en être rapproché. Les facultés de Kira étaient plus aiguisées que les siennes, en raison de son ascendance. Il résolut donc de la questionner plutôt que de poursuivre inutilement ses propres recherches.

– Rien d'autre ? s'enquit-il.

– C'est difficile à expliquer.

Ses oreilles pointues frémissaient dans ses cheveux violets. Le grand Chevalier regardait le phénomène avec fascination.

– Ce n'est pas humain et ce n'est pas insecte non plus, observa-t-elle. Cette énergie ne provient pas du nord... elle provient des airs !

Wellan comprit aussitôt l'ampleur du danger : cette étrange manifestation ne pouvait émaner que d'un Immortel ou d'un dieu. Il reforma le vortex, saisit le bras de la Sholienne et l'entraîna avec lui sans lui donner d'éclaircissement.

Une fois dans la cour du château, il la libéra et se précipita au sommet des remparts. Le danger planait au-dessus de tout le continent. « Comment sommes-nous censés nous défendre contre une telle menace ? » se demanda Kira. Elle demeura sur place, à regarder les longues bandes de nuages qui s'étiraient paresseusement d'est en ouest.

Le grand chef rejoignit Farrell. L'air sinistre du magicien lui fit comprendre qu'il avait lu ses pensées dès son retour.

– Il ne s'agit pas de l'empire, déclara Wellan, très inquiet.

– Ce pourrait être de nouveaux sorciers d'Amecareth, gronda le renégat. Ce ne serait pas la première fois qu'il en envoie contre nous.

– Comment vous êtes-vous protégés, jadis ?

– Hadrian a canalisé toutes nos énergies dans ses propres mains.

– Je n'ai jamais appris à faire cela, se désola Wellan.

– Évidemment. Le Magicien de Cristal n'avait pas l'intention de redonner cette faculté à qui que ce soit.

– Si l'empereur envoie ses sorciers à Émeraude, c'est qu'il a l'intention de s'emparer de Lassa et de Kira.

Wellan réfléchit un moment. Où pourrait-il cacher ces deux personnes importantes pour leur éviter un sort terrible ? Les endroits magiques n'étaient pas nombreux. La tour d'Abnar suffirait-elle à déjouer cette tentative de rapt ?

– Je préférerais affronter les sorciers plutôt que d'obliger Lassa et Kira à passer le reste de leurs jours dans ce château, indiqua Farrell.

– Même en unissant nos forces, nous ne serons pas de taille.

– Vos Chevaliers ne possèdent en effet que très peu de pouvoirs, déplora-t-il. Vous présenterez vos doléances à Abnar, s'il arrive à échapper aux dieux déchus.

– Il ne nous sert à rien de jeter le blâme sur lui en ce moment, trancha Wellan. Nous devons empêcher l'empereur de mener à bien sa funeste entreprise.

– Entretenez-vous de bonnes relations avec les dieux ?

Le grand chef songea à Theandras. Elle ne l'avait jamais laissé tomber depuis sa tendre enfance. Il salua le magicien et dévala l'escalier sous les regards inquiets des serviteurs qui commençaient leurs corvées. Il traversa le palais au pas de course. La chapelle était déserte. Il laissa ses armes à l'entrée et alla s'agenouiller devant la statue de sa protectrice.

– Déesse, j'ai désespérément besoin de vous, la supplia-t-il.

Il ferma les yeux afin d'entrer dans une transe qui lui permettrait de communiquer plus facilement avec les plans divins. Ce fut Dylan, son fils de lumière, qui vint vers lui. Il apparut entre l'idole et le Chevalier et prit les mains froides de son père, le faisant sursauter.

– Quelle est cette détresse que je ressens dans votre cœur ? s'enquit l'adolescent aux longs cheveux transparents.

– Tu ne sais donc pas qu'un danger plane sur nos têtes ?

Le regard de l'Immortel s'immobilisa. Wellan supposa qu'il demandait conseil à ses maîtres célestes.

– Theandras ne perçoit rien d'anormal, annonça Dylan.

– Un magicien ou un sorcier ne saurait vous cacher ses agissements, n'est-ce pas ?

– Non. Nous sommes les yeux et les oreilles de Parandar. Nous voyons tout ce que vous faites et nous entendons tout ce que vous dites.

– Un dieu déchu en aurait-il le pouvoir ?

L'adolescent tressaillit à la mention de ce nom.

– Dis-moi ce que tu sais à leur sujet, l'implora Wellan en radoucissant la voix. Le sort de tout Enkidiev en dépend.

– Parandar les a punis bien avant ma création. Ils ont été enfermés dans un gouffre de feu et de désolation, mais...

Dylan hésita, comme s'il mesurait la portée de ses paroles. « Évidemment, tout le panthéon peut l'entendre », se dit Wellan.

– Une rumeur circule...

Le tonnerre gronda, ébranlant le château. Pourtant, le Chevalier n'avait remarqué aucun nuage menaçant avant d'entrer dans la chapelle. Mettait-il son enfant en danger ?

– Je ne suis pas censé en parler, s'excusa Dylan.

– Même si ce renseignement peut nous sauver la vie ?

L'Immortel se mordit nerveusement la lèvre inférieure. Il avait souvent désobéi aux dieux depuis qu'ils lui avaient permis d'exister et il avait bien failli perdre sa pérennité.

– On dit que les portes d'acier qui les empêchaient de s'échapper ont été forcées, avoua Dylan.

L'orage éclata et des éclairs fulgurants illuminèrent la chapelle. Le bruit devint si assourdissant que Wellan n'entendait plus son fils. Il pouvait seulement voir bouger ses lèvres.

– Pourquoi Theandras ne veut-elle pas que j'entende tes paroles ? cria le Chevalier dans le tumulte.

Une main sortie de nulle part agrippa la tunique du jeune Immortel et le tira vers le plafond.

– Dylan ! hurla Wellan en bondissant sur ses pieds.

Trop tard : il avait disparu, et la tempête avec lui. Wellan demeura un long moment à contempler les fresques de la voûte représentant tous les dieux du continent. Il se souvint alors des dernières paroles d'Élund, fixées à jamais sur le parchemin qu'il lui avait légué. *Les étoiles parlent d'un étrange complot et je dis étrange, car il n'est pas ourdi par les hommes. En fait, il semble que quelque chose de sombre et de terrifiant se prépare dans les mondes invisibles...*

Il se rappela aussi qu'Élund avait parlé d'un coffre contenant toutes ses observations. Farrell avait hérité des appartements du vieux mage à sa mort. Qu'avait-il fait de cette malle ? Wellan ramassa ses armes et quitta la chapelle.

Farrell, j'ai besoin de vous voir à l'entrée de votre tour, exigea le Chevalier tout en s'y dirigeant lui-même.

Le magicien se manifesta devant l'escalier, au bout du couloir qui traversait tout le palais. Il semblait bien intéressé à apprendre si les prières du grand chef avaient eu de bons résultats.

– Lorsque vous avez mis cet édifice à votre main, où sont allés les effets personnels de maître Élund ? le pressa Wellan.

– Des serviteurs les ont remisés dans une salle du dernier étage, je crois. Que cherchez-vous ?

– Un grand coffre.

Wellan voulut foncer vers l'escalier, mais Farrell mit la main sur son épaule : ils se retrouvèrent instantanément dans la pièce en question. « Un jour, je lui demanderai de m'apprendre à me déplacer ainsi », songea le Chevalier en déambulant parmi un amoncellement d'antiquités. Il y avait là des meubles, des caisses de bois chargées de vêtements poussiéreux, des statues brisées.

– Vous avez vraiment le don de vous casser la tête, commenta Farrell.

Il leva tout simplement la main et une grosse malle de bois ouvré se dégagea d'une pile de vieux rideaux. Elle avança vers le magicien en crissant sur le plancher de pierre.

– Elle ne contient que des documents, lui apprit le magicien qui la scrutait déjà.

– Votre magie vous permet-elle de les lire sans avoir à l'ouvrir ? ironisa Wellan, de plus en plus envieux de ses pouvoirs.

– Si vous n'étiez pas si pressé, je pourrais probablement y arriver, se moqua Farrell.

Les ferrures cédèrent et le couvercle se souleva avec un grincement. Wellan s'agenouilla en examinant les premiers parchemins.

– Ce sont des notes pour ses cours et des formules magiques, fit le grand chef, déçu.

Il les déposa en piles à côté de lui. Il procéda ainsi jusqu'à ce qu'il arrive au fond du coffre. Il ne restait plus qu'une enveloppe de cuir attachée par des rubans. Wellan la retira avec précaution, car elle lui paraissait très vieille. Il tira sur les ficelles, qui se déchirèrent aussitôt. Il usa donc de plus de soins encore pour ouvrir les pans de peau craquelée. À l'intérieur se trouvait un journal.

– On dirait qu'il date de votre époque, remarqua Wellan.

– Il n'est pas protégé par de la magie, mais il risque de s'effriter entre vos mains, à moins que je le traite à ma façon.

Depuis le sauvetage de Kevin, le Chevalier avait appris à faire confiance au renégat. Il lui tendit donc le précieux document. Farrell le reçut dans une paume et passa l'autre au-dessus de la couverture.

– Voilà, c'est fait, déclara-t-il. Il survivra à bien d'autres générations. Que diriez-vous de le consulter dans un endroit plus confortable ?

Wellan n'eut pas le temps de répondre qu'ils se retrouvaient tous les deux dans la bibliothèque. Farrell déposa le journal sur une table.

– Je ne comprends pas comment vous arrivez à vous déplacer sans faire apparaître de vortex, marmonna le Chevalier.

– Je procède exactement comme vous, sauf que je le fais si rapidement que vous n'avez pas le temps de voir le tourbillon d'énergie. Je vous l'ai déjà dit, Wellan : Abnar ne vous a donné qu'une infime partie des pouvoirs qu'ils nous a octroyés jadis. Cessez de vous tourmenter. Je vous promets, avant de l'écraser, de l'obliger à vous les accorder aussi.

Ce n'était pas le moment de se quereller avec lui au sujet des Immortels. Wellan ouvrit le manuscrit aux pages jaunies. Le texte était écrit en langue ancienne. Il le parcourut en oubliant la présence du magicien. Apparemment, ces notes avaient été rédigées dans le plus grand secret par un des scribes du Roi Jabe. L'auteur n'avait même pas indiqué son nom.

– C'est peut-être quelqu'un que vous avez connu ? suggéra Wellan.

– Le vieux fou avait une foule de gens à son service, maugréa Farrell, qui n'avait jamais aimé ce monarque prétentieux.

Le Chevalier poursuivit sa lecture, tournant les minces feuillets avec de plus en plus d'avidité. L'ancien érudit dénonçait les agissements d'un Immortel qui était arrivé un matin pour offrir ses services au souverain. Cet envoyé du ciel avait d'abord agi à titre de précepteur auprès des princes et des princesses.

> « *Personne ne semblait y faire attention, mais il était de plus en plus présent auprès du roi. Il ne me voyait pas, car je n'étais qu'un apprenti à l'époque. Mais moi, je l'observais sans cesse. Il commença par gagner la confiance des enfants, puis celle de Jabe. Il se tenait près de lui lors de chaque conseil, de chaque assemblée publique. Il était devenu un véritable parasite.* »

– Quelle magnifique description de Nomar, reconnut Farrell.

> « *Peu de temps après, nous avons appris que d'horribles créatures ressemblant à des scarabées tentaient d'envahir Enkidiev. L'Immortel ne quittait plus le roi. Il avait même commencé à lui suggérer des stratégies de guerre. Je me suis donc adressé à l'archiviste de la bibliothèque d'Émeraude pour en apprendre davantage au sujet des créatures divines. Il m'a montré un livret provenant tout droit du ciel. Jamais je n'ai vu un plus beau prodige ! Sa couverture était douce comme de la soie et ne portait aucune inscription. On trouvait à l'intérieur une seule feuille d'un papier aux reflets irisés, sur laquelle des mots lumineux s'inscrivaient d'eux-mêmes.* »

Wellan leva un regard interrogateur sur le renégat, comme pour vérifier s'il connaissait l'existence de cette merveille.

– C'est le Recueil à palabres de Parandar, lui apprit Farrell. J'en ai entendu parler, mais je ne l'ai jamais vu de mes propres yeux.

– Ce document prétend qu'il se trouve à Émeraude.

– Je comprends que votre curiosité soit piquée, mais nous avons un problème plus pressant à régler, lui rappela le magicien en pointant le ciel.

Wellan l'avait presque oublié ! Il se hâta de parcourir les dernières pages du bref journal. Le scribe relatait les informations fournies par le recueil quand il l'avait interrogé au sujet des Immortels. Parandar lui avait répondu qu'il ne créait jamais plus d'une vingtaine d'Immortels à la fois et que ces derniers servaient les intérêts des dieux dans les différents mondes où ils étaient affectés. Ces créatures immatérielles n'avaient pas le droit de communiquer avec les peuples sur lesquels elles veillaient, à moins d'y avoir été autorisées. Seul Abnar avait reçu ce droit pour le monde des humains.

« J'ai eu le privilège de voir le visage du Magicien de Cristal lors d'une rencontre privée. S'il était le seul Immortel à pouvoir nous parler, alors l'autre était forcément un imposteur. J'aurais voulu le dénoncer, mais la terreur qu'il m'a inspirée hier m'en a dissuadé à jamais. Je laisse donc cette tâche à un homme plus brave que moi. »

– Mais que lui a-t-il fait ? s'impatienta Wellan en tournant rapidement la page.

Le scribe racontait brièvement, en un seul paragraphe, qu'en se rendant chez son souverain, il avait emprunté les passages secrets. Or, la plupart de leurs murs étaient munis de petites ouvertures permettant de voir à l'extérieur. C'est en longeant le mur du nord que le pauvre homme avait aperçu une intense lumière filtrant à travers l'un de ces orifices. Intéressé, il avait approché l'œil du judas. Le spectacle dont il avait alors été témoin lui avait glacé le sang : une horrible créature ressemblant à un reptile marchant sur deux pattes venait de se métamorphoser en Immortel !

Épouvanté, le serviteur royal avait écrit ces quelques lignes pour mettre en garde quiconque les trouverait. Il avait ensuite donné sa démission et s'était enfui au Royaume de Rubis.

– Il n'y a plus aucun doute, Nomar est l'un des dieux déchus ! s'exclama Farrell.

– D'après mon fils, les portes qui les retenaient ont été forcées, lui dit Wellan.

– Le miroir de la destinée disait donc vrai....

– Si Nomar a réussi à s'échapper du gouffre où Parandar l'a enfermé, il y a de fortes chances que certaines des autres divinités détrônées l'aient suivi, s'alarma Wellan. Est-ce leur rassemblement que nous ressentons en ce moment ?

– Ce n'est pas impossible, raisonna le magicien, ébranlé. Mais je n'ai jamais senti d'autres entités dans son énergie lorsqu'il me tourmentait.

– Qu'il agisse seul ou de concert avec des acolytes, comment pouvons-nous protéger Lassa et Kira ?

– Je peux repousser Nomar et même l'affaiblir, mais je n'ai pas assez de puissance pour le détruire.

Il fronça les sourcils, soudainement très inquiet.

– Votre fils vous a-t-il indiqué le nombre de ces êtres méprisables ?

– Il n'en a pas eu le temps, déplora Wellan. Visiblement, Parandar préfère ne pas ébruiter ses bévues.

– Je suggère que nous procédions le plus rapidement possible à l'attribution des Écuyers. Nous abriterons ensuite le porteur de lumière et la princesse sans royaume dans la tour d'Abnar, jusqu'à ce que nous sachions à quel ennemi nous avons vraiment affaire.

Wellan referma l'enveloppe de cuir et s'élança derrière Farrell vers la sortie.

26

UNE CÉRÉMONIE PERTURBÉE

Tout le Château d'Émeraude s'anima. Les palefreniers s'empressèrent de préparer les cent dix-huit chevaux pour les nouveaux Écuyers. À la forge, Élizabelle donna un coup de main aux ouvriers de son père, qui alignaient sur de longues planches les épées, les poignards et les ceintures serties d'émeraude que porteraient désormais ces enfants. Les couturières apportèrent les tuniques, les pantalons et les bottes dans les dortoirs, où les apprentis se vêtirent sans cacher leur inquiétude d'être ainsi bousculés.

Lorsque Kira apprit que le roi ne pouvait pas assister à la cérémonie, elle craignit le pire. Laissant Sage terminer seul ses préparatifs, elle fila à l'étage des appartements royaux. Les serviteurs, qui connaissaient son lien particulier avec leur maître, ne l'empêchèrent pas d'entrer dans la chambre. Le cœur de la princesse sombra lorsqu'elle aperçut son père adoptif alité. Le teint d'Émeraude Ier était crayeux. Jamais elle ne l'avait vu si faible. Le vieux souverain força un sourire.

– On verra bien si tu auras meilleure mine à mon âge, souffla-t-il.

– Les Chevaliers ont-ils tenté de vous soigner ? Voulez-vous que j'essaie ? suggéra Kira en prenant sa main.

– La vieillesse ne se guérit pas, ma petite chérie. Elle s'accepte. J'ai eu une longue vie remplie de satisfaction. Le ciel m'a fait cadeau d'un joli bébé mauve qui a été ma plus grande joie. Maintenant qu'elle peut se défendre toute seule, il est temps que je rejoigne mes ancêtres sur les plaines de lumière. Je l'ai bien mérité.

– Je ne veux pas que vous partiez tout de suite..., gémit la Sholienne, la gorge serrée.

– Tu es prête à prendre ma place sur le trône, Kira. Tu as grandi en sagesse et en beauté. Le peuple t'aime et il t'obéira.

– Je n'ai pas encore rempli ma part de la prophétie, Majesté. Ne pourriez-vous pas tenir le coup jusqu'à ce que Lassa ait détruit l'empire ?

– Mais ce petit prodige n'a que douze ans... Combien de temps crois-tu que je doive encore rester au lit ?

– Je vais vous dire un secret que je n'ai jamais confié à personne. Même mon mari n'en sait rien.

Émeraude Ier soupira en se demandant ce qu'elle avait encore fait.

– Comme les autres Chevaliers, j'ai appris à lire les signes dans le ciel. Je ne suis certes pas aussi douée que Chloé, Kevin ou Gabrelle, mais je me débrouille et je sais où se trouvent les livres d'interprétation. Chaque fois que nous revenons au château, j'observe le ciel au milieu de la nuit, quand Sage dort. J'y ai vu des présages fort intéressants. En fait, tout porte à croire que Lassa sera âgé de seize ou dix-sept ans lorsque se produira le dernier affrontement. Ne pouvez-vous pas attendre encore quatre ou cinq ans avant de quitter cette vie ?

– Si je fais cet effort, me promets-tu de prendre ma relève ?

Les oreilles de Kira se rabattirent vers l'arrière. Le vieil homme savait bien qu'elle n'avait aucune envie de gouverner, mais son sang royal ne lui laissait aucun choix.

– Si vous attendez la défaite de l'Empereur Noir avant de franchir les portes des plaines, alors, oui, je serai Reine d'Émeraude et mes enfants, légitimes ou adoptifs, régneront après moi.

Un large sourire éclaira le visage blafard du monarque. Kira l'embrassa sur la joue avec tendresse.

– Je reviendrai vous présenter ma première apprentie, fit-elle avec fierté. Je ne sais pas encore qui c'est, mais je suis certaine que les magiciens ont fait un bon choix. Sage aussi sera maître pour la première fois. Il a si peur de ne pas être à la hauteur qu'il en tremble, le pauvre homme.

– Il se débrouillera, affirma le roi. Ton époux a une admirable faculté d'adaptation.

– Oui, c'est vrai qu'il est remarquable.

Kira aida le roi à boire un peu d'eau, le borda et le quitta à regret. Elle entendait du tumulte dans la cour : on y avait probablement déjà emmené les enfants. Elle se dépêcha de rejoindre ses frères d'armes, qui quittaient l'aile des Chevaliers en costume d'apparat. En les voyant arriver, les futurs Écuyers se turent. Ils étaient tous vêtus de vert et la plupart avait les cheveux noués sur la nuque, comme Wellan.

Puisque les serviteurs n'avaient pas démonté le dais qui avait servi à la cérémonie d'adoubement, les magiciens s'y installèrent, vu l'absence d'Émeraude Ier. Les trois garçons de Farrell se tenaient sagement près de leur père. Nemeroff, Atlance et Fabian n'avaient que cinq, quatre et deux ans et demi, mais ils comprenaient la solennité de cette cérémonie. Vêtus de tuniques bleues toutes neuves, ils s'extasiaient devant les cuirasses des Chevaliers, dont les joyaux brillaient lorsqu'ils remuaient.

Les soldats avaient reçu l'ordre de ne pas alarmer les enfants, mais quelques-uns d'entre eux ne purent s'empêcher de jeter un coup d'œil vers le ciel. Kira le fit plus discrètement, pour ne pas faire paniquer Sage près d'elle. La menace était toujours à la même distance, mais pour combien de temps ?

Wellan devait se sentir pressé lui aussi, car il pria les magiciens de commencer. À tour de rôle, Farrell et Hawke affectèrent les élèves aux Chevaliers en commençant par les plus jeunes soldats.

Kardey avait décidé de donner un coup de main à Éliza-belle. Il remettait les armes à chaque Chevalier tandis que la jeune femme lui tendait le ceinturon. Le nouveau maître attachait ce dernier autour de la taille de son apprenti, lui donnait son équipement et prêtait le serment de l'instruire et de le protéger. Les chevaux seraient offerts aux Écuyers à la toute fin du rituel.

Lorsque Sage fut enfin appelé, il se figea. Il n'avait jamais été apprenti lui-même et il ignorait le comportement à adopter dans ses nouvelles fonctions.

– Vas-y, mon chéri, lui murmura la princesse à ses côtés. Tu as tout ce qu'il faut pour être un bon maître.

Elle lui transmit une discrète vague d'apaisement et le poussa vers l'estrade. On lui présenta Cassildey, un jeune garçon originaire d'Émeraude. Solennel, Sage s'occupa de lui comme s'il avait fait cela toute sa vie. Quant à Kira, elle se vit attribuer une jeune fille née au Royaume de Jade. Toute menue, Keiko avait de longs cheveux de jais et des yeux noirs en amande. Bien sûr, la Sholienne était bien placée pour savoir qu'on ne devait jamais juger une personne en fonction de sa taille.

Jenifael s'approcha en entendant son nom. On la confiait à Swan. La fillette connaissait les qualités et les défauts de tous les soldats de son père. Elle savait donc qu'elle deviendrait une guerrière efficace sous la tutelle de ce Chevalier.

– Te rends-tu compte que Wellan sera constamment sur mon dos, maintenant ? plaisanta Swan en attachant la ceinture de cuir de Jenifael.

– Je pense qu'il en aura plein les bras avec l'apprenti qu'il désire former, chuchota la déesse.

Elles se plongèrent dans l'océan de cuirasses et de tuniques vertes afin d'attendre que tous les élèves soient réclamés. Quelques minutes plus tard, Nogait mena Kevin jusqu'au dais, où on mit dans ses mains les attributs de son Écuyer. Farrell appela alors Liam.

– Quoi ? s'étonna l'enfant.

Lui qui avait rêvé de grandes aventures sur la côte et de chasses aux dragons, on le confiait à un homme qui ne voyait rien ! Constatant son hésitation, Jasson faillit s'en mêler, mais Kevin le devança.

– Liam ! appela-t-il avec un soupçon d'inquiétude.

Encore sous le choc des excuses qu'il avait dû faire devant tout le monde, le gamin décida d'obéir. Il s'avança sans cacher sa déception. Heureusement, Kevin ne pouvait pas la discerner sur son visage.

– Où es-tu ?

– Je suis ici, maître, répondit Liam, sans enthousiasme.

Kevin tendit le bras en le cherchant. Il toucha sa joue et s'agenouilla pour être à sa hauteur.

– Ne va surtout pas croire que ce bandeau m'empêchera de te montrer les arts de la guerre, murmura le Chevalier, qui sentait le petit sur le bord des larmes. Lorsqu'une personne est privée d'un de ses sens, elle apprend à mieux utiliser les autres.

– Si vous le dites...

Kevin posa la main sur son épaule et le nouvel apprenti comprit qu'il devait le guider parmi les autres. Humilié, il baissa la tête, refusant de regarder ses camarades. Un peu plus loin, Jenifael aurait bien aimé le raisonner, mais elle devait désormais rester auprès de son propre maître.

Il ne restait plus que Lassa. Le porteur de lumière tourna son regard sur le grand Chevalier qui se tenait sur la tribune. Wellan lui avait promis, plusieurs années auparavant, que lorsque viendrait le moment pour lui d'apprendre à combattre, il le formerait lui-même. Il avait donc tenu parole. Le chef franchit les quelques marches qui les séparaient. Élizabelle lui donna le ceinturon, puis Kardey prit sa place, prêt à lui remettre l'épée et la dague.

Wellan procéda au cérémonial, conscient de la très grande responsabilité que lui imposait cette nouvelle charge.

– Nous ignorons encore de quelle façon tu t'acquitteras de l'importante tâche qui t'attend, lui dit le Chevalier, mais je te montrerai tout ce que je sais.

– Je l'apprécie déjà, maître.

La seule autre personne qui avait servi de père à Lassa était le Magicien de Cristal. Il se doutait bien que Wellan allait le traiter différemment.

Le chef remit ses armes à Lassa. Il fronça les sourcils en voyant que le petit n'arrivait pas à glisser l'épée dans son fourreau. Il risquait même de déchirer sa belle tunique toute neuve ! « L'apprentissage peut prendre bien des formes », constata Wellan. Il aida Lassa à guider la lame dans son étui, puis contempla l'assemblée. Un Écuyer se tenait auprès de chacun de ses soldats. Il allait leur demander de marcher vers les enclos lorsqu'un cri assourdissant résonna dans la cour.

Wellan leva les yeux : une pluie d'affreuses créatures ressemblant à des chauves-souris s'abattait sur eux. *Protégez les enfants !* ordonna-t-il. Les Chevaliers dégainèrent leurs épées. Sur l'estrade, Farrell poussa ses fils derrière lui, chargea ses mains et attaqua les bêtes ailées en altitude, de façon à ne pas blesser les combattants qui les repoussaient au sol.

– Élizabelle, mettez-vous à l'abri ! l'intima Hawke.

Elle fonça vers la forge. De son mieux, le magicien d'Émeraude imita alors son confrère. Certes, il avait appris à se servir du pouvoir de ses paumes lorsqu'il était l'apprenti d'Élund, mais il ne l'avait jamais utilisé pour se battre. Ses tirs n'étaient pas très précis, mais il y avait tellement d'ennemis dans les airs que lorsqu'il manquait sa cible, il en atteignait une autre.

Wellan tentait d'évaluer la situation tout en assenant des coups féroces aux volatiles. Lassa s'efforçait de rester dans son dos, où il se sentait en sécurité, mais il y avait des monstres partout !

Ces créatures étaient deux fois plus grandes qu'un homme. Leur corps et leurs pattes étaient écaillés comme la peau d'un serpent, leurs ailes ressemblaient à des membranes tendues entre les extrémités de leurs membres et leur face rappelait celle de la chouette. Elles semblaient innombrables : lorsque certaines tombaient, d'autres les remplaçaient. Le grand Chevalier comprit qu'ils n'en viendraient à bout que s'ils pouvaient manœuvrer librement avec leur magie.

Que tous les Écuyers se réfugient dans le palais ! commanda-t-il avec son esprit. Les enfants qui se tenaient près de l'édifice s'y engouffrèrent en toute hâte, mais ceux qui s'en étaient éloignés avec leurs maîtres durent courir entre les soldats, les épées et les rayons mortels.

La fuite des apprentis provoqua une réaction immédiate parmi les assaillants. Malgré l'opposition qu'ils rencontraient de la part des adultes, ils tentèrent de s'emparer des Écuyers avec leurs serres. Voyant cela, les Chevaliers redoublèrent leurs efforts pour abattre les rapaces en vol. Kira avait abandonné l'idée d'utiliser son épée à double lame, car dans cette mêlée, elle risquait davantage de blesser un compagnon que de neutraliser un ennemi. Elle multipliait plutôt les rayons mortels, tout en tentant de faire naître dans ses mains les halos violets qui pourraient les débarrasser d'un seul coup de toute menace. Mais puisqu'elle tardait à terminer ses études magiques, elle ignorait comment les matérialiser à volonté. Sa nouvelle apprentie s'était mise à l'abri avec les autres enfants dès que Wellan leur en avait donné le commandement. « J'espère que rien ne lui arrivera », pria silencieusement la Sholienne en se rappelant le meurtre de Cameron plusieurs années auparavant.

Deux chauves-souris réussirent à s'emparer des jeunes Ranayelle et Héliante. Ces derniers poussèrent des cris perçants en se débattant de leur mieux. Les créatures les avaient agrippés par les épaules et les emportaient vers le ciel. Vifs comme l'éclair, Bailey et Volpel unirent leurs forces : à l'aide de leurs faisceaux iridescents, ils parvinrent à frapper le cou de la première bête sans heurter Ranayelle. Ariane et Kagan les imitèrent sans perdre un instant afin de stopper le vol de la deuxième, qui fuyait avec Héliante. Sous les feux nourris, les deux ravisseurs ailés durent laisser tomber leurs proies. Heureusement, Bergeau et Dempsey se trouvaient au bon endroit : ils les reçurent dans leurs bras et allèrent les déposer eux-mêmes sur le porche, pendant que les apprentis continuaient de s'y engouffrer.

De plus en plus imprudents, les volatiles attaquaient les retardataires en bloc. Ils s'emparèrent bientôt de Maryne et de Kaled. Forcé de constater que l'ennemi enlevait des Écuyers malgré les efforts de leurs maîtres, Farrell hurla de rage. Il leva les bras au-dessus de sa tête et ses yeux devinrent d'un bleu ardent.

– Farrell, que faites-vous ? tonna Hawke à ses côtés.

Le renégat ne l'entendit même pas. Du bout de ses doits jaillirent des décharges fulgurantes. En l'espace de quelques secondes, elles avaient foncé vers le ciel et formé au-dessus du château un dôme semblable à celui que le Magicien de Cristal avait créé autrefois pour protéger les Chevaliers de la pluie. La voûte indigo masqua le soleil et une demi-obscurité s'installa dans la cour. Wellan se douta que le magicien désirait empêcher les démons ailés de quitter Émeraude avec leur butin.

Plus combatifs que les premiers otages, la fillette et le garçon replièrent le torse et tentèrent d'assener des coups de pied au bec recourbé de leurs assaillants. Cette manœuvre donna du fil à retordre aux Chevaliers, qui n'avaient pratiquement plus de cible. Ceux dont les tirs étaient plus précis, soit Derek, Falcon, Wimme et Nogait, s'en prirent aux membranes presque transparentes qui permettaient aux monstres de voler. En les bombardant massivement, ils réussirent à les déchirer en lambeaux. Les rapaces et leurs prises se mirent à tomber en vrille.

Grâce à son pouvoir de lévitation, Jasson amortit leur chute. Santo et Wanda se hâtèrent d'extirper les enfants légèrement sonnés des griffes des chouettes que leurs compagnons venaient d'abattre.

Lassa allait sauter sur le porche lorsqu'un ennemi fondit sur lui. Juste derrière lui, Jenifael le fit tomber par terre, lui évitant les serres meurtrières. Malheureusement, en reprenant son vol, la bête les glissa dans la ceinture de la petite déesse. Terrorisée, Jenifael cria en sentant le sol se dérober sous ses pieds.

– Wellan ! l'alerta Bridgess, livide.

Avec horreur, ils virent l'animal filer vers la coupole violacée. La chouette s'y heurta en provoquant des éclairs, mais le coup ne l'assomma pas. Voyant qu'elle ne pouvait pas s'enfuir, elle alla se poser sur le toit du palais. Les parents de la fillette n'eurent pas le temps de réagir que les hideuses créatures s'emparaient déjà de deux autres Écuyers.

Une fois son apprentie en sûreté, Maïwen choisit de combattre non loin de son époux aveugle. Certes, Kevin n'était pas le plus tendre des maris. En fait, le couple n'avait jamais consommé le mariage en raison de l'empoisonnement dont le pauvre homme avait été victime. Malgré tout, la Fée savait que le Zénorois était son âme sœur et que, un jour, les dieux lui rendraient sa bonté envers lui. Elle repoussait vaillamment les rapaces tout en gardant un œil protecteur sur Kevin. Ce dernier ne pouvait plus utiliser de rayons meurtriers comme jadis : il dépendait uniquement de son épée et de son ouïe pour se défendre.

Bien qu'il ne fût pas très heureux d'avoir un aveugle pour maître, Liam était resté à ses côtés pour lui venir en aide. Avec son épée toute neuve, il luttait lui aussi contre l'ennemi volant. Cependant, il ne possédait pas encore l'intelligence de combat des adultes ni la longueur de leurs bras. La chouette qui attaquait l'enfant de front permit à une congénère de le saisir par-derrière.

– Maître ! hurla le gamin alors que les combattants rapetissaient sous lui.

– Liam ! s'effraya Jasson en le voyant s'élever dans les airs.

Il tenta d'utiliser son pouvoir d'attraction pour ramener la ravisseuse au sol, mais elle se débattit furieusement. Jasson reçut alors un violent coup entre les épaules et tomba face contre terre : une autre effraie l'attaquait.

Tout comme la créature qui gardait Jenifael entre ses pattes, la bête ailée se posa sur le toit d'un édifice, tandis que quelques Chevaliers se portaient au secours du père de Liam.

Exaspéré par son infirmité, Kevin arracha le bandeau qui masquait ses yeux. La pénombre lui permettait d'y voir un peu ! En se retournant, il aperçut son nouvel Écuyer qui se débattait furieusement dans les serres de la curieuse chauve-souris. Depuis sa naissance, Kevin possédait le don de communiquer avec les animaux ou de les comprendre d'un seul regard. Il ne s'agissait pas d'un pouvoir magique, mais d'un talent naturel dont la sorcellerie d'Asbeth ne l'avait pas privé.

Le comportement de la chouette l'avertit que son trophée humain commençait à l'irriter. D'un instant à l'autre, Liam risquait d'être mis en pièces par son bec tranchant.

Kevin bondit vers le mur. Il enleva ses bottes de cuir, découvrant des griffes au bout de ses orteils, et se mit à grimper en s'accrochant aux pierres. Derrière lui, Wellan organisait aussi le sauvetage de Jenifael.

– Kira ! appela le chef.

La Sholienne se fraya un chemin jusqu'à lui. Wellan s'était isolé près de la muraille pour créer son vortex. « Ce n'est vraiment pas le moment de nous abandonner ! » fulmina Kira. Le grand Chevalier lui fit signe d'entrer dans le maelström, où Bridgess venait d'ailleurs de s'engouffrer. « Et il veut m'emmener, en plus ! » s'indigna la princesse. Elle devait pourtant obéir. Elle plongea donc dans le tourbillon d'énergie et se retrouva devant la créature qui retenait Jenifael.

Puisqu'ils avaient des facultés magiques, les enfants de Farrell avaient eux aussi entendu le commandement de Wellan lorsque les étranges oiseaux étaient tombés du ciel. Nemeroff, qui rêvait de devenir Chevalier, savait que les ordres de cet homme étaient impératifs. Il avait donc pris la main de Fabian, son plus jeune frère, pour l'emmener à l'intérieur avec les autres, croyant que son cadet leur emboîterait le pas. Mais Atlance ne l'avait pas suivi, émerveillé par le spectacle des créatures volant partout, des rayons incandescents fusant de toutes parts pour les abattre et du dôme étincelant recouvrant son monde. Arrivant de nulle part, une chouette s'était emparée de lui.

Sur le toit du palais, Wellan, Kira et Bridgess avançaient vers l'effraie qui immobilisait Jenifael au sol avec sa patte. De peur que les humains ne lui enlèvent sa proie, le rapace décida de commencer à s'en rassasier sans perdre une seconde. Son premier coup de bec arracha un terrible cri de douleur à l'enfant.

– Non ! rugit Wellan.

Revivant le cauchemar qui lui avait ravi Cameron, le grand Chevalier fonça, tête baissée. Avant qu'il puisse atteindre la bête, un troublant phénomène se produisit : tout le corps de Jenifael s'enflamma.

– Jeni..., hoqueta Bridgess, en état de choc.

La chouette émit une plainte déchirante et s'envola. Les Chevaliers s'arrêtèrent à quelques pas de la petite déesse, en boule au milieu du brasier. Wellan essaya d'éteindre magiquement le feu, en vain.

– Jenifael ! cria-t-il, désemparé.

Kira ne savait pas quoi faire pour venir en aide à la fillette de son chef. Elle repassa mentalement tout ce que le Magicien de Cristal lui avait appris au sujet de la combustion, mais rien ne pouvait expliquer cette manifestation. Les Chevaliers fixaient l'incendie, impuissants. À leur grand étonnement, l'enfant releva la tête. Il n'y avait aucune souffrance sur son visage.

– Papa... maman..., pleura-t-elle.

Wellan se rappela alors qu'elle était la chair et le sang de Theandras.

– Éteins le feu, ordonna-t-il à la petite.

– Mais comment ?

– Tout comme tu fais appel à tes autres pouvoirs, ma chérie. Désire-le.

Bravement, la fillette fronça les sourcils. Par la seule force de sa volonté, elle parvint à étouffer les flammes. Bridgess se jeta à genoux et l'étreignit avec soulagement. Quant à Kira, elle était toujours interdite, ne comprenant pas ce qu'elle venait de voir.

Kevin venait d'enjamber le parapet de l'immeuble suivant. Liam était épuisé, mais il ne cessait de frapper le poitrail de son agresseur, tout en l'invectivant. « Un fier petit combattant », constata son maître.

Le Chevalier commença par pousser un bref sifflement. L'enfant et la bête se tournèrent vers lui. Kevin avança en émettant de petits sons aigus. La chouette pencha la tête, visiblement attentive.

– Liam, dès qu'elle te libérera, cours vers moi, exigea le Chevalier.

Le gamin fit signe qu'il avait compris. Kevin modula ses cris, qui devinrent de plus en plus stridents. L'énorme oiseau souleva la patte et l'Écuyer en profita pour se dégager. Sans attendre son reste, il bondit vers le soldat qui hypnotisait l'ennemi. Mais Liam n'était pas un froussard : il ne chercha pas à fuir par la trappe qui donnait accès à l'immeuble. Il s'arrêta plutôt aux côtés de son maître pour voir ce qu'il ferait.

Kevin mit la main sur l'épaule de Liam, l'incitant à reculer. Le mouvement des humains ranima brusquement l'effraie. Elle chuinta avec colère, ouvrit ses ailes et fonça sur eux. Une flèche se logea subitement dans son cou. Elle tituba, puis s'effondra dans un amas de plumes et de sang. Le Chevalier et son apprenti jetèrent un œil dans la cour. Sage brandissait son arc.

– Merci ! lui lança Liam.

Le guerrier d'Espérita inclina légèrement la tête et visa d'autres volatiles. Kevin s'accroupit pour être à la hauteur de son Écuyer. L'enfant ne cacha pas sa surprise en apercevant ses pupilles verticales.

– Vous avez les mêmes yeux que Kira, sauf qu'ils sont bleus, commença le gamin, habitué à dire tout ce qu'il pensait.

Il se rappela soudain ses leçons préparatoires à l'apprentissage et mit un genou en terre.

– Pardonnez-moi, s'excusa-t-il.

– Je sais qu'il est coutumier pour un Écuyer de faire ce geste lorsqu'il veut questionner son maître, admit le Chevalier, mais je pense que dans notre cas, il faudra changer légèrement les règles. Lorsque ce dôme aura disparu et que le soleil inondera la cour, je devrai remettre mon bandeau. Je ne pourrai donc pas voir ce que tu fais.

Liam accepta la consigne avec soulagement.

– Que voulais-tu me demander ? l'interrogea Kevin sur un ton amical.

– Est-il vrai que vous avez perdu tous vos pouvoirs ?

– Ah ! c'est donc pour cela que tu étais si déçu qu'on te confie à moi.

– J'aurais préféré que vous ne vous en rendiez pas compte..., marmonna Liam.

– Comme tu le sais, un Chevalier dit toujours la vérité. Ce que tu as entendu à mon sujet est malheureusement exact. En me gavant du sang noir d'un homme-insecte, le sorcier Asbeth a détruit toutes mes facultés magiques. J'ai cessé d'entendre mes compagnons dans mon esprit. Je ne captais que les affreux cliquetis de l'ennemi. Dylan m'en a délivré, mais il a été incapable de me rendre mes attributs de Chevaliers d'Émeraude.

– Dans ce cas, pourquoi Wellan vous a-t-il obligé à revenir ?

Un rapace tomba du ciel.

– Maître, attention !

Avec une prodigieuse agilité, Kevin dégaina son épée. Liam l'imita, même si la chauve-souris n'était pas encore à sa portée. Ni l'un ni l'autre n'entendit les pleurs du bambin qu'un autre démon avait enlevé.

Atlance n'avait pas résisté à son ravisseur. Lorsque ce dernier le déposa sur le toit de l'écurie, l'enfant comprit pourtant qu'il se trouvait très loin de sa famille. Il tenta alors de se lever. La bête l'écrasa brutalement avec sa patte. Le petit éprouva une vive douleur au bras et éclata en sanglots.

Ce ne furent pas les gémissements de son cadet que capta Farrell, mais sa terreur. Grâce à ses extraordinaires aptitudes, il repéra chacun de ses fils tout en maintenant la coupole protectrice sur le château. Nemeroff et Fabian suivaient les serviteurs qui emmenaient les enfants dans le hall du roi. Le petit Maximilien dormait dans la tour d'Armène. « Atlance ! » s'alarma le magicien. Il leva les yeux. Un monstre s'était attaqué à son fils !

Farrell analysa rapidement le champ de bataille. Il ne restait plus que quelques bestioles qui cherchaient une issue dans le filet d'énergie bleue. Sage les abattait une à une avec ses flèches. Santo avait commencé à soigner ses frères d'armes. Sachant fort bien que le dôme tiendrait encore quelques heures, le renégat s'évanouit, ce qui ne manqua pas de faire jaser les paysans qui le surveillaient de leurs abris.

La dernière effraie venait de rendre l'âme lorsque Farrell réapparut sur l'écurie. Nogait le pointa à ses compagnons. Ils se tournèrent pour observer ce que ferait le magicien. Mais Farrell ne les voyait pas : il se concentrait sur le combat qu'il allait livrer à la chouette deux fois plus grande que lui. Les habitants du château et les villageois, venus assister à la cérémonie d'affectation des Écuyers, furent témoin d'une scène sortie tout droit du passé.

Onyx prit le pas sur Farrell dans cette situation d'urgence. Il fit apparaître dans ses mains une formidable épée double, faite d'un métal noir poli qui réfléchissait la lumière.

– Atlance, regarde papa ! exigea le renégat.

Le bambin leva des yeux rougis sur le magicien.

– Nous allons jouer à un jeu. Quand je te le dirai, tu te coucheras par terre et tu mettras les bras sur ta tête. Est-ce que tu comprends ?

– Oui, papa.

Farrell donna de plus en plus de vitesse à son arme. Tout en la faisant tourner devant lui, il se mit à avancer vers l'ennemi.

– Couche-toi, Atlance !

L'enfant se jeta à plat ventre. Dans un geste d'une incroyable rapidité, le renégat hissa l'épée double tourbillonnante au-dessus de sa tête. La chouette chargea, mais son bec menaçant n'atteignit jamais sa proie : les lames aiguisées lui tranchèrent la tête d'un coup sec, la propulsant dans la cour comme un boulet. Les Chevaliers durent s'écarter lorsqu'elle s'abattit sur le sol. Le corps couvert de plumes suivit quelques secondes plus tard, manquant de peu les abreuvoirs.

Farrell fit disparaître son arme. Avec beaucoup de tendresse, il cueillit son cadet et le pressa contre lui. Il ne tenta même pas d'arrêter les larmes de soulagement qui coulaient sur ses joues. Tous les spectateurs furent émus de l'attachement que le magicien témoignait à son enfant.

– Mais qu'est-ce que tu attends pour descendre de là ! s'impatienta Swan, qui rengainait son épée.

Le mage se dématérialisa subitement sans qu'on le voie utiliser de vortex. Il réapparut devant son épouse énervée. Swan examina scrupuleusement son petit : il saignait sur le bras et il était dans un épouvantable état de frayeur. Sans se consulter, ses parents lui transmirent en même temps une vague d'apaisement qui le calma aussitôt. Swan s'employa ensuite à refermer sa plaie.

Wellan sortit de son tourbillon d'énergie quelques pas plus loin. Il portait sa fille dans ses bras, talonné par Bridgess et Kira. Le grand chef promena son regard autour de lui. Jamais il n'avait pensé devoir combattre l'ennemi au Château d'Émeraude. Il vit Farrell et Swan cajoler Atlance, mais Kevin n'était nulle part. À sa droite, Kira épiait ses pensées.

– Ils sont dans le palais, répondit-elle tout bas.

Le Chevalier malvoyant ne possédait pas de bracelet magique, puisqu'il était de la deuxième génération. Il avait donc dû faire descendre son apprenti du toit par des moyens plus normaux.

Partout gisaient des cadavres de chouettes géantes. *Débarrassez-moi de ces monstres*, ordonna le grand chef. Ses soldats lui obéirent sur-le-champ. Ils se mirent à incendier les dépouilles en utilisant l'énergie de leurs paumes. Wellan voulut remettre Jenifael par terre, mais la fillette se cramponna à son armure.

– Tu dois rejoindre les autres à l'intérieur pendant que nous nous assurons qu'il n'y a plus de danger, murmura-t-il à son oreille. Je te rejoindrai dans un moment.

La petite déesse rassembla tout son courage et relâcha son emprise. Wellan la posa sur le sol. Il écarta des mèches humides de son visage aussi beau que celui de sa mère. Il faudrait maintenant lui avouer l'origine du feu qui l'avait protégée...

– Allez, va.

Jenifael jeta un dernier regard craintif à ses parents. Un des serviteurs qui s'étaient occupés des élèves avant leur nomination lui prit la main pour l'emmener dans le palais. Wellan attendit qu'elle ait franchi le seuil, puis marcha jusqu'à Farrell. L'odeur d'oiseau rôti empestait maintenant la cour.

– Je ne peux rien ressentir au-delà de la barrière d'énergie dont vous avez entouré le château, déclara le grand Chevalier.

Sans bouger un cil, le magicien fit disparaître le dôme. Le soleil força subitement tous les gens présents à protéger leurs yeux. Immobile comme la statue d'un roi d'antan, Wellan sonda le royaume, puis tout le continent. Il n'y capta ni hostilité, ni désarroi. Il scruta ensuite le ciel : il ne recelait plus aucune menace. L'attaque sournoise des effraies était terminée.

aKuretaRI

Un autre spectateur avait assisté à l'assaut des créatures. En fait, elles avaient été conçues dans un coin retiré des cieux, par des dieux qui s'étaient arrogé le droit de donner la vie. Nomar suivait le massacre à la surface d'un petit étang gisant dans les profondeurs de la terre. Il avait repris sa forme anodine d'Immortel, bien plus facile à mouvoir que celle de divinité reptilienne. À quelques pas de lui, son prisonnier regardait ces images cauchemardesques sans pouvoir intervenir. En effet, les immenses pouvoirs d'Abnar ne suffisaient pas à le faire sortir de son cachot.

– Les Chevaliers ne seront pas dupes, lâcha-t-il finalement.

Nomar tourna mollement la tête. Un cruel sourire se dessina sur ses lèvres. Il passa la main au-dessus de l'eau, qui redevint bleutée.

– Ils penseront que ces stupides créatures ont été lancées par leur ennemi préféré, l'empereur des insectes, répondit-il en s'approchant de la barrière invisible qui empêchait Abnar de sortir de son alcôve.

– Wellan est bien plus intelligent que vous le croyez. Il vous démasquera.

– Ce n'est pas lui qui m'inquiète, mais un ancien Chevalier dont vous êtes venu vous plaindre avant de jouir de mon hospitalité.

– Onyx ? Je ne vois pas comment il pourrait ennuyer qui que ce soit, puisqu'il est enfermé dans une prison aussi inviolable que celle-ci.

Nomar s'arrêta à quelques pas seulement du serviteur de Parandar.

– Vous pensiez vraiment que votre magie d'Immortel pourrait l'y retenir ?

Abnar se rappela la puissance que le renégat lui avait opposée plusieurs années auparavant. Si les Chevaliers n'étaient pas intervenus, cet homme aurait pu le détruire.

– Eh oui, il s'est libéré, poursuivit Nomar. Je l'ai vu de mes propres yeux lors de mon dernier passage à Émeraude. Si j'avais su qu'il deviendrait un tel casse-pieds, je ne lui aurais pas enseigné la sorcellerie.

– C'est donc à cause de vous qu'il déteste tant les Immortels...

– Vous avez également joué un rôle dans la naissance de cette terrible haine, mon cher Abnar. Après que j'ai instruit ce pauvre paysan d'Émeraude, vous l'avez recruté dans votre belle grande armée de criminels. Puis, une fois qu'ils ont eu gagné la guerre sans que vous vous salissiez les mains, vous avez tenté de les tuer.

– Je ne pouvais permettre à aucun de ces hommes de détrôner les rois. Cela fait également partie de mes fonctions.

– Vous êtes très arrogant pour un Immortel, le critiqua Nomar. Vous commettez des bévues, puis vous niez votre culpabilité. Est-ce ainsi que vous vous êtes justifié auprès de Parandar, lorsqu'il a voulu savoir pourquoi autant d'humains étaient morts de votre main ?

– Venant d'un traître qui se fait passer pour un Immortel, ce jugement me semble déplacé.

– Je suppose que votre maître bien-aimé vous a raconté notre chute à sa façon. Et comme il s'est arrangé pour qu'il n'y ait aucun témoin...

– Il nous a dit que vous aviez tenté de renverser l'ordre du monde.

– Celui des humains ou le sien ?

Abnar garda le silence. Ses instructeurs divins ne lui avaient jamais fait de confidences à ce sujet. Mais Nomar était un félon. Il ne devait pas se laisser séduire par ses mensonges.

– Je connais Parandar mieux que vous, poursuivit le transfuge. N'oubliez pas que je suis aussi un dieu.

Tout comme il l'avait fait le jour où il avait emprisonné le Magicien de Cristal dans la grotte, Nomar se métamorphosa. D'Immortel à l'apparence humaine, il se transforma en reptile marchant sur deux pattes. Abnar avait vu de nombreux hommes-lézards, mais l'être qui se tenait devant lui ne leur ressemblait pas. Il avait davantage l'anatomie des gavials qui sillonnaient les cours d'eaux de la Forêt Interdite.

Son long museau étroit s'élargissait à son extrémité et laissait entrevoir des dents acérées. Ses yeux rouges comme le sang étaient fixes et meurtriers. Sa peau grisâtre semblait rêche. La longue queue qui dépassait de la tunique blanche s'agitait violemment sur le plancher brillant de la caverne, comme celle d'un chat mécontent. Pourtant, tous les dieux que l'Immortel avait rencontrés durant ses cinq cents années d'existence ressemblaient à des humains.

– Ce n'est qu'une apparence qu'ils se donnent, lui apprit Nomar qui lisait ses pensées. En vérité, ils ne sont pas tous aussi beaux que moi.

Il éclata d'un rire goguenard qui fit penser au Magicien de Cristal qu'il s'était mépris sur son compte.

– Ils se disent parfaits et ils n'ont même pas le courage de se montrer tels qu'ils sont ! persifla-t-il. Regardez-moi, Abnar ! Je suis Akuretari, fils choyé de Aiapaec, le dieu suprême, et d'Aufaniae, la déesse-mère !

Il laissa tomber son vêtement sur le sol, découvrant son corps de reptile. Son poitrail et l'intérieur de ses cuisses étaient recouverts de petites pierres précieuses, tandis que le reste de son corps avait la couleur de l'acier.

– Je n'ai jamais entendu parler d'eux, admit Abnar.

– Dans ce cas, laissez-moi vous éclairer, pauvre idiot. Aiapaec a eu trois enfants : Parandar, Theandras et Akuretari. Ensemble, ils devaient gouverner l'univers. Lorsque leurs parents décidèrent de retourner dans l'autre monde, celui qui se situe au-delà des grandes plaines de lumière, ils leur confièrent leur œuvre. L'aîné reçut le plus de pouvoirs, mais jamais il ne prenait de décisions sans consulter sa sœur, beaucoup plus juste que lui, d'ailleurs.

Quant au plus jeune, puisqu'il était continuellement écarté des discussions importantes, il s'acoquina avec des divinités inférieures et ne pensa plus qu'à s'amuser. Inexpérimenté et insouciant, il ne comprit pas la terrible faute qu'il commettait lorsque ses amis le mirent au défi de créer des êtres vivants, à l'instar de son frère aîné.

– Mais ce privilège n'est accordé qu'à un seul dieu !

– On vous a appris au moins une vérité, railla Nomar. J'ai cru, moi aussi, pouvoir concevoir des humains comme ceux dont vous avez la responsabilité. Je n'ai réussi qu'à produire des bêtes sans nom... et elles ne sont même pas capables de suivre proprement mes ordres.

Nomar se perdit dans ses pensées. Lentement, il contourna la mare aussi calme qu'un grand miroir. Abnar le suivait des yeux en se demandant comment il pourrait tourner la nostalgie de son geôlier à son avantage.

– Parandar aurait pu me pardonner cette erreur de jeunesse, mais son orgueil était blessé. Il a imaginé le pire des châtiments pour son propre frère : l'exil dans un gouffre insondable, avec ses créatures et ses fidèles amis.

– Êtes-vous le seul à vous en être échappé ? voulut savoir le Magicien de Cristal.

– J'ai tenu ces dieux inférieurs responsables de ma condamnation, alors je les ai éliminés. Puis, j'ai caché mes rapaces dans un coin méconnu du royaume des cieux.

Nomar secoua tristement sa tête de reptile en évoquant la destruction de ses effraies au Château d'Émeraude.

– Que voulez-vous au juste ? le questionna Abnar. Pourquoi m'avoir emprisonné ici ?

– C'est ma haine qui m'a permis de sortir enfin de cet abîme obscur. En déplaçant la dernière pierre qui me retenait prisonnier, j'ai juré de me venger de Parandar. J'anéantirai toute sa création. Mais pour atteindre les humains, je devais d'abord me débarrasser de l'Immortel qui les protégeait. J'ai cru qu'en vous neutralisant, je pourrais éliminer les derniers mages d'Enkidiev.

– Mais Onyx vous a repoussé..., comprit Abnar.

Finalement, le renégat serait l'ultime défenseur du continent. « Rien n'arrive jamais pour rien », se rappela le Magicien de Cristal. Le destin l'avait empêché de supprimer Onyx, car il avait encore un grand rôle à jouer.

– Il possède une terrible puissance, par ma faute, poursuivit Nomar, mais il a un point faible : ses enfants. Quant à l'Elfe, qui a remplacé le très noble Élund, il ne sera pas difficile à écraser. Je laisserai ensuite les soldats de l'Empereur Noir massacrer tous les Chevaliers et tous les habitants d'Enkidiev, à une exception près. Je m'assurerai qu'ils ne mettent jamais la main sur ma petite-fille.

– Votre quoi ? s'étonna Abnar.

– La fille de Fan de Shola, fanfaronna le dieu déchu avec vanité. C'est au Royaume des Elfes que j'ai posé le pied pour la première fois dans le monde des humains. La mère de Fan puisait de l'eau dans un ruisseau. Ses parents étaient une Fée et un Elfe. Jamais, même dans l'univers des dieux, je n'avais vu une telle beauté. J'ai pris la forme d'un Immortel et je l'ai entraînée loin de son peuple, dans une clairière isolée. Nous avons alors conçu un maître magicien. J'ai ensorcelé le Roi de Shola pour qu'il se croit responsable de cette grossesse et il a épousé cette magnifique princesse.

– Fan est votre fille ! saisit Abnar. Est-ce qu'elle le sait ?

– Elle est très intelligente et malheureusement dévouée à mon ignoble frère. Non seulement elle a coupé Kira de la collectivité d'Amecareth, mais elle l'a aussi enveloppée d'une protection magique qui la rend impossible à réclamer, même pour un dieu.

Tout devint très clair dans l'esprit d'Abnar. La raison pour laquelle Nomar avait offert à l'Empereur Noir de rassembler ses hybrides à un seul endroit, c'était uniquement pour retrouver Kira, sa petite-fille.

– Cet insecte est d'une stupidité monumentale, commenta Nomar en suivant son raisonnement. J'ai même réussi à lui faire croire que j'étais deux personnages tout à fait différents : l'Immortel Nomar et le demi-dieu Ucteth. Pendant que je jouais au protecteur de sa progéniture, je le conseillais sur la façon d'attaquer les humains. Brillant, n'est-ce pas ?

Abnar se retint de répliquer.

– De toute façon, je les pulvériserai à leur tour dès qu'ils auront tué le dernier des humains. Lorsqu'il daignera jeter un coup d'œil sur le monde qu'il a créé, Parandar le trouvera dépeuplé et stérile. Plus rien n'y poussera, plus rien n'y vivra.

– Je trouve votre colère exagérée, lui reprocha Abnar.

Nomar fit volte-face. Un halo d'un bleu intense entoura sa silhouette de saurien.

– Il m'a damné sans le moindre remords ! hurla-t-il.

Sa voix se répercuta dans toutes les galeries de la caverne. Le Magicien de Cristal se dit qu'il serait préférable de ne pas le contrarier et de changer de sujet.

– Où sont la mère de Sage et l'hybride que vous êtes venu cueillir à Émeraude ? fit-il plutôt.

– J'ai ensorcelé le fils de Jahonne pour qu'il tombe éperdument amoureux de ma petite-fille. Je pensais pouvoir les attirer en gardant Jahonne auprès de moi. Mais cette femme et son bâtard d'Espérita n'ont pas établi entre eux le lien que j'escomptais.

– Qu'avez-vous fait de Jahonne et de Lektath ?

– Je les ai immobilisés, en quelque sorte. Ils ne me servaient plus à rien. Maintenant, si vous voulez bien m'excuser, j'ai des préparatifs de guerre à accélérer.

Nomar se volatisa. Pour la millième fois, Abnar scruta la grotte dans laquelle il vivait depuis trop longtemps. Il tenta de passer la main à travers la barrière d'énergie qui l'empêchait de sortir et fut une fois de plus repoussé. Il examina la surface tranquille de l'étang. Il s'agissait sans doute de la même sorcellerie que celle qui envoûtait le miroir de la destinée sous le Château d'Émeraude. Le Magicien de Cristal était un serviteur des dieux. Son essence même lui défendait d'avoir recours à de telles pratiques, mais au fil des ans, il avait étudié différents types d'enchantement.

Persuadé que Nomar se trouvait maintenant sur Iranieth à mener ses sombres desseins, Abnar ordonna à la mare de lui montrer ce qui se passait à Émeraude. Sa surface s'anima et les images, d'abord floues, se précisèrent. Des Chevaliers incendiaient des centaines d'oiseaux dans la cour de la forteresse.

28

UN GRAND DEUIL

Comme Swan s'occupait de ses fils plutôt que de sa nouvelle apprentie, Wellan en profita pour emmener Jenifael dans l'une des petites salles d'audience du palais. Bridgess et leurs nouveaux Écuyers lui emboîtèrent le pas. Le grand Chevalier déposa l'enfant sur un fauteuil moelleux et s'agenouilla devant elle. Il décela de la terreur dans ses yeux noisette. « À sa place, je serais encore plus effrayé », songea-t-il.

— Jeni, nous ne t'avons pas dit toute la vérité au sujet de tes origines, commença-t-il en se faisant aussi réconfortant que possible.

Lassa et Athalée encadraient Bridgess, à la droite de la fillette. Les apprentis comprenaient qu'ils assistaient à un drame familial et ils conservaient un silence respectueux.

— Nous ne sommes pas tes vrais parents, poursuivit Wellan.

— Non, c'est impossible..., protesta l'enfant, encore plus angoissée. Je sais au plus profond de moi que vous êtes mon père et ma mère.

Wellan sentit son cœur défaillir. Il avait souvent imaginé le terrible moment où il lui avouerait son ascendance, mais cela lui sembla soudain encore plus difficile qu'il ne l'avait craint.

– Nous t'avons trouvée dans une hutte au pays des Elfes et nous t'avons aimée en posant les yeux sur toi.

– Je ne suis pas une Elfe..., sanglota Jenifael. Je n'ai même pas les oreilles pointues...

– Non, tu n'en es pas une. En fait, tu n'appartiens même pas à ce monde. Tu es d'essence divine, ma petite chérie. C'est la déesse de Rubis qui nous a demandé, à Bridgess et moi, de t'élever comme notre propre fille.

Lassa ouvrit tout grand les yeux. Il sentait depuis longtemps la puissance de sa jeune amie, mais jamais il ne s'était douté qu'elle provenait directement du ciel.

– Papa, ne dis rien, hoqueta Jenifael. Je veux continuer de croire que maman m'a mise au monde.

Bouleversée, Bridgess caressa les cheveux dorés de sa fille adoptive. Son geste sembla rassurer la petite, qui s'accrocha à sa main.

– Je voulais attendre que tu sois grande pour te dire tout cela, mais je n'ai plus le choix, maintenant, expliqua Wellan. Tout à l'heure, sur le toit du palais, tu as utilisé des pouvoirs que nous ne possédons pas, des pouvoirs que t'a octroyés ta véritable mère.

Jenifael secoua la tête, obstinée. Elle voulut quitter son siège pour se jeter dans les bras de Bridgess, mais cette dernière l'en empêcha.

– Écoute-nous, je t'en prie, l'implora-t-elle doucement. Theandras est la déesse du feu. Il est tout à fait normal que tu t'en sois servie pour te protéger.

– Mais je n'ai rien fait du tout ! Maître Farrell m'a entraînée à me défendre avec ma magie, mais mon esprit s'est embrouillé !

– Nous ne te reprochons rien, Jeni. Nous savions que tu changerais un jour et que nous devrions être sincères avec toi. Même si Theandras t'a conçue, c'est nous qui avons eu le bonheur de te voir grandir. Tu sais bien que nous ne cesserons jamais de t'aimer, même si c'est Swan qui s'occupera dorénavant de ton éducation.

– Nous voulons seulement te faire comprendre pourquoi ces flammes t'ont enveloppée tout à l'heure, ajouta Wellan.

– J'ai eu si peur, avoua Jenifael.

Elle se blottit dans les bras du grand homme, qui la serra en fermant les yeux.

– Il est tout naturel de craindre ce qu'on ne connaît pas, dit-il. Souviens-toi de la fois où je t'ai montré à faire sortir des rayons incendiaires de tes paumes.

– J'ai cru que mes mains allaient être réduites en cendres.

– Ce sera la même chose avec cette nouvelle faculté que tu es la seule à posséder. Tu apprendras à l'utiliser et tu cesseras de l'appréhender.

– Et tu t'en serviras pour te défendre, l'encouragea Bridgess.

Jenifael demeura silencieuse un moment. Ses parents suivirent le cours de ses pensées sans la brusquer. Elle voulait savoir qui elle était, mais en même temps, elle ne désirait pas que les choses changent ou que son monde bascule.

— Je suis vraiment la fille de la déesse qui veille depuis toujours sur ton pays ? articula-t-elle enfin.

— Elle me l'a dit elle-même, affirma Wellan.

— Qui est mon père ?

Bridgess et Wellan échangèrent un regard interrogateur : ils ne s'étaient jamais posé cette question. Jenifael ressentit leur malaise et se redressa dans les bras du grand chef.

— J'en ai un, n'est-ce pas ? insista-t-elle.

— J'imagine que oui, estima Wellan, mais Theandras ne m'a rien révélé à ce sujet.

— Est-ce un dieu ?

— C'est possible...

— Moi, je pense qu'il est probablement humain, sinon je ne serais pas de chair et de sang...

— Je n'en sais rien, Jeni.

L'enfant soupira avec découragement. De petites flammes recommencèrent à danser dans ses yeux noisette.

— Est-ce que Lady Swan pourra me montrer comment utiliser le feu ? voulut-elle savoir.

– Probablement pas, reconnut Wellan, mais tu pourrais t'adresser à la femme habillée en rouge à laquelle tu rêves si souvent. Tu es sa fille. Elle t'accordera ce que tu lui demanderas.

Jenifael sécha ses larmes, puis examina les visages inquiets de ses parents.

– J'espère qu'on ne parlera jamais de ma première journée d'apprentie dans les livres d'histoire, lâcha-t-elle finalement. C'est un véritable désastre.

– Elle n'est pas encore terminée, souligna Bridgess en réprimant un sourire. Tu peux encore faire bonne figure à la fête que nous donnerons en votre honneur.

– Est-ce une bonne idée de s'amuser tandis que d'autres créatures pourraient nous tomber sur la tête ? protesta la petite déesse.

– C'est un risque avec lequel nous avons appris à vivre depuis longtemps, commenta Wellan.

– En dépit de cette menace, nous nous marions, nous élevons des enfants et nous nous permettons même d'être heureux, soutint Bridgess.

Jenifael passa des bras de son père à ceux de sa mère. Bridgess l'étreignit avec affection, contente que sa fille retrouve aussi rapidement son aplomb. Wellan aperçut alors le regard intéressé du porteur de lumière. C'était toute une révélation pour lui aussi. Se rappelant les leçons de maître Farrell, Lassa mit un genou en terre.

– Parle, lui permit le grand chef.

– Devrons-nous garder ce secret, maître ? s'enquit le garçon.

– Non, décida Wellan. Je pense que l'ascendance divine de notre nouvelle apprentie servira à renforcer le moral de nos troupes. Que diriez-vous d'aller rassurer vos camarades, maintenant ?

– Notre place est auprès de nos maîtres, lui rappela Lassa.

Les Chevaliers se levèrent et firent passer les enfants devant eux. Tout en traversant le palais, Wellan continua de sonder les environs. Si l'attaque des volatiles avait été lancée par un dieu déchu, il n'était pas impossible qu'il rapplique avec d'autres créatures tout aussi dangereuses pour compenser son échec. Il lui faudrait désormais être doublement vigilant.

Ils arrivèrent dans le hall, où les Chevaliers réconfortaient leurs apprentis. Certains répondaient de leur mieux à leurs questions, les autres se contentaient de leur frotter le dos. Jenifael scruta la pièce à la recherche de Swan. Elle n'était pas présente. Elle utilisa ses pouvoirs magiques et la repéra dans la tour de son mari. « Elle a eu peur de perdre ses enfants », comprit la petite déesse. Elle allait demander à son père la permission d'aller rejoindre son maître, mais il allait prendre la parole.

– Chevaliers ! commença-t-il d'une voix forte.

Le silence se fit. Aux côtés du grand chef, Lassa n'entendait plus que son propre cœur qui battait violemment dans sa poitrine. C'était une grande responsabilité d'être l'Écuyer de Wellan d'Émeraude.

— Les bêtes qui nous ont attaqués n'étaient pas à la solde de l'empereur, poursuivit ce dernier.

— Nous avons donc un nouvel ennemi, conclut Chloé, qui serrait son apprentie Coralie dans ses bras.

— Il s'agit d'un personnage qui nous a fait croire qu'il était un Immortel.

— Pas maître Abnar ? se récria Bailey.

— Non, répliqua Sage, livide. C'est Nomar. Il est l'un des dieux déchus. Mon père m'a raconté leur histoire.

— Et maître Farrell en a reçu la confirmation, ajouta Wellan.

Cette fois, toute l'armée fut frappée de consternation. L'une des servantes, qui attisait le feu, éclata en sanglots.

— Pourquoi n'en a-t-il jamais parlé ? voulut savoir Dempsey.

— Sa source n'était pas sûre, le défendit Kira.

— Nomar n'est donc pas le seul fourbe à se balader dans notre monde, grommela Bergeau.

— Ces dieux déchus ressemblent donc à des chouettes ? s'étonna Falcon.

— Pourquoi se sont-ils uniquement attaqués aux enfants ? s'inquiéta Santo.

— Le porteur de lumière ! s'exclama Jasson. C'est lui qu'il cherchait à enlever !

Lassa sentit ses jambes défaillir. Wellan lui saisit le bras et l'aida à s'asseoir.

– Sont-ils de connivence avec Amecareth ? demanda Kevin.

Il gardait la main posée sur l'épaule de Liam, debout près de lui, car il ne pouvait pas ressentir sa présence autrement.

– Je ne connais pas leurs intentions, avoua Wellan, mais j'ai de bonnes raisons de croire qu'elles sont meurtrières. Nomar a laissé Asbeth détruire les hybrides et il est venu à Émeraude pour tenter de tuer maître Hawke. Il est probablement aussi responsable de la disparition d'Abnar.

– Il ne faut pas oublier non plus la mort suspecte du magicien Mori, intervint Wimme.

– Il tente d'éliminer nos protecteurs, déduisit Volpel.

– Mais Sage a réussi à l'arrêter, non ? se rappela Nogait.

– Ce n'est pas moi, mais la pierre que je porte au cou, riposta l'hybride, qui ne désirait pas qu'on le prenne pour un héros.

– Je trouve difficile à croire qu'une amulette puisse repousser un dieu, protesta Zerrouk.

Chacun exprima son avis à ce sujet et le hall se mit à bourdonner comme une ruche. Wellan leva le bras pour faire taire ses soldats.

– Il y a encore beaucoup de choses que nous ignorons, déclara-t-il. Toutefois, ce qui doit nous préoccuper pour l'instant, c'est la sécurité de nos apprentis. Nous ne devons pas non plus nous laisser distraire par les manigances de Nomar et oublier que les hommes-insectes peuvent revenir à la charge à tout moment.

Wellan constata avec soulagement que la plupart de ses Chevaliers chassaient leur peur. Il allait leur proposer de fêter leurs nouveaux Écuyers lorsqu'un serviteur, portant les couleurs de l'entourage immédiat du roi, surgit par la grande porte.

– Sire Wellan ! s'écria-t-il, épouvanté.

Le grand Chevalier pivota vers le pauvre homme au teint blafard.

– Sa Majesté n'est plus ! annonça-t-il.

Kira sentit comme un pieu glacé s'enfoncer dans son cœur. Le vieillard, qui l'avait élevée comme sa propre fille, lui avait pourtant promis de ne pas quitter cette vie avant l'accomplissement de la prophétie. Avant que Wellan puisse réagir, la Sholienne bondit vers la sortie. Vive comme un chat, la petite Keiko la suivit.

La princesse grimpa les marches comme si l'empereur lui-même était à ses trousses. Elle bouscula les domestiques qui s'étaient massés devant la porte des appartements royaux et fit irruption au pied du lit. Les conseillers marmonnaient d'obscures prières, la tête basse. Kira se faufila parmi eux. Elle se hissa sur l'immense matelas et étreignit le corps inanimé de son tuteur.

– Vous m'aviez juré de ne pas mourir tout de suite..., sanglota-t-elle en enfouissant son visage dans la barbe blanche.

Personne n'eut le courage de l'éloigner d'Émeraude Ier. Tous connaissaient l'attachement que le monarque avait témoigné à cette enfant inhabituelle, issue d'un monde de neige et de glace. Intimidée, Keiko s'était arrêtée près du lit. On lui avait dit qu'un Écuyer devait parfois intervenir lorsque son maître était en détresse, mais cette règle n'était pas très claire. Elle se contenta donc de garder un œil sur la princesse mauve en attendant que son intuition lui indique le moment opportun.

Kira pleura toutes les larmes de son corps en maudissant le ciel qui venait de reprendre son premier protecteur. Wellan arriva finalement au chevet du roi avec ses Chevaliers. La mort de son souverain lui causait beaucoup de chagrin, mais les problèmes que susciterait la transmission de ses pouvoirs commençaient également à surgir dans son esprit.

Lorsque vint le moment de confier le corps aux embaumeurs, le grand chef tenta de décrocher Kira du défunt. Elle résista violemment en plantant ses griffes dans les couvertures. Les dignitaires jugèrent plus prudent de se retirer près des murs et de laisser les soldats régler la situation. Mais ce fut Armène qui parvint à raisonner la Sholienne. Alertée par les servantes, elle s'était aussi précipitée au palais pour constater de ses propres yeux que le vieil homme avait rendu l'âme. Avec beaucoup de douceur, elle persuada finalement Kira de la suivre jusqu'aux cuisines. Keiko marcha en silence derrière les deux femmes, attentive à tous les détails de cette scène émouvante.

La gouvernante fit asseoir la femme Chevalier sur la table, comme lorsqu'elle était petite. Elle essuya ses larmes avec un mouchoir de dentelle.

– Il était déjà très vieux lorsque tu es arrivée au château, mon petit cœur.

– Je voulais qu'il attende la fin de la guerre avant de mourir, hoqueta Kira.

Sage apparut à la porte, flanqué de Cassildey, son apprenti. Tout comme ses frères d'armes, il avait capté la détérioration de la santé du roi ces dernières années. Il connaissait l'affection de son épouse pour Émeraude Ier, aussi avait-il redouté ce décès.

– Pourquoi donc ? demanda la servante en mettant du lait sur le feu.

– Parce qu'il voulait que je prenne sa place sur le trône... Mais je ne pourrai pas le faire tant que Lassa n'aura pas éliminé l'empereur... et Lassa n'est qu'un gamin.

Kira éclata une fois de plus en sanglots. N'écoutant que son cœur, Sage la cueillit dans ses bras et l'étreignit à lui rompre les os.

– Ce n'est pas le moment de penser à la succession, chuchota-t-il. Nous allons procéder aux rites funéraires et demander conseil à Wellan. Il est au courant des règles de la diplomatie. Il nous dira quoi faire.

Armène fit boire une tasse de lait chaud à sa fille adoptive. Kira la sirota en restant blottie contre son mari. Leurs Écuyers s'étaient installés sur des tabourets près de l'âtre et les observaient en silence.

– C'est un bel exemple que je donne à nos apprentis, se lamenta la Sholienne en les apercevant.

– Aussi bien qu'ils sachent tout de suite que les hybrides ont des émotions, eux aussi, répliqua Sage.

– Oui, tu as raison.

Kira prit une profonde inspiration pour se redonner du courage.

– Il faudra décider de l'endroit où ils dormiront, déclara-t-elle. Il n'y a plus beaucoup de place au palais.

– Nous ferons installer des lits près du nôtre jusqu'à ce que mes parents partent pour leur ferme, décida Sage. Ensuite, nous convertirons les petits salons de nos appartements en chambres à coucher.

Kira hocha doucement la tête pour indiquer qu'elle était d'accord et termina son lait.

29

Les adieux

Ce qui aurait dû être un jour de réjouissances se transforma en épisode de deuil. On n'avait pas enterré de roi à Émeraude depuis presque deux cents ans. Les couturières se mirent au travail afin de confectionner le revêtement intérieur du cercueil et la tenue royale que porterait le défunt lors de la cérémonie funèbre. Les ébénistes commencèrent à sculpter le sarcophage, tandis que les serviteurs nettoyaient dans les catacombes la niche où serait déposée la dépouille d'Émeraude Ier.

Les Chevaliers ne participaient pas à ces activités. Il appartenait aux conseillers du souverain de prendre toutes ces décisions. Les soldats s'occupaient de leurs Écuyers tout en patrouillant la région grâce à leurs sens télépathiques.

Kira était triste, mais elle faisait de gros efforts pour encourager la petite Keiko à manier convenablement son épée. En fait, tous les Chevaliers entraînaient aussi les enfants dont ils avaient la charge, même Sage, qui ne laissait pas un moment de répit au jeune Cassildey. La cour résonnait du choc des lames et du sifflement des flèches et des lances.

Dans le palais, les pleurs et les gémissements avaient cédé la place à des murmures. Tout le monde savait que la princesse mauve ne désirait pas remplacer son tuteur sur le trône d'Émeraude. Le protocole, établi depuis longtemps entre les dirigeants d'Enkidiev, prévoyait que lorsqu'un roi mourait sans héritier, les dignitaires de la cour pouvaient choisir un prince ou une princesse d'ailleurs pour le remplacer. Mais le peuple d'Émeraude ne voulait pas d'un monarque étranger, qui ne comprendrait pas ses besoins. Il désirait être gouverné par un de ses citoyens, quelqu'un qui soit juste et invincible. Le même nom courait sur toutes les lèvres : Farrell.

Les habitants du château et les villageois qui avaient assisté à son combat contre les chouettes avaient raconté ses exploits aux membres de leurs familles. À leur tour, ces derniers en avaient parlé à leurs voisins. Non seulement Farrell était un puissant magicien, mais il était déjà père de quatre futurs princes. Plus important encore, il était originaire d'Émeraude.

Cette rumeur n'atteignit pas immédiatement les oreilles des Chevaliers. Ils étaient bien trop préoccupés par la surveillance du château et la formation de leurs Écuyers pour entendre ce que chuchotaient les serviteurs.

À proximité des écuries, Kira se concentrait sur la posture de Keiko. La petite Jadoise n'était pas plus grosse qu'elle au même âge, mais elle affichait une grande endurance et une vive intelligence. Jamais elle ne répliquait, jamais elle ne se plaignait, même lorsque son maître la soumettait à de longues périodes d'exercice. Était-ce là un attribut des gens de son peuple d'origine ? L'enfant aux longs cheveux noirs doux comme de la soie posa un genou en terre pour la première fois depuis qu'on l'avait confiée à Kira.

– Qu'y a-t-il, Keiko ? s'inquiéta la Sholienne.

– J'aime bien cette petite arme, maître, mais je préférerais apprendre à manier une épée double comme la vôtre.

– Il faudrait pour cela que tu puisses la matérialiser et
j'ignore si tu possèdes la magie nécessaire.

Kira incita l'enfant à se relever. Elle contempla ses beaux
yeux bridés pendant un moment. Malgré une apparence
calme, une grande ardeur animait l'apprentie. Était-ce la
raison pour laquelle Wellan la lui avait attribuée : parce
qu'elle bouillait elle aussi d'impatience ?

– D'après maître Farrell, nous sommes tous nés durant
une pluie d'étoiles filantes et, pour cette raison, nos pouvoirs
sont plus grands que ceux des Écuyers qui nous ont précé-
dés, lui rappela Keiko.

– Malgré tout, je ne sais pas trop comment t'enseigner
à faire apparaître cette arme ancienne.

– Comment le faites-vous ?

– Cela va sans doute t'étonner, mais je n'ai qu'à agiter
le petit doigt.

– Montrez-moi.

Il y avait si longtemps que Kira rappelait cette épée du
néant qu'elle ne faisait plus attention aux détails de cette
magie. Elle fit quelques pas en arrière et s'assura que
personne n'était à portée des lames qui allaient bientôt
fendre l'air. Puis, elle porta attention à ses pensées et à ses
gestes. À sa grande surprise, elle constata qu'elle visualisait

d'abord l'arme avant de remuer le doigt. Elle s'exécuta lentement et sentit la présence du métal froid dans sa paume.

Avec révérence, Keiko vint caresser la surface du métal poli.

— Maître Farrell dit que lorsque nous matérialisons un objet, c'est que nous l'avons forcément emprunté à quelqu'un dans ce monde, déclara l'enfant. Alors, d'où vient cette épée, maître ?

— Peut-être disparaît-elle d'une salle renfermant de vieilles armes... Peut-être ses gardiens sont-ils pris de panique chaque fois que j'en ai besoin, supposa Kira.

L'explication amusa l'Écuyer.

— Je n'en sais rien, Keiko, avoua la Sholienne. Le Roi Hadrian n'a pas jugé utile de me révéler son origine.

Pendant qu'elle tentait de décrire cette magie à la petite, plus loin, Sage, Nogait et plusieurs autres Chevaliers enseignaient le tir à l'arc à leurs apprentis. Les flèches volaient partout, atteignant plus souvent la muraille que les balles de foin servant de cibles.

— J'ai touché le dernier commandement du code ! s'exclama joyeusement Dianjin.

En effet, il avait légèrement abîmé le « N » du premier mot gravé dans la pierre.

— Trois têtes au-dessus de ta cible, lui fit remarquer Nogait, son maître.

– Mais si un homme-insecte s'était tenu devant moi, je l'aurais frappé entre les yeux, parce qu'ils sont à peu près de cette taille !

Ce gamin était plus petit que ses camarades, mais une lueur de malice dansait continuellement dans ses yeux noirs comme la nuit.

– Maître Farrell ne t'a donc pas appris que le seul point faible de ces détestables scarabées se situe à l'intérieur du coude ? répliqua le Chevalier.

– J'ai étudié avec maître Hawke, rétorqua Dianjin sur un ton espiègle.

Nogait arqua un sourcil devant cette hardiesse.

– Tu as enfin un apprenti qui ne te laissera pas avoir le dernier mot, le taquina Derek en encochant une flèche.

– C'est ce qu'on verra, riposta Nogait.

Tous ces enfants magiques semblaient doués pour les armes, même Jenifael. À sa grande surprise, elle fonçait sur Swan avec sa petite épée sans la moindre crainte de se blesser. Elle réussit même à faire reculer la guerrière jusqu'au mur de l'écurie.

– On voit bien qui est ton père ! la félicita Swan.

Jenifael abaissa tristement son arme.

– Moi, je me moque de ce qu'on dit au sujet de la déesse de Rubis, assura la femme Chevalier. En ce qui me concerne, tu es la fille de Bridgess et de Wellan.

– Et que faites-vous du feu qui m'enveloppe lorsque je me sens menacée ? Ce n'est certainement pas quelque chose que je tiens d'eux.

– Ce n'est qu'un pouvoir de plus que tu dois apprendre à utiliser.

Swan chargea et la fillette para habilement le coup en retrouvant sa bonne humeur.

Au fond de la cour, près des grandes portes, Wellan éprouvait des problèmes fort différents. Son nouvel Écuyer n'arrivait pas à tenir sa garde convenablement : le moindre choc la lui faisait tomber des mains. Le grand chef ne put s'empêcher de soupirer lorsque Lassa ramassa son épée dans le sable pour la vingtième fois. Il eut alors une idée. Il demanda un bout de corde à un serviteur et attacha solidement l'arme dans la paume du porteur de lumière.

– Je suis conscient que ce n'est pas très agréable, concéda le Chevalier, mais je serai au moins capable de t'apprendre quelques feintes aujourd'hui.

Le jeune prince accepta cette solution de bonne grâce, mais la douleur qui crispait ses traits chaque fois que les lames se touchaient fit comprendre à Wellan que le petit ne serait pas le meilleur escrimeur de sa génération. « Heureusement, il possède de grands pouvoirs magiques », se rappela-t-il. Malgré l'inconfort de Lassa, le Chevalier poursuivit la leçon d'escrime, convaincu que l'enfant finirait par s'endurcir.

Au coucher du soleil, les conseillers du roi firent sonner le glas. La période de prières venait de commencer. Avant le repas, les habitants du château se réunirent dans la cour pour prononcer les oraisons destinées à accélérer l'entrée d'Émeraude Ier sur les plaines de lumière. De son vivant, ce souverain avait prôné l'égalité des diverses religions d'Enkidiev, mais les supplications funèbres furent néanmoins adressées à Dressad, le dieu des récoltes d'Émeraude depuis des millénaires.

Wellan n'avait certes pas l'autorité requise pour demander qu'on invoque la clémence de toutes les divinités du continent. Il marmonna les prières en se concentrant plutôt sur son rôle de protecteur. Il n'était d'ailleurs pas le seul. Un grand nombre de ses compagnons scrutaient régulièrement la région et en particulier le ciel. La dernière fois qu'ils s'étaient réunis à cet endroit, en effet, une volée de créatures maléfiques s'était abattue sur eux.

Dès que la cérémonie fut terminée, les Chevaliers poussèrent leurs apprentis vers le hall. Tous les enfants mangèrent avec appétit, sauf Lassa. Sa main endolorie l'empêchait même de saisir son gobelet. En cachant mal son agacement, Wellan le lui mit dans l'autre main. Le petit prince le laissa même le guider jusqu'à ses lèvres sans se plaindre. Chacun l'observait à la dérobée en s'interrogeant : comment allait-il les sauver ? Il était si jeune et si fragile...

Pour leur changer les idées, Santo leur enseigna une chanson de chasse, puis ce fut au tour de Bergeau de vouloir les captiver. Mais avant qu'il puisse se lancer dans le récit de ses grandes aventures, dont il modifierait probablement les détails, Liam leva la main.

– Comment c'était, chez vous, dans le Désert ?

La question prit tout le monde au dépourvu. Les plus âgés eurent beau se creuser l'esprit, ils ne se souvenaient pas d'avoir entendu leur compagnon en parler.

– Ça fait bien longtemps, soupira Bergeau.

– C'est un pays si différent d'Émeraude, vous ne pouvez pas l'avoir oublié, maître, le pressa Lianan, son Écuyer.

– Je me souviens d'une étendue de sable blond... et d'un ciel d'un bleu très pur.

– Vous viviez dans le sable ? demanda Ambre, l'apprentie de Wanda.

– Non, la rassura le Chevalier en riant. Le Désert est constellé d'oasis où les hommes plantent leurs tentes.

– C'est quoi, une oasis ? voulut savoir Cassildey.

– C'est un regroupement d'arbres autour d'un point d'eau, expliqua Bergeau avec de grands gestes. Lorsqu'une famille s'y établit, elle y reste très longtemps.

– Et qu'y mange-t-on ? s'informa Keiko.

– Les arbres regorgent de fruits délicieux et, la nuit, des animaux viennent s'abreuver, alors les chasseurs s'emparent de ceux qui peuvent être mangés.

– Parce qu'ils ne sont pas tous comestibles ? s'étonna Jenifael.

– Bien sûr que non ! Certains ont des carapaces aussi épaisses que cette table et des dents longues comme mon poignard !

– S'attaquent-ils aux humains ? s'inquiéta Athalée, l'Écuyer de Bridgess.

– Oui, s'attrista Bergeau. La plupart ne se préoccupent pas de nous, mais certaines de ces bêtes, qui ressemblent étrangement aux dragons de l'empereur, mais en plus petit, sont sournoises et tuent les enfants dans leurs berceaux.

Les apprentis frissonnèrent d'horreur.

– J'ai perdu un petit frère de cette façon, poursuivit le Chevalier. Je n'étais pas très vieux, mais ce macabre spectacle continue de me hanter.

Bergeau aperçut alors tous les visages accablés autour des tables.

– Mais malgré tous les dangers que recèle le Désert, mon pays d'origine est très beau, se reprit-il. Pas très peuplé, c'est vrai, mais d'une sérénité qu'on ne retrouve pas ailleurs sur Enkidiev. Et les couchers de soleil y sont époustouflants...

– Tu ne vas pas te mettre à faire de la poésie ! le taquina Jasson.

– Peut-être que je pourrais composer des chansons comme Santo, répliqua Bergeau.

– Si tu touches à une harpe, je déguerpis, plaisanta Nogait.

Avant que les enfants se mettent à exiger plus de détails sur les monstres dévoreurs de nouveau-nés, Chloé leur proposa des charades. Même Bergeau participa au jeu, redevenant le bon vivant qu'ils aimaient. Wellan admira sa fille, qui connaissait toutes les réponses. Elle avait cessé de s'inquiéter de ses origines divines et s'amusait comme ses camarades. Lassa, par contre, fixait le mur en face de lui, immobile et imperturbable. Le grand chef s'empressa de sonder ses pensées. « Armène lui manque », découvrit-il.

La soirée se termina par une belle ballade à la harpe. Le récit du Roi Raudem de Cristal, se déroulant avant la multiplication des royaumes, acheva de calmer les enfants. Le hall se vida graduellement. Wellan coucha le porteur de lumière dans une chambre attenante à la sienne, pendant que Bridgess faisait la même chose avec Athalée. Les serviteurs avaient bien prévu les choses. Les Chevaliers de la quatrième et de la cinquième générations occupaient désormais l'étage supérieur. « Il faudra construire une autre aile lorsque tous ces jeunes seront adoubés », songea le grand chef en quittant Lassa.

Maïwen prit Kevin à part pour s'enquérir de leur installation dans l'aile des Chevaliers. Après tout, ils étaient des époux. La jeune Fée comprenait l'embarras du Zénorois, car ils n'avaient jamais dormi ensemble, mais elle se croyait justifiée de réclamer qu'ils partagent la même chambre. Kevin écouta ses arguments, la tête basse.

– Je veux juste être près de toi, insista Maïwen. Je ne te demande rien de plus.

– Ce n'est pas que je repousse ton amour, au contraire, il m'a sauvé la vie, reconnut-il. Mais personne ne sait vraiment jusqu'où ira ma transformation et la dernière chose que je veux, c'est de te faire du mal.

– J'en suis parfaitement consciente, Kevin, et je suis prête à attendre toute une vie que tu redeviennes toi-même avant de m'unir à toi.

Le bandeau masquait l'immense tristesse qui envahissait le soldat ensorcelé. Il ne pouvait pas ressentir l'amour de la Fée, comme un Chevalier normal, mais ses paroles le touchèrent profondément. Il accepta finalement de partager la chambre de sa femme et d'attribuer à leurs Écuyers des pièces contiguës, à condition que Maïwen garde ses distances.

Quant à Sage et Kira, puisqu'ils résidaient dans l'aile des Chevaliers de façon temporaire, on ne prépara pas de chambres pour leurs Écuyers. Les hybrides les installèrent donc dans deux petits lits, de chaque côté du leur. Ils leur souhaitèrent une bonne nuit et soufflèrent les chandelles.

30

La succession

Cette nuit-là, Sage fit un autre curieux rêve. Il se voyait sur son cheval gris, galopant au milieu des Chevaliers d'Émeraude sous le commandement de Jasson. Ils suivaient, dans la forêt, un sentier suffisamment large pour deux bêtes côte à côte. Sage ne voyait Kira nulle part. C'est Kardey qui chevauchait près de lui. Au bout d'un moment, la troupe aboutit dans une clairière où se dressaient des rochers géants, recouverts de dessins anciens. Personne ne parlait.

Sage avait l'impression que ses compagnons comprenaient la signification des symboles, mais lui ne parvenait pas à les déchiffrer, même en se tordant le cou pour les regarder à l'envers. Les soldats se massèrent au centre du cromlech. Kardey mit pied à terre et approcha prudemment la main d'une fresque. À peine l'avait-il touchée qu'il fut pris d'un mal étrange et tomba sur les genoux. Avant que qui que ce soit puisse réagir, son dos éclata. Des lambeaux de chair sanglante émergèrent deux longues ailes de libellule.

Jasson se tourna bientôt vers ses hommes. Son visage se crispa et ses lèvres formèrent le mot « attention ». Une immense vague s'abattit alors sur eux, comme un déluge déclenché par les dieux. Sage sentit un grand choc dans sa jambe et son épaule lorsque l'eau le catapulta avec son cheval contre un menhir. C'est alors qu'il vit Kira se débattant pour garder la tête hors du remous.

Comme elle ne savait pas nager, Sage voulut se porter à son secours, mais il n'arrivait pas à dégager sa jambe coincée entre le cheval et le roc. Soudain, une immense langue verte, semblable à celles de certains lézards, jaillit de l'eau tourbillonnante. Elle s'enroula autour du cou de Kira et l'entraîna vers le fond.

– Non ! hurla l'Espéritien en s'asseyant brusquement.

Terrorisés, les deux apprentis tombèrent de leurs lits en s'empêtrant dans leurs couvertures. Habituée aux cauchemars de son mari, Kira conserva son calme. Elle alluma les chandelles et caressa son visage pour le réconforter.

– Ce n'est qu'un songe, mon chéri.

Il s'apaisa et accepta de lui raconter sa vision. Leurs apprentis écoutèrent cette histoire sordide en se rappelant les mises en garde de Farrell au sujet des errances de l'esprit durant le sommeil.

– J'ai déjà rêvé à des rats qui nous attaquaient et c'est arrivé, souligna Sage.

– Mais aucun animal n'a une langue aussi longue, affirma son épouse. Et crois-tu vraiment que je laisserais un reptile me noyer sans me battre ?

« Elle a raison », pensa le guerrier.

– Je pense que c'est la cruauté des chouettes qui a créé ces images dans ton repos, déclara-t-elle.

– Maître ? appela doucement Keiko.

Les Chevaliers aperçurent les minois inquiets des deux enfants.

– Je ne comprends pas la relation entre ces vilaines créatures et le cauchemar de sire Sage, avoua la petite.

– Souvent, la nuit, nous revivons les événements de notre vie sous forme de symboles, expliqua Kira. L'eau qui s'est abattue sur notre groupe représentait une attaque venant du ciel. Les remous signifient que Sage doit démêler ses émotions.

– Et la langue de serpent ?

– Elle pourrait représenter la crainte d'une trahison, sans doute de la part du chef des hommes-lézards qui ne m'aime pas beaucoup.

– Que faites-vous des ailes du capitaine Kardey ? voulut savoir Cassildey.

– Il a épousé une Fée, rappelez-vous.

En fait, la Sholienne ne comprenait pas vraiment le sens de cette image. Mais elle risquait d'effrayer davantage les enfants en leur confiant ses propres interrogations. Elle leur transmit une vague d'apaisement et leur demanda de se recoucher. Il fut par contre plus difficile de persuader son époux de faire la même chose. Dès qu'il fermait les yeux, il revoyait Kira disparaître dans le tourbillon boueux. La Sholienne lui administra donc une dose un peu plus importante d'énergie calmante.

Au matin, on exposa Émeraude Ier au milieu de la cour, où le peuple vint lui rendre un dernier hommage. Les conseillers prononcèrent les prières finales et le cercueil fut transporté dans les catacombes. En tenue d'apparat, Kira suivit les porteurs en retenant bravement ses larmes. Elle avait perdu tellement d'êtres chers depuis son enfance...

Keiko demeurait près d'elle, aussi discrète que son ombre. Elle était trop jeune pour comprendre le grand vide qui habitait son maître, mais elle savait que son devoir consistait à la réconforter et à l'appuyer.

Après la cérémonie, les activités reprirent au château, mais avec moins d'entrain. Kira remonta de la crypte, mais lorsqu'elle voulut rejoindre ses frères dans la cour, les conseillers du roi lui barrèrent la route.

– Nous désirons vous entretenir d'affaires très urgentes, Altesse.

– Altesse ? répéta la princesse, étonnée.

– Veuillez nous suivre, je vous prie.

Kira s'exécuta, mais uniquement pour mettre les choses bien au clair avec eux. Elle entra dans un salon privé du palais, où Wellan l'attendait, flanqué de Lassa. « Ils ne m'obligeront pas à gouverner ce pays », décida la Sholienne en prenant place dans un énorme fauteuil de velours. Keiko se posta aussitôt à ses côtés.

– Sa Majesté nous a fait connaître ses dernières volontés, commença l'un des dignitaires.

Kira adopta un air combatif. Wella fronça les sourcils, mais n'intervint pas. On lui avait demandé d'assister à la rencontre en tant que témoin, pas comme arbitre.

– C'est son vœu que vous choisissiez le prochain dirigeant d'Émeraude, annonça un second homme vêtu d'une riche tunique.

– Moi ? s'étrangla la princesse, stupéfaite. Mais je ne connais rien à la diplomatie !

– Notre défunt souverain n'était pas de cet avis.

– Voici une liste de princes et de princesses d'Enkidiev qui sont disposés à accepter le trône à votre place, s'empressa d'enchaîner un autre conseiller. Vous avez cinq jours pour indiquer votre préférence. D'ici là, c'est vous qui gouvernerez Émeraude.

Ils s'inclinèrent très bas et quittèrent la salle. Il ne resta plus que les deux Chevaliers et leurs apprentis. Kira risqua un œil sur Wellan. Il la regardait en silence.

– C'est une décision bien trop difficile à prendre, soupira la Sholienne. Et puis, c'est toi l'expert en la matière.

– Il semble que Sa Majesté n'ait pas cru bon de me confier cette tâche, souligna-t-il.

– Ils ont dit que j'étais temporairement reine, non ? Alors je pourrais t'obliger à le faire.

– Et je serais contraint d'obéir. Mais en tant que frère d'armes, c'est mon devoir d'exiger que tu essaies toute seule avant de demander mon aide. Puisque nous devons bientôt retourner sur la côte, je te conseille de t'y mettre sans tarder.

Wellan la salua de la tête avec un sourire moqueur. Lassa sur les talons, il retourna à l'aile des Chevaliers. Kira lut les quelques noms qui figuraient sur la liste, puis avisa les yeux sombres de son Écuyer.

– Ce n'est pas tout à fait le genre de choses que je voulais t'apprendre, bredouilla-t-elle.

– Mais je suis honorée d'être l'apprentie d'une reine, maître... Majesté ?

– Ne m'appelle pas ainsi, ordonna Kira, contrariée.

Elle roula le papier et le glissa dans sa ceinture. Puis elle fit quelques pas jusqu'à un buste récent d'Émeraude Ier posé sur un magnifique socle de marbre.

– Je ne mérite pas ce titre, murmura-t-elle en caressant le visage de son ancien protecteur. Il a été si bon et moi, je lui ai fait de la peine en refusant de devenir son héritière.

– Mais ce n'était pas votre destin, releva Keiko. Tout le monde le sait.

– Il avait si peur que je perde la vie au combat...

Une larme roula sur la joue de la princesse. La petite Jadoise s'approcha silencieusement et glissa sa main dans la sienne.

– Vous pouvez pleurer en ma présence, maître. Il est parfaitement normal d'avoir de la peine quand on perd son père.

– Est-ce que tu te souviens du tien, Keiko ? demanda Kira, d'une voix étranglée.

– Pas tellement. J'ai oublié son visage, mais je me rappelle son rire. C'était un homme bien.

– Est-ce qu'il te manque ?

– J'ai tout ce dont j'ai besoin ici. Les Chevaliers sont ma famille.

« Elle a bien raison », songea la jeune femme.

– Allez, viens. Nous étudierons cette liste plus tard. J'ai besoin de prendre l'air.

L'enfant accepta avec joie.

31

Le départ

Dans la cour régnait une grande agitation. Les serviteurs entassaient dans une charrette tout ce dont la famille de Sutton aurait besoin pour survivre et pour faire fructifier ses terres. La plupart des Chevaliers entraînaient leurs Écuyers à l'ombre des murailles, mais soucieux de la sécurité des Espéritiens, Dempsey et Falcon s'étaient rapprochés d'eux.

– Il est risqué d'entreprendre ce voyage sans escorte, estima Dempsey.

– Surtout après ce qui s'est passé au château, renchérit Falcon.

– Sire Wellan a besoin de vous tous, répliqua Sutton. Soyez sans crainte, je sais me défendre.

– Même contre des chouettes géantes qui tombent du ciel ? protesta Falcon.

– Elles cherchent des enfants, pas des adultes.

– Mes frères ont raison, les appuya Kira en arrivant sur les lieux avec Sage et leurs apprentis. Laissez-moi demander à Wellan de vous affecter des Chevaliers. Vous êtes la seule famille qui me reste. Je ne veux pas qu'il vous arrive malheur.

Sutton considéra son visage inquiet. Elle ressemblait tellement à Jahonne qu'il faillit se laisser persuader de prendre ces soldats avec lui.

– En parlant du loup, murmura Falcon à Dempsey.

Wellan venait à leur rencontre. La main attachée au pommeau de son épée, Lassa le suivait de son mieux.

– Prêts à partir ? s'enquit le grand Chevalier.

– Nous avons suffisamment abusé de l'hospitalité du château, affirma Sutton. Il est temps pour nous de rembourser notre dette par de bonnes récoltes.

– Connaissez-vous la route jusqu'à votre village ?

– Mon fils m'a fourni une carte.

– Et j'aimerais bien les accompagner, réclama une fois de plus Sage.

– Je t'ai déjà expliqué pourquoi tu ne peux pas y aller, rétorqua Wellan. J'ai besoin que tous mes hommes retournent à leur poste avant que l'empereur profite de notre absence sur la côte.

– Mais je reste avec Jasson à Émeraude, insista l'hybride.

– Tu dois obéir à ton chef, mon garçon, le somma Sutton.

Le regard de Wellan s'était durci, car il n'aimait pas qu'on discute ses ordres.

– Moi, j'irai, annonça une voix familière.

Ils furent bien surpris de voir Farrell descendre le porche avec un sac de toile. Il ne portait pas sa longue tunique de magicien, mais une tenue plus adaptée au voyage : un pantalon, une tunique courte et une cape beiges. Les Chevaliers connaissaient l'attachement de Farrell pour ses enfants, alors pourquoi décidait-il de les quitter quelques jours à peine après l'attaque des créatures volantes ?

– Ils sont en sécurité dans la tour d'Armène, répondit-il à leur question silencieuse. Grâce à mes pouvoirs, j'épargnerai à Sutton une longue route et je ne serai parti qu'une journée, tout au plus.

– Swan est d'accord ? s'étonna Dempsey.

– Non, répondit Farrell avec un sourire amusé, mais elle n'a pas le choix. Il s'agit d'une visite que je remets depuis trop longtemps. En de meilleurs temps, je serais retourné au village de mon père avec toute ma famille, mais c'est trop dangereux.

Pendant qu'il exposait aux Chevaliers ses raisons de partir, le magicien ne remarqua pas les regards admiratifs des serviteurs, des palefreniers et des paysans qui circulaient dans la cour. Il n'entendit pas non plus leurs remarques élogieuses.

– Il est inutile de vouloir m'en empêcher, ajouta Farrell. C'est mon devoir de reconduire Sutton dans sa nouvelle demeure et de faire respecter ses titres de propriété par Leomphe.

Puis, il posa une main chaleureuse sur l'épaule de Sage.

– Tu les visiteras plus tard, assura-t-il.

L'hybride ne rouspéta pas, mais il était manifestement très déçu par l'intransigeance de son chef.

– Nous partons quand vous voulez, déclara Onyx aux Espéritiens.

Sutton se retourna pour inspecter la charrette et s'assurer qu'il avait tout son monde.

– Il me manque une fille, remarqua-t-il.

En effet, Yanné avait faussé compagnie à sa famille pour rejoindre Santo dans l'écurie. Ce n'était certes pas l'endroit le plus romantique pour offrir un présent à une jeune femme, mais le temps manquait. Le Chevalier, qui aurait préféré le faire sous les rayons de la lune, dans son sanctuaire, au milieu de la rivière, dut se contenter d'une stalle en retrait.

Les amoureux échangèrent d'abord un long baiser, puis le guérisseur déposa au creux de la main de sa belle un petit objet tout froid. Yanné étouffa un cri de surprise en y découvrant une minuscule croix de l'Ordre sculptée dans un métal grisâtre. L'artiste avait pris le soin d'y graver tous les symboles si chers aux soldats d'Émeraude.

– Pour moi ? souffla l'Espéritienne, émue.

– J'aurais voulu vous parer des plus beaux bijoux d'Enkidiev, mais je n'ai hélas pas eu le temps de les rassembler, murmura-t-il en souriant.

– Vous êtes un homme merveilleux, Santo. C'est le plus beau cadeau qu'on m'ait offert de toute ma vie. Comment pourrais-je vous remercier ?

– En ne regardant pas trop les beaux jeunes paysans de votre nouveau village...

– Je vous le jure.

– À la prochaine trêve, je demanderai votre main à votre père, malgré mon âge et ma maigre fortune.

– C'est votre cœur qui m'intéresse, pas votre argent.

– Il est à vous.

Santo attacha au cou de Yanné la cordelette au bout de laquelle pendait la croix d'Émeraude. L'Espéritienne rendait l'opération difficile, car elle parsemait son visage de baisers de reconnaissance.

– Je ne l'enlèverai plus jamais, décida-t-elle.

Ils entendirent la voix forte de Sutton qui réclamait sa fille dans la cour. Au lieu de se hâter de le rejoindre, Yanné s'empara des lèvres du guérisseur pour l'embrasser une dernière fois.

– Je vous en conjure, restez en vie, le supplia-t-elle.

– Je vous le promets.

Santo demeura immobile tandis que Yanné le quittait en serrant le pendentif contre son cœur. Les siens furent bien surpris de la voir sortir de l'écurie. Seule sa sœur connaissait son secret. Wellan capta alors la présence de Santo dans le bâtiment. « A-t-il enfin trouvé l'amour ? » se demanda-t-il.

La benjamine grimpa dans la charrette parmi les meubles et les provisions, sous l'œil attentif de sa mère. Farrell s'approcha des chevaux de trait et leur caressa les naseaux. Il allait créer son vortex lorsque Hawke arriva en vitesse.

– Attendez ! s'écria le magicien d'Émeraude.

L'Elfe se planta devant son confrère sans même tenter de cacher son anxiété. Farrell n'eut pas à utiliser ses pouvoirs pour comprendre que son départ ne lui plaisait pas.

– Si d'autres créatures nous attaquaient, je serais incapable de matérialiser une voûte d'énergie comme la vôtre, s'énerva Hawke.

– Vous n'avez aucune raison de vous inquiéter, le rassura Onyx avec un large sourire. Non seulement vous pouvez m'alerter avec votre esprit, mais il y a en vous des forces que vous ne soupçonnez pas encore. Vous ne serez pas toujours professeur.

Son commentaire stupéfia les Chevaliers, qui n'imaginaient pas l'Elfe ailleurs que dans sa tour au milieu de ses élèves.

– Si vous ne voulez pas vous retrouver tous au milieu de la campagne d'Émeraude, je vous suggère de reculer, les avertit Farrell.

Wellan posa la main sur l'épaule de Hawke, l'incitant à s'éloigner de l'attelage. Sans crier gare, les Espéritiens et le mage disparurent. Le grand chef rencontra alors le regard de l'Elfe.

– Le groupe de Jasson restera avec vous, dit Wellan pour les rassurer.

– Que peuvent-ils contre un dieu ? grommela le magicien, découragé.

Il baissa la tête et obliqua vers le palais afin de retrouver la sécurité de son antre. En posant le pied sur la première marche du porche, il se heurta à la large poitrine de Morrison.

– J'ai à vous parler, grogna le forgeron sur un ton menaçant.

– Accompagnez-moi, dans ce cas.

– Non. Allons chez moi.

Le géant n'attendit pas sa réponse. Il fonça vers les bâtiments de service. Hawke ne le connaissait pas très bien, mais il sentait facilement son déplaisir. Il avait sans doute remarqué l'intérêt que lui portait sa fille unique et il voulait lui en parler. Même si Hawke n'était pas un soldat, il ne reculait jamais devant la colère des autres. Il avait appris cela de son défunt maître, Élund. Il suivit donc le forgeron en enfouissant ses mains dans ses amples manches.

Au lieu de le conduire dans sa maison, Morrison entra dans la forge. On n'y travaillait pas à cette heure de la journée, car la chaleur y était insupportable. Hawke s'arrêta devant le père courroucé. Il y avait des marteaux, des lames et des épées partout autour d'eux : ce n'était pas très rassurant...

– Je vous ai souvent vu avec ma fille ces derniers temps, commença Morrison.

– Élizabelle est une jeune femme tout à fait charmante et...

– Lui avez-vous fait des avances ?

– Moi ?

– Voyez-vous un autre homme ici ?

– Morrison, vous n'avez aucune raison de suspecter une inconduite de ma part. Élizabelle et moi sommes des amis. Vous savez bien que je ne ferais rien pour déshonorer une femme.

– Je ne connais rien aux Elfes.

– Nous sommes aussi respectueux que les humains, je vous assure.

Le forgeron arqua un sourcil, car il savait bien que les hommes n'étaient pas tous aussi polis que les Chevaliers qui vivaient au Château d'Émeraude.

– Sinon plus, ajouta Hawke précipitamment.

– Avez-vous l'intention d'épouser ma fille ?

La gorge du magicien se serra et les mots refusèrent de franchir ses lèvres.

– J'ai juré à ma femme, sur son lit de mort, que je ne laisserais aucun homme maltraiter notre enfant, gronda le père.

– Maltraiter ? répéta l'Elfe d'une voix étranglée. Cela ne m'a jamais traversé l'esprit ! Nous récitons de la poésie et nous regardons les étoiles...

– Je vous ai vu danser avec elle.

– Je voulais lui faire plaisir.

Les deux hommes se dévisagèrent en silence, chacun tentant de mesurer la sincérité de l'autre.

– Élizabelle est la plus jolie fille que j'aie rencontrée de toute ma vie, tenta Hawke, mais je ne sais même pas si je lui plais.

– Moi, je sais que oui. Je sais lire dans ses yeux.

– Mais qu'attendez-vous de moi, Morrison ?

– Que vous cessiez de la fréquenter si vous n'avez pas l'intention d'unir votre vie à la sienne. Sinon, vous aurez affaire à moi.

Sans plus de façon, le géant s'enfonça dans l'obscurité de la forge. Hawke demeura un moment sur place à sonder ses propres sentiments. Il adorait cette jeune femme, dont l'intelligence vive ressemblait à celle de ses élèves magiques.

– Mais si je l'épouse, je devrai vivre dans l'ombre inquiétante de son père..., murmura-t-il pour lui-même.

Troublé, il retrouva son chemin jusqu'à la sortie et accueillit avec joie la lumière du soleil. Les soldats rentraient dans le palais pour se protéger de la chaleur. Il n'y avait parmi eux personne à qui l'Elfe pouvait se confier. Depuis des années, il s'isolait dans sa tour, au milieu de ses grimoires. Il ne savait rien de la vraie vie...

Il s'empressa de regagner ses appartements et s'efforça de se calmer. Les quelques élèves qui avaient remplacé les enfants de la pluie d'étoiles filantes reviendraient en classe après le repas du midi. Ils ne devaient pas le trouver dans un tel état de panique.

32

Les préparatifs

Le roi reposait dans la crypte de ses ancêtres et de ses épouses, mortes une centaine d'années plus tôt. Farrell était parti avec les Espéritiens pour s'assurer que leurs droits seraient reconnus. Dès que Kira aurait choisi le nouveau souverain d'Émeraude, les Chevaliers pourraient retourner à leur poste. Ils ne savaient pas où en était la princesse mauve dans cette importante tâche, mais ils pressentaient un départ imminent et préparaient armes et montures.

En raison de son infirmité, Kevin avait choisi d'entraîner son nouvel Écuyer à l'intérieur plutôt que dans la grande cour inondée de soleil. Il utilisait donc le hall du roi lorsque les élèves étaient en classe. Les serviteurs tiraient d'énormes tapisseries devant les fenêtres et allumaient quelques cierges pour permettre au Chevalier d'enlever son bandeau.

Liam avait d'abord cru que son maître, empoisonné par l'ennemi, ne serait plus jamais le héros dont on racontait les prouesses. Les premiers jours, il avait même prié Dressad, le dieu de sa mère, de lui venir en aide et de créer pour lui un maître d'armes divin. Mais plus il côtoyait Kevin, plus il constatait que sa perte de vision diurne ne l'avait aucunement privé de ses capacités guerrières. En fait, ce Chevalier était reconnu pour son endurance et son ingéniosité. Son enfance à Zénor l'avait préparé à la guerre en lui apprenant à survivre en toute circonstance.

Kevin voulut d'abord initier son protégé à l'escrime. À sa grande surprise, il découvrit que le fils de Jasson savait fort bien se servir d'une épée. Armés de sabres de bois, qui leur permettaient de s'affronter avec de véritables coups, le Chevalier et l'Écuyer apprirent à connaître leurs forces et leurs faiblesses mutuelles. Liam avait la réputation d'être un enfant désobéissant, prompt et colérique. Kevin nota plutôt ses qualités : l'enfant aux cheveux bruns bouclés et aux grands yeux verts possédait une attention soutenue lorsqu'il était question d'activités militaires. Une fois qu'il recevait l'ordre d'attaquer, il se concentrait intensément sur son adversaire. Et, mieux encore, il aimait se battre.

Au bout de quelques jours seulement, Kevin fut sufisamment content de ses progrès pour lui enseigner à se servir d'une arme fort différente : l'arc. Liam écouta les directives du soldat. Pour la première fois de sa vie, il éprouvait le besoin de plaire à un adulte. Ses premières flèches n'atteignirent pas le mille, mais elles se fichèrent néanmoins dans la cible de paille que Kevin avait fait transporter dans la pièce.

— Détends-toi, lui recommanda le Chevalier.

Il sentit Liam faire de gros efforts pour relâcher ses muscles. Lorsqu'il eut vidé son carquois, le maître alla dégager ses flèches pour les lui rapporter.

— Tu mérites une pause, affirma-t-il en déposant les projectiles au pied d'un guéridon sur lequel une servante avait laissé un pichet d'eau froide.

Liam accepta le gobelet avec joie et le vida d'un seul trait.

– Heureusement que ce n'était pas du vin, plaisanta Kevin.

– Ma mère n'a jamais voulu que j'en boive. Elle dit que ce vice m'affligerait bien assez vite.

– Elle a raison.

Le soldat s'assit sur le sol pour se reposer un peu. Liam l'imita sur-le-champ. La fraîcheur de la pierre lui fit le plus grand bien.

– Me montrerez-vous aussi à brandir la lance, maître ? voulut-il savoir.

– Je t'apprendrai tout ce que je sais, Liam.

L'enfant ne craignait plus son regard inhabituel. Il arrivait maintenant à le fixer dans les yeux, comme un Écuyer était tenu de le faire. Kira aussi avait des pupilles verticales, mais celles de Kevin étaient bien plus impressionnantes en raison de ses iris bleu clair.

– À quoi penses-tu ? s'inquiéta Kevin.

– Je pensais à votre courage. Vous n'avez plus de pouvoirs magiques, mais vous allez quand même vous battre avec vos frères d'armes.

– Je possède toujours ma force physique et mon intelligence. Je connais désormais mon ennemi, alors je sais jusqu'où je peux aller lorsque je le combats. Et puis, tu es à mes côtés, maintenant. Je sais que tu suppléeras à mes carences.

– Puis-je vous faire une confidence, maître ?

– Évidemment.

– Au début, j'étais très fâché que les magiciens confient mon apprentissage à un homme pratiquement aveugle, mais aujourd'hui, j'en suis ravi. Je ne suis pas très vieux, ni très sage, mais je vois bien que vous êtes le plus valeureux des Chevaliers d'Émeraude.

– Je vais aussi te faire une confidence, annonça Kevin. Moi aussi, j'étais en colère quand Wellan et Farrell m'ont ramené d'Irianeth. Je maudissais les dieux qui n'avaient pas su me protéger contre le sorcier Asbeth. J'ai même songé à m'enlever la vie.

Liam écarquilla les yeux, incrédule.

– Puis, les efforts de Nogait, de Sage, de Kira et de Maïwen m'ont fait réfléchir. Rien n'arrive jamais pour rien, n'est-ce pas ? Si le ciel a permis qu'on m'enlève mes facultés magiques et que je me transforme graduellement en insecte, c'est peut-être que ces mutations me permettront de jouer un grand rôle dans la guerre.

Liam avait toutefois du mal à imaginer comment une vision affaiblie et des griffes tranchantes pourraient lui permettre de déjouer l'armée d'Amecareth...

– Je crois que nous avons suffisamment travaillé à l'intérieur pour aujourd'hui, déclara Kevin avant de recommencer à s'apitoyer sur son sort. Que dirais-tu d'une balade à cheval ?

– Justement, je voulais en discuter avec vous.

L'air soudainement sérieux du gamin fit naître un sourire sur les lèvres du Chevalier. Liam passait si facilement d'une émotion à l'autre !

– Je trouve injuste que vous montiez un cheval-dragon et moi, non. Tout le monde sait que ces créatures sont beaucoup plus rapides et puissantes que les chevaux ordinaires. Je ne serai pas capable de vous suivre lors d'un repli précipité.

– Est-ce tout ce que tu connais de ces bêtes d'un autre monde ?

– Je crains de ne pas être un grand lecteur, soupira l'apprenti. Je n'ai jamais vraiment effectué de recherche à leur sujet.

– Moi non plus, avoua le Chevalier. Mais Virgith m'en a beaucoup parlé.

– Votre monture s'entretient avec vous ?

– Cela fait partie de ma métamorphose. Je n'entends plus les horribles cliquetis de la collectivité des insectes dans mon esprit, mais je comprends de plus en plus les sifflements de mon cheval.

– C'est extraordinaire...

L'homme et l'enfant ramassèrent leurs armes. L'apprenti attacha le bandeau de Kevin sur ses yeux, puis ils poursuivirent leur discussion en marchant vers l'écurie. Kevin expliqua à son Écuyer que dans les grandes steppes d'où provenaient ces magnifiques animaux, il n'y avait pas d'humains, seulement des insectes, beaucoup plus petits que ceux d'Irianeth, qui les capturaient pour les mettre à leur service.

– Comme nos bêtes de somme, comprit Liam.

Ils sortirent dans la cour et longèrent les murs pour ne pas nuire à l'entraînement des autres apprentis. Kevin gardait la main sur l'épaule de l'enfant pour qu'il le guide sans heurts. Il lui expliqua que Virgith, Hathir et toutes les pouliches-dragons se considéraient égaux aux humains.

– Virgith n'est pas ma monture, l'instruisit le Chevalier. Il est surtout mon ami.

– Mais il n'a pas encore prouvé sa valeur au combat.

– Il ne sait même pas ce que veut dire ce mot.

Ils pénétrèrent dans le bâtiment où somnolaient les chevaux. Dès qu'il capta la présence de Kevin, l'étalon noir se mit à siffler joyeusement dans sa stalle. L'homme tâta la porte et trouva la clenche. Liam ne craignait pas les animaux, car il avait grandi sur une ferme, mais cette bête était vraiment énorme. Elle aurait facilement pu écraser un homme de la taille de Kevin, mais elle choisit plutôt de lui ébouriffer les cheveux avec ses naseaux.

– Virgith, voici Liam, mon Écuyer.

Le cheval-dragon pointa les oreilles. Il posa ses yeux rouge feu sur l'enfant, qui ne broncha pas. Tout en caressant le destrier, Kevin lui répéta la demande de Liam. La réponse ne se fit pas attendre. Virgith secoua la tête en poussant des cris stridents qui affolèrent tous les pensionnaires de l'écurie.

– Tu ne m'avais jamais raconté cette histoire, s'étonna Kevin.

– Maître, moi je ne parle pas sa langue ! s'impatienta le gamin.

– Il connaît une pouliche que les juments écartent la plupart du temps, parce qu'elle est stérile. Elle s'appelle Pietmah.

– Est-ce qu'elle accepterait de devenir mon cheval ?

– Il n'y a qu'une façon de le savoir.

Kevin sella Virgith et le mena dehors. Il grimpa sur son dos et hissa Liam devant lui. Le Chevalier et l'apprenti quittèrent le château. Ils traversèrent la rivière à gué, malgré les protestations de l'animal, et s'enfoncèrent dans la forêt. En peu de temps, ils avaient rejoint le troupeau.

– Comment la reconnaîtrons-nous ? Ils sont tous noirs !

Virgith poussa un cri auquel les juments répondirent en chœur. Une pouliche un peu plus petite que les autres s'étira timidement la tête entre les arbustes où elle se cachait.

– C'est elle ? s'enthousiasma l'enfant.

– Si elle a une petite étoile blanche entre les yeux, alors, oui, c'est Pietmah.

Sans s'approcher des femelles plus âgées, la proscrite fit un long détour afin de rejoindre son ancien partenaire de jeu. Les deux chevaux se frottèrent mutuellement les naseaux avec beaucoup de joie. Liam se laissa glisser sur le sol.

– Bonjour, la salua-t-il. Je suis Liam et j'ai besoin de toi, Pietmah.

La pouliche recula en poussant des plaintes, mais Virgith la rassura aussitôt quant aux intentions du petit humain. Elle s'immobilisa et l'apprenti réussit à toucher son encolure. Il constata avec tristesse qu'elle tremblait.

– Je ne parle pas ta langue et je ne pourrai probablement jamais te comprendre, mais j'aimerais te donner une raison de vivre.

L'étalon se fit un plaisir de traduire la requête de l'enfant à la jument. Pour toute réponse, Pietmah descendit sur ses genoux.

– Mais qu'est-ce qu'elle fait ? s'inquiéta Liam.

Virgith s'avança en sifflant et, avec le bout de son nez, poussa l'Écuyer vers le flanc de la pouliche.

– Elle t'invite à la monter, interpréta Kevin.

Le gamin ne se fit pas prier. Il grimpa sur le dos de l'animal avec la souplesse de son âge. Ils ramenèrent ainsi le destrier vers sa nouvelle demeure. Pietmah semblait beaucoup plus confiante en compagnie de son frère dragon. Liam s'agrippait fermement à sa crinière. Il avait bien hâte de montrer son acquisition à ses amis, même si la fierté était un défaut que les Chevaliers tentaient d'éliminer chez leurs protégés.

En passant le pont-levis, ils eurent droit à un bien curieux spectacle. Liam s'empressa de décrire à son maître ce qu'il voyait : non seulement les soldats de l'Ordre s'étaient-ils rassemblés devant l'entrée de leur aile, mais Santo soignait plusieurs bras ensanglantés.

– Le château a-t-il été attaqué en notre absence ? s'alarma l'apprenti.

Soudain, Dempsey fut catapulté par la porte de l'édifice. C'est Wimme qui l'empêcha de se retrouver face contre terre. Lui aussi saignait de partout. Liam informa Kevin de ce qui venait de se passer. Ce dernier ne pouvait plus sonder son environnement comme jadis, mais il n'avait pas besoin de facultés magiques pour comprendre qu'un agresseur se trouvait à l'intérieur.

– Liam, emmène les chevaux à l'écurie et installe Pietmah près de Virgith, ordonna-t-il.

– Mais maître ! protesta le gamin.

– Fais ce que je te demande.

Kevin glissa à terre. Liam étouffa sa rage et talonna sa pouliche. Pietmah commença par se cabrer, puis finit par comprendre ce que lui demandait l'enfant.

– Que se passe-t-il ? s'enquit le Chevalier aux yeux bandés.

– Le petit chenapan a piqué une crise ! grimaça Milos en s'approchant de Santo pour faire soigner ses blessures.

Kevin allait les interroger sur l'identité du chenapan lorsque des cliquetis aigus glacèrent son sang. « Cela ne peut pas provenir de l'intérieur du palais... », s'énerva-t-il. Bailey fut à son tour éjecté du couloir des chambres.

– Wellan ne veut pas utiliser ses pouvoirs contre lui ! grommela-t-il. Mais si je suis obligé de retourner là-dedans, je l'assomme !

Les grincements se changèrent en grondements. Kevin se fit violence et marcha vers la porte.

– Kevin, n'y va pas ! l'enjoignit Sage.

Cependant, la curiosité du Chevalier était bien trop piquée pour qu'il fasse demi-tour. Il longea le couloir, où d'autres compagnons tentèrent eux aussi de le décourager. Il s'arrêta finalement devant une porte derrière laquelle il pouvait entendre la voix de Wellan.

– Nous ne te voulons aucun mal, Nartrach, disait le grand chef. Nous voulons seulement venir en aide à ta mère.

Kevin capta l'odeur du sang. Comment ce petit garçon de trois ans pouvait-il être responsable de tout ce chaos ? Les couinements reprirent de plus belle. Ils provenaient bien de cette pièce.

– Nartrach, appela-t-il en s'agenouillant.

– Kevin, sors d'ici tout de suite, commanda Wellan en l'apercevant. Ce n'est plus l'enfant que tu connais. Il est possédé.

– Et c'est ma faute, répliqua le soldat invalide. Alors, laissez-moi régler cette affaire.

Le grand chef hésita. Il ne comprenait pas de quelle façon le Chevalier pouvait être responsable de l'accès de colère du bambin, mais ce n'était pas le moment d'exiger des explications. Il ordonna plutôt à Falcon et Volpel de couvrir la fenêtre et alluma une chandelle.

– Tu peux retirer ton bandeau, l'informa Wellan.

Kevin le fit sur-le-champ. La scène était encore plus déroutante qu'il ne l'avait imaginée. Le petit aux cheveux noirs et aux yeux d'un bleu étincelant se tenait devant le corps inerte de Wanda, couchée sur le plancher. La chambre était sens dessus dessous.

– Nartrach, c'est moi, Kevin. Tu ne te souviens sans doute pas de moi, car je n'ai pas eu l'occasion de te revoir après ta naissance, mais c'est moi qui t'ai mis au monde.

Les paroles du Chevalier semblèrent radoucir l'enfant courroucé.

– Dis-moi ce qui se passe.

Il eut droit à une décharge de cliquetis.

– Utilise ma langue, Nartrach, l'avisa Kevin sur un ton plus sévère.

– Maman ne voulait pas me donner le couteau ! lança-t-il, au grand étonnement des observateurs.

– Qu'est-ce que tu lui as fait ?

L'enfant sembla s'apercevoir qu'il était fautif. Il recula en butant presque sur Wanda.

– Quand je suis arrivé, elle était déjà inconsciente, expliqua Falcon, livide. J'ai voulu la soulever dans mes bras, mais Nartrach a piqué une crise et tout le mobilier s'est mis à tourbillonner dans les airs.

– Je vais l'emmener avec moi, annonça Kevin. Occupez-vous de Wanda.

– Il va te déchiqueter les bras, l'avertit Volpel.

C'était un risque que Kevin devait courir pour venir en aide à sa sœur d'armes. Il chemina lentement sur ses genoux jusqu'à ce qu'il soit à portée de l'enfant.

– Viens, mon petit. Je vais te montrer mes couteaux à moi. Ils sont beaucoup plus beaux que ceux de ta mère.

– Des couteaux ? répéta Nartrach.

– Comme s'il en avait besoin pour nous dépecer, grommela Volpel.

Wellan lui décocha un regard aigu : ce n'était pas vraiment le moment de contrarier l'enfant. Kevin tendit doucement les bras. Le bambin hésita un moment, puis s'approcha. L'homme le souleva et le porta jusque dans le couloir. Les Chevaliers se précipitèrent aussitôt sur Wanda pour lui prodiguer des soins.

– Tes yeux, chuchota Nartrach. Je veux tes yeux.

– Si tu savais à quel point ils ne servent à rien, murmura Kevin.

Il était entré si rapidement dans l'immeuble qu'il n'avait pas pris le temps de compter les portes. Il demanda donc à ses compagnons de lui indiquer sa nouvelle chambre, où il s'enferma avec la petite tornade. Cette pièce, maintenant gardée perpétuellement dans la pénombre, lui permit de voir le visage angélique de l'enfant.

– Pourquoi veux-tu des couteaux ? demanda Kevin en posant l'enfant sur le lit.

– Il fait noir...

Le Chevalier alluma l'unique chandelle sur la table.

– Couteau comme moi, se contenta de répondre Nartrach.

Kevin ne comprit sa réponse que lorsque le petit lui montra les griffes qui commençaient à se former au bout de ses doigts.

– Mais tu n'es pas né ainsi..., s'alarma-t-il.

Il examina aussitôt ses yeux bleus : ses pupilles semblaient pourtant normales. L'avait-il contaminé en allant le chercher dans le ventre de sa mère ? Allait-il être contraint lui aussi de vivre dans un monde d'obscurité ? Kevin se rappela qu'il avait lui-même affiché un comportement agressif les premiers mois de sa métamorphose. Qu'allait-il faire de cet enfant ?

Falcon ranima lui-même son épouse. Une fois qu'elle eut repris ses sens, elle expliqua à ses compagnons assemblés autour du lit qu'elle avait refusé à son fils la permission d'ouvrir le coffre où elle conservait les armes tranchantes et qu'il avait explosé de colère.

– Est-ce qu'il t'a frappée ? voulut savoir Falcon.

– Il m'a poussée contre le mur et je me suis heurté la tête, se rappela-t-elle. Mais sa force n'était pas celle d'un enfant de son âge.

– Sommes-nous victimes de la méchanceté d'un dieu déchu ? demanda le père à Wellan.

– Non, affirma ce dernier. Je le sentirais. Je crois qu'il y a une autre explication, par contre. Vous m'avez raconté que c'est Kevin qui a procédé à son accouchement.

– Il a réussi à l'extirper du ventre de Wanda alors que nous n'y arrivions pas.

– Kevin était contagieux à ce moment-là...

Wanda éclata en sanglots, comprenant tout de suite que Nartrach allait subir le même supplice que son frère d'armes. Falcon la serra dans ses bras.

– Pourquoi ? s'apitoya-t-elle. Nous n'avons qu'un fils...

– Les dieux ne nous disent pas toujours ce qu'ils ont en tête, avança Volpel.

– Qu'allons-nous faire de lui ? continua de gémir la mère.

– Le mettre dans une cage, suggéra Daiklan, ce qui lui valut des froncements de sourcils de la part des parents.

– Il ne comprend même pas qu'il a mal agi.

Wellan les avait devancés dans la réflexion. Depuis quelques instants, il tentait de trouver une solution qui ne déchirerait pas Falcon et Wanda et qui permettrait au petit de se développer normalement. Il pensa à Armène. Elle avait réussi à canaliser l'agressivité de Kira au même âge. Si quelqu'un pouvait élever convenablement un enfant semblable, c'était elle.

– Je pense que c'est une bonne solution, admit Falcon en lisant ses pensées.

Le couple avait confié le petit aux servantes du château lors des missions sur la côte, parce que la gouvernante semblait en avoir déjà plein les bras avec les enfants de Farrell.

– Je m'en occupe, décida Wellan. Retournez auprès de vos apprentis. Wanda a besoin de se reposer.

Les soldats quittèrent la chambre et se dirigèrent vers la cour. C'est d'ailleurs là que Wellan retrouva Lassa, en retrait, en train de soigner lui aussi des blessures.

33

UNE CONFESSION

Lassa accompagna volontiers Wellan jusqu'à l'ancienne tour d'Abnar. Puisque Swan était de passage au château, elle gardait ses fils avec elle. Armène profitait de ce court congé pour nettoyer la tour de fond en comble. Elle fut bien contente de voir arriver le Chevalier et le jeune prince. Lassa oublia pendant un instant qu'il était Écuyer : il sauta dans les bras de la gouvernante pour l'étreindre avec bonheur.

Pour pouvoir lui exposer le problème de Nartrach, Wellan dut accepter de prendre le thé. Il s'assit donc à la table et laissa Armène lui faire plaisir. Même si la servante connaissait déjà l'histoire de la naissance difficile du fils de Wanda, elle laissa le grand chef la lui raconter une fois de plus. Lorsqu'il lui relata les derniers événements qui avaient secoué l'aile des Chevaliers, elle s'attrista.

– Vous avez raison, mon devoir est de sauver cet enfant, approuva-t-elle.

– Il est beaucoup plus violent que Kira, je vous préviens.

– Cela ne me fait nullement peur, sire. Allez combattre vos insectes et vos dragons et laissez-moi faire mon travail.

Wellan savait qu'elle réussirait à amadouer Nartrach, mais Farrell pourrait-il stopper sa transformation, à son retour ? « Un problème à la fois », décida-t-il. Il informa Armène que l'enfant lui serait amené sous peu.

Le comportement de Santo, ces derniers temps, intriguait beaucoup le grand chef. Il repéra son frère d'armes dans l'écurie. Il avait fini de traiter les blessures infligées par Nartrach. À présent, il montrait à son Écuyer à s'occuper de son cheval. C'était le moment ou jamais d'avoir une franche discussion avec lui. Afin de ne pas infliger inutilement à son jeune apprenti cette conversation entre adultes, il lui offrit de donner un coup de main à Armène. Lassa sauta de joie.

Le grand Chevalier quitta donc la tour. Il fit attention de ne pas hâter le pas, pour éviter qu'un de ses soldats ne le suive. Il était devenu bien difficile de s'isoler dans ce château... Toute la cour grouillait d'activité, car ils étaient sur le point de partir.

À l'écurie, de la poussière dansait paresseusement dans les rayons de soleil. Santo ressentit l'approche de Wellan. Normalement, il n'y aurait pas prêté attention, mais l'absence de Lassa à ses côtés le mit en garde. Il tourna la tête et vit son frère venir directement vers lui. Il scruta furtivement ses pensées.

– Shangwi, j'aimerais que tu me laisses m'entretenir avec notre chef, le pria Santo.

– Mais bien sûr, maître.

L'enfant salua Wellan en passant près de lui. Santo continua à brosser son cheval en hésitant quant à la meilleure attitude à adopter. Le partage des soldats entre les

Chevaliers de la première génération et leur affectation dans différents royaumes avaient fourni au guérisseur l'occasion de s'éloigner un peu de son vieil ami. Il décida de le devancer.

– Que puis-je faire pour toi, Wellan ?

– Je suis venu voir comment tu allais, répondit-il en s'arrêtant de l'autre côté du cheval.

Le guérisseur leva les yeux de son travail pour dévisager le grand Chevalier.

– Qu'est-ce que tu sais ? se méfia-t-il.

– J'ai ressenti un élan d'amour dans ton cœur et quelques secondes plus tard, j'ai vu une jolie jeune fille sortir de l'écurie. Alors j'ai pensé que...

– Que nous pourrions redevenir amis maintenant que je fais un effort pour oublier Bridgess ?

– Non, ce n'est pas cela.

Sans cesser de brosser l'animal, Santo cherchait comment échapper à cette incursion dans sa vie privée. Wellan était un homme curieux et particulièrement tenace, c'était bien connu.

– J'ignore pourquoi tu as tant de mal à le croire, mais je me soucie de ton bonheur, Santo. Tu sais bien que si j'avais connu tes sentiments plus tôt, c'est toi qui partagerais son lit.

– Et c'est toi qui souffrirais aujourd'hui, car ta reine t'aurait probablement abandonné quand même.

– Est-ce que tu aimes Yanné ? demanda carrément Wellan.

– Je n'en suis pas certain...

– Tu proclames l'amour dans toutes tes chansons et tu ne sais pas le reconnaître ?

L'éclat moqueur dans les yeux du grand chef fit sourire Santo.

– C'est idiot, je le sais. Je profiterai de la prochaine campagne pour réfléchir à mes sentiments. Et je verrai si je peux rassembler suffisamment de courage pour demander sa main à son père.

– Santo, je veux que tu sois heureux. Yanné est jeune, c'est vrai, mais son cœur est bon. Je suis certain que tu trouveras tout le bonheur dont tu rêves auprès d'elle. Et moi, je cesserai de m'inquiéter pour toi.

Le guérisseur ne trouva rien à répondre.

– Quand tu seras marié, peut-être pourrons-nous de nouveau jouer aux cubes ou discuter des grandes épopées de l'histoire..., tenta Wellan. Tu n'as pas idée à quel point tout cela me manque.

Puisque Santo gardait le silence, le grand Chevalier décida de ne pas le harceler davantage. Il recula de quelques pas, puis tourna les talons. Le guérisseur le laissa partir sans le rappeler. Lui aussi aimait bien leurs longues discussions de jadis, qui duraient parfois jusqu'au milieu de la nuit. Ce n'était pas Wellan qu'il ne voulait plus fréquenter, mais Bridgess qui, bien souvent, l'accompagnait. Il allait sombrer dans la nostalgie lorsque la petite main de son apprenti se posa sur son bras.

– Je sais que je ne suis pas censé sonder votre cœur, maître, déclara bravement Shangwi, mais j'ai senti votre détresse.

– Tu as raison, mon petit, mais je crois aussi qu'il est important de soulager la douleur des autres.

– Dites-moi ce que je peux faire pour vous.

– En ce moment, tu pourrais reconduire ton cheval dans sa stalle avant que je le brosse jusqu'aux os, plaisanta le guérisseur en reprenant sa bonne humeur.

L'enfant s'empara du licol en riant.

Wellan retourna dans la cour et considéra ses hommes. Les apprentis semblaient progresser. « Encore cinq ans avant qu'ils soient en mesure de vraiment nous aider », se désola-t-il. Dans un coin, Bridgess enseignait l'escrime à la jeune Athalée. Son mari s'intéressa à la leçon pendant un long moment. Elle avait l'âme d'un professeur, elle aussi. Rien ne la décourageait. Elle ne voyait que les efforts de la petite et ne cessait de la stimuler.

Après avoir récupéré son propre Écuyer, Wellan gagna le hall des Chevaliers. Les serviteurs commençaient à poser sur les tables les nombreux mets dont ils se régaleraient dans quelques minutes.

– Vous êtes bien songeur, maître ? risqua Lassa.

– Je le suis toujours lorsque je suis sur le point de donner un ordre. Je crois que tu finiras par le remarquer.

– Nous partons bientôt, n'est-ce pas ?

– Demain matin. Est-ce que tu as peur, Lassa ?

– Un peu. Je n'ai pas souvent quitté Émeraude. La dernière fois que je suis allé à Zénor, j'étais petit et c'était la nuit. Je n'ai pas vu grand-chose.

– Tu ne crains pas l'ennemi qui pourrait fondre sur nous ?

– Pas à vos côtés, non. Vous êtes l'homme le plus fort du monde. Vous ne laisserez personne me faire du mal.

Sa confiance ajouta un poids de plus sur les épaules déjà bien chargées du grand chef. Mais Lassa disait vrai : il mourrait avant de laisser les hommes-insectes toucher un seul cheveu de sa tête. Il se servit un gobelet de vin et voulut en offrir un à son jeune protégé. Lassa refusa en riant.

Les autres soldats arrivèrent par petits groupes. Wellan fut fort soulagé de voir que leurs blessures étaient guéries. Dès qu'ils furent tous là, il annonça les nouvelles affectations avant de les laisser se rassasier. Santo et ses hommes iraient au Royaume de Cristal, Bergeau au Royaume de Zénor, Dempsey et Chloé au Royaume d'Argent, Falcon chez les Elfes. Jasson et sa troupe resteraient de garde à Émeraude tandis que Wellan et la sienne se dirigeaient vers le Royaume des Fées. Tous semblèrent satisfaits de cette division du territoire. Décidés à passer une dernière soirée tranquille, ils burent à la gloire des dieux.

34

L'ÉTOFFE D'UN ROI

L'attelage de Sutton réapparut si soudainement sur la route qu'il effraya à la fois les voyageurs et les travailleurs qui se trouvaient dans les champs à proximité. Même s'ils vivaient dans un pays magique, les paysans d'Émeraude ne s'habituaient tout simplement pas à ces manifestations surnaturelles. Farrell calma d'abord les chevaux effarés, puis fit signe aux observateurs qu'ils n'avaient rien à craindre. Une villageoise, qui portait un gros panier de fruits, le reconnut.

– C'est maître Farrell du château ! s'exclama-t-elle.

Ils se mirent à lui faire de larges sourires. Farrell crut qu'en raison des déplacements des marchands entre les villages, tout le monde connaissait les rares mages d'Enki-diev. Il ne se doutait pas encore de ce qu'on racontait à son sujet dans toutes les chaumières du royaume. Cependant, l'admiration qu'il lisait sur les visages l'étonnait : les souvenirs que sa moitié Farrell gardait de cet endroit étaient plutôt déplaisants.

Il salua tout le monde et tira sur les rênes des chevaux pour les inciter à avancer. Il marcha sans se presser, refusant de grimper dans la charrette, malgré les incessantes invitations de Sutton. Il faisait beau, pas trop chaud et cet exercice lui faisait le plus grand bien.

Ils entrèrent dans le village une heure plus tard. Avait-on prévenu les habitants de leur arrivée ? Une ribambelle d'enfants les accueillit en sautillant et en babillant. Ils ne demandaient pas d'argent aux visiteurs, ils semblaient seulement contents de les voir. Les adultes s'empressèrent de rassembler les petits et de les écarter de la route des étrangers. Ils formèrent deux longues lignes entre lesquelles Farrell avança en fronçant les sourcils. Les paysans murmuraient entre eux, lui souriaient ou le saluaient de la main. Des jeunes filles lui faisaient même des révérences.

Farrell immobilisa finalement l'attelage devant la maison de Leomphe, où le village semblait s'être rassemblé. Galamment, le magicien aida les filles de Sutton à descendre de la montagne de meubles. Quant à lui, Sutton soutint son épouse tandis qu'elle mettait pied à terre.

— Farrell ! s'exclama Leomphe en sortant de la chaumière. C'est bien toi ! Mais aucun messager ne nous a annoncé ton passage ! Nous ne sommes pas prêts à recevoir un magicien !

— Premièrement, je ne suis pas de passage. C'est précisément ici que j'avais décidé de m'arrêter. Et, deuxièmement, quand vous saurez le but de ma présence dans ce village, vous comprendrez que le coursier n'était pas nécessaire.

— Qui sont ces gens avec toi ?

— Je suis justement venu vous parler d'eux.

– Eh bien, venez vous asseoir à l'ombre.

Farrell poussa les Espéritiens devant lui. Leomphe les conduisit sous un auvent de toile attaché au mur nord de sa demeure. Ils prirent place sur des bancs d'osier tressé et on leur servit des rafraîchissements.

– Je vous présente Sutton, un descendant d'Onyx originaire du Royaume des Esprits, déclara le magicien.

La mention du pays maudit suscita des commentaires dans l'assemblée, mais Farrell n'en tint pas compte.

– Sutton est le père du Chevalier Sage d'Émeraude que vous connaissez déjà. Voici sa femme, Galli, et leurs filles, Payla et Yanné. Ils sont venus réclamer les terres réservées au Roi Hadrian d'Argent.

– Nous les avons entretenues pour ses héritiers, qui ne se sont d'ailleurs jamais montrés, protesta Leomphe.

– Hadrian a rédigé un document prévoyant qu'un descendant de la lignée d'Onyx pourrait en prendre possession quand bon lui semblerait.

– J'ignorais cela...

– Évidemment, puisque ce document se trouvait au Château d'Émeraude. Sutton est ici aujourd'hui pour revendiquer son dû.

– Je veux voir ces titres.

Le mage les sortit de son grand sac de toile et les lui remit. Leomphe les lut une fois, puis une deuxième, avant de les passer à son cousin, qui était l'érudit du village.

– Tout semble en ordre, confirma ce dernier.

– Comment veux-tu procéder ? s'enquit Leomphe.

– Je veux qu'on reconduise Sutton et sa famille sur leur nouvelle propriété.

Des villageois se précipitèrent pour saisir les brides des chevaux, qu'ils effarouchèrent. « Pourquoi tout cet empressement ? » se demanda Farrell. Les Espéritiens remercièrent leurs nouveaux voisins et accompagnèrent ces gens dévoués.

– Je vous rejoindrai plus tard, leur indiqua le magicien.

Il les regarda s'éloigner en direction des terres qu'il connaissait fort bien. Puis, il tendit la main vers Leomphe pour reprendre ses papiers. Ce dernier était le seul à le regarder avec méfiance, tous les autres le dévisageaient avec intérêt.

– Si vous le permettez, j'aimerais me promener dans le village, annonça Farrell.

– Fais comme chez toi, se moqua Leomphe.

Le fils exilé ne releva pas le sarcasme. Il souleva son sac, le jeta sur son épaule et fit un pas vers la route de terre. Tout le village le suivit.

– Seul, précisa Farrell.

Ils s'arrêtèrent tous d'un bloc sans cacher leur déception. Avaient-ils oublié qui il était ? « Moi, je me souviens des pierres que vous me lanciez », maugréa intérieurement le renégat. Les mauvais traitements faisaient partie de la vie du paysan dont il avait pris le corps. Il n'avait jamais réussi à se défaire de ces horribles souvenirs.

Sutton bavarda amicalement avec Tuvneh, un homme de son âge, qui possédait le plus gros vignoble de la région. Ils parlèrent de la température de ce coin d'Enkidiev, de la quantité annuelle de pluie et des rongeurs qu'ils devaient constamment éloigner de leurs jardins. Lorsque les paysans firent passer l'attelage entre deux énormes piliers de pierre opalines, l'Espéritien vit pour la première fois l'immensité de son domaine. Une longue allée pavée de petites pierres blanches menait à une sompteuse demeure immaculée.

– C'est ici ? s'étonna Sutton.

Tuvneh hocha doucement la tête. Les autres villageois lui apprirent alors que l'ancien Roi d'Argent avait fait importer tous les matériaux qui avaient servi à la construction de la maison et de la route.

– On dit que ce sont des coquillages, ajouta l'un d'eux.

– Et qu'ils viennent du fond de la mer, renchérit un autre.

Sutton n'avait jamais vu l'océan. Son fils lui avait parlé de la mer qui se trouvait au nord des falaises de glace d'Espérita, mais il n'avait jamais voulu tenter cette escalade. Il marcha lentement en contemplant les champs cultivés à perte de vue.

– Nous avons exploité ces terres en l'absence du roi, expliqua Tuvneh. Mais maintenant que vous en êtes le nouveau propriétaire, il faudra nous faire connaître votre volonté.

L'Espéritien était trop impressionné pour formuler la moindre réponse. Après les cultures vinrent les vergers et les potagers. De l'autre côté de la voie crayeuse, il vit aussi de grands enclos.

– Je possède tous ces animaux ? demanda-t-il finalement.

– Jusqu'au dernier.

Lorsque le cortège s'arrêta devant la maison, Sutton découvrit que sa femme et ses filles étaient encore plus aba-sourdies que lui. Payla et Yanné se laissèrent glisser à terre et pénétrèrent dans la maison. Sutton saisit Galli par la taille pour l'aider à descendre de la banquette.

– Il y a sûrement une erreur, chuchota-t-elle à son oreille. C'est bien trop beau pour être vrai.

– Ce domaine appartenait à un roi, Galli.

Ébranlée, elle s'accrocha à son bras. Sutton entra dans ce véritable palais dont les murs étaient faits d'un agglo-mérat de petites coquilles. Il n'y avait aucun meuble dans ces vastes pièces, mais les chandeliers suspendus aux poutres du plafond avaient survécu au passage du temps.

– C'est un rêve…, s'émerveilla l'Espéritienne.

Payla et Yanné s'enfonçaient dans un large couloir qui se séparait en deux. La première opta pour la droite, l'autre pour la gauche. Elles constatèrent qu'il s'ouvrait d'un côté sur un grand jardin intérieur et de l'autre sur une série de chambres spacieuses. Yanné n'en croyait pas ses yeux. Il y avait suffisamment d'espace dans cette habitation pour une dizaine de familles !

Elle jeta un coup d'œil dans chaque pièce sans y trouver de mobilier, sauf dans la troisième : à son grand étonnement, un métier à tisser tout neuf en occupait le centre. Un morceau de papier roulé était inséré entre les fils. Elle le retira d'une main tremblante.

J'espère qu'il ressemble à celui que vous avez dû abandonner en quittant votre pays. Santo.

Des larmes de joie s'échappèrent des yeux de la jeune femme. Quand il apprendrait tout ce que le guérisseur faisait pour elle, Sutton ne pourrait pas lui refuser sa main. Elle s'assit sur le petit banc de bois en pensant à tous les vêtements qu'elle confectionnerait pour son futur époux et leurs enfants. Cette maison était si grande, Santo accepterait-il d'y vivre avec les Espéritiens ? Perdue dans sa rêverie, elle n'entendit pas les cris de joie de sa sœur qui venait de trouver une fontaine au milieu de la végétation luxuriante dans l'enclave de la cour.

35

UNE HANTISE

Le magicien traversa le village sans se hâter. Rien n'avait changé depuis l'époque où Onyx y avait vécu. Les gens effectuaient les mêmes besognes aux mêmes endroits, les jardins étaient cultivés de la même façon. Il poursuivit sa route sans se préoccuper des paysans qui le guettaient, puis s'arrêta sur une colline qui surplombait la rivière.

Lorsqu'il avait pris possession du corps de Farrell, Onyx ne l'avait pas écarté, comme pour Sage. Il s'était plutôt fondu dans sa personnalité. Il n'avait pas menti en déclarant à Swan qu'il était devenu un troisième homme, mais il ne lui avait pas tout dit : depuis cette fusion, le renégat primait. Il partageait les souvenirs du jeune proscrit d'Émeraude, mais ceux d'Espérita et de la première guerre les côtoyaient. C'est en observant les ailes du moulin de sa famille qu'il saisit la complexité de son nouvel esprit. Il éprouvait à la fois de la nostalgie, car ces terres lui rappelaient sa décision de devenir soldat, son épouse, ses fils et sa fuite vers un pays lointain. Elles suscitaient aussi du ressentiment en lui, car Farrell avait été tyrannisé par les autres enfants et même par certains adultes qui ne comprenaient pas ses dons.

Le mage descendit sur le bord de la rivière. Jadis, des brutes avait tenté de le noyer en ce lieu précis. La scène rejoua devant ses yeux. Ses genoux flanchèrent et il s'agrippa au tronc d'un jeune saule pour ne pas s'effondrer. Il eut l'impression de suffoquer, comme si on lui maintenait la tête sous l'eau.

– Tu possédais d'immenses pouvoirs, hoqueta Onyx. Pourquoi ne te défendais-tu pas ?

Au prix d'un grand effort de volonté, il s'éloigna vers la forêt. Le malaise s'estompa sur-le-champ. Ses pieds suivirent instinctivement un sentier à peine perceptible dans les broussailles, qui le mena à une tannière au pied d'un arbre géant, dont les racines sortaient de terre comme les tentacules d'une pieuvre géante.

– Tu dormais ici, s'affligea le renégat.

Il était inutile de s'infiltrer dans cet amas de branchages et de ronces à demi effrondré. Cela n'aurait contribué qu'à l'indisposer davantage.

– J'étais beaucoup plus fier que toi, observa-t-il. Jamais ils ne m'auraient imposé ce genre de souffrance. Je leur aurais donné une leçon qu'ils n'auraient pas oubliée de sitôt.

Le départ de Sutton avait surtout servi de prétexte à Farrell qui voulait depuis longtemps entreprendre cette expédition. En réalité, la sécurité de son descendant lui importait moins que le trésor sur lequel il voulait mettre la main. Cinq cents ans plus tôt, lorsqu'il était Onyx, il avait entendu parler des objets de puissance cachés par Danalieth sur le continent des hommes. Il avait questionné Hadrian et épluché de nombreux livres. Il connaissait les noms des lieux où le demi-dieu les avait dissimulés, mais pas leur emplacement exact. Grâce aux souvenirs de Farrell, il avait enfin repéré celui du Temple de Cinn.

Renié par les siens, Farrell avait passé plus de temps à explorer les forêts environnantes qu'à rôder au village. Il avait ainsi découvert par hasard les pierres dressées par Danalieth.

Le magicien s'enfonça davantage dans la sylve en se fiant aux images qu'avait enregistrées Farrell dans sa jeunesse. Lui-même n'avait jamais eu l'occasion d'explorer la région, car son père l'avait confié très tôt à un précepteur. Mais son hôte, lui, s'était aventuré jusqu'à la frontière du Royaume de Perle. Au bout de quelques heures, il trouva enfin ce qu'il cherchait : des pierres géantes jaillissaient de la terre en formant un demi-cercle, telle la mâchoire d'un formidable prédateur.

– Le Temple de Cinn..., se réjouit-il.

Un livre d'histoire, rédigé par le scribe du Roi Ménesse, décrivait cet endroit, mais aucun explorateur ne l'avait jamais vu. Le rusé monarque l'avait situé dans les forêts de Rubis, mais Onyx ne s'était pas laissé duper. En lisant le texte plus attentivement, il avait rapidement constaté que la végétation décrite par le Sholien ne ressemblait en rien à celle du Nord : au contraire, elle rappelait celle de son propre pays.

Farrell fit appel à la mémoire d'Onyx. Un très vieux livre de mythologie racontait la légende de Cinn, la fille de Parandar, à qui ce dernier avait confié la tâche de faire régner la justice parmi les dieux. Elle avait dépouillé Danalieth des armes puissantes qu'il avait créées, de crainte que les humains ne s'en servent pour déstabiliser l'ordre du monde.

Pour que les dieux ne soient non plus tentés de les utiliser, la déesse les avait cachées sur Enkidiev dans les temples bâtis par les hommes pour la vénérer. Dans l'un de ces piliers de pierre, vestiges d'un ancien portique, se trouvait un objet qui permettrait à Onyx de mettre un terme aux attaques des dieux déchus. Mais le magicien ne pourrait l'en extraire qu'au milieu de la nuit, lorsque la lune aurait atteint un point précis dans le ciel.

Il s'imprégna du paysage. Maintenant qu'il était venu à cet endroit, il n'aurait aucune difficulté à y revenir à l'aide de son vortex. Il l'utilisa d'ailleurs pour retourner au village. Il se matérialisa tout près du moulin, avec l'intention de l'inspecter. C'est alors qu'il vit approcher deux hommes, chargés de sacs de farine. Ils avaient vieilli, mais il reconnut tout de même leurs visages : c'étaient les chefs de la bande qui avait maltraité son descendant. Farrell avait choisi l'exil jadis, mais Onyx ne reculait jamais devant un adversaire.

– Quelle belle surprise ! les accueillit-il avec un sourire dont ils auraient dû se méfier.

– C'est Farrell, le reconnut l'un de ses bourreaux d'autrefois.

– Ton titre de magicien du château ne nous impressionne pas, cracha l'autre. Tu as dû le dérober comme tu volais tout le reste.

– Vous êtes toujours aussi rustres, à ce que je vois.

Le premier déposa son fardeau, tout comme l'ancien soldat l'espérait.

– La dernière fois qu'on t'a vu, on t'a demandé de ne jamais revenir.

– Je suis chez moi, ici.

L'homme se rua sur lui, croyant évidemment avoir affaire au paysan sans défense. Il fut bien surpris de se heurter à un mur invisible qui le fit basculer sur le dos. Il se redressa avec difficulté et dévisagea Farrell sans comprendre ce qui venait de se passer.

– Dans la vie, il faut éviter d'insulter les gens, car en général, cela se retourne toujours contre nous, les instruisit le renégat.

En une seconde, son vêtement couleur sable se tranforma en un costume de mailles recouvert d'une tunique noire. Une épée menaçante apparut de nulle part dans ses mains. Épouvantés, les deux vauriens voulurent prendre la fuite.

– J'aimerais que vous méditiez sur mes paroles, fit moqueusement Onyx.

Il remua les doigts. Ses persécuteurs s'envolèrent vers le ciel. Ils heurtèrent chacun une aile du moulin, où leurs vêtements s'accrochèrent. Ils se mirent à pousser des hurlements de terreur, tandis que leur poids les entraînait à toute vitesse vers le bas et que le vent les remontait ensuite vers le haut. Avant d'être découvert, l'ancien Chevalier reprit son apparence anodine de magicien.

– Je suis bien content de vous avoir revus, les salua-t-il en reprenant le chemin du village.

Il apprit en arrivant devant la maison de Leomphe que ce dernier conviait la famille de Sutton et lui-même à un banquet en plein air. Farrell accepta, bien qu'il eût préféré se préparer à la cérémonie nocturne qui ferait de lui un être presque invincible.

Il alla d'abord se rafraîchir au puits, où des femmes l'entourèrent. Elles faisaient bien attention de ne pas laisser paraître leur intérêt, mais le magicien pouvait fort bien le sentir. Pourtant, c'était de notoriété publique qu'il était marié...

– Que puis-je faire pour vous, mesdames ? s'enquit-il finalement.

Les plus jeunes rougirent et se cachèrent derrière leurs mères.

– Nous voulions juste vous voir de plus près, se hasarda l'une d'elles.

Un large sourire sur le visage, le magicien fit un tour sur lui-même pour leur faire admirer tous ses attraits. Elles comprirent la plaisanterie et éclatèrent de rire.

– Ce n'est pas le Farrell qu'on a connu, chuchota une paysanne à sa voisine.

– Tout le monde vieillit, répliqua-t-il, ce qui la mit mal à l'aise.

Pendant qu'on apprêtait le repas et qu'on envoyait chercher Sutton, Leomphe convia sous son ombrelle celui qu'il croyait être son fils. Farrell prit place près de lui en avisant son air grave.

– J'aimerais profiter de ces quelques instants de tranquillité pour te parler sérieusement, commença le chef du village. Ta transformation nous étonne vraiment. Tu es devenu un homme important, un homme respecté. J'ai presque honte de ne pas t'avoir envoyé au château quand tu étais petit.

Onyx faillit rectifier qu'il l'avait pourtant fait, puis se rappela qu'il s'agissait de la vie d'Onyx. Ses personnalités étaient de plus en plus fusionnées... Leomphe ne sembla pas remarquer sa confusion.

– Nous avons entendu parler de ce que tu as fait au palais, poursuivit-il. Les marchands ont sans doute exagéré la taille des créatures qui se sont abattues sur vous, mais il n'en reste pas moins que sans toi, beaucoup de gens auraient péri.

– Vous en avez eu des échos jusqu'ici ?

– Jusqu'à la frontière. Nous avons également appris la mort du roi. Nous avons respecté la période de deuil, comme le veut la loi, mais nous ne pouvons nous empêcher de songer à la succession d'Émeraude Ier. Le peuple s'inquiète beaucoup que la Princesse Kira ne veuille pas prendre sa place.

– N'ayez crainte, on trouvera bien quelqu'un, répondit-il avec un sourire mystérieux.

– Nous ne voulons pas un politicien vêtu de velours qui ne connaît pas nos besoins. Nous voulons un roi magicien, capable de nous défendre.

– Ils sont plutôt rares.

– En fait, nous aimerions que ce soit toi.

Alors tout devint clair : Farrell comprit pourquoi on l'étudiait de la tête aux pieds. Toute sa vie, Onyx avait combattu dans l'espoir de gouverner un jour son pays de naissance. Pour toute récompense, après la guerre, on avait tenté de le tuer... Et maintenant, on lui offrait le trône sur un plateau d'argent ? Très intéressant...

– Tu ne dis rien ? le questionna Leomphe.

– Je suis professeur de magie... et j'ai une famille, protesta sa moitié Farrell.

– C'est aussi une des raisons qui poussent le peuple vers toi. Tu as déjà des héritiers.

– Excusez-moi, j'ai besoin d'y réfléchir.

Le magicien se leva sans même saluer son hôte et s'éloigna en direction des terres cultivées. Il marcha longtemps le long des rigoles qui irriguaient les sillons. Les travailleurs se retournaient sur son passage, mais il ne les voyait pas. Si Farrell n'avait que l'ambition d'élever des fils plus brillants que lui, Onyx, par contre, convoitait le trône d'Émeraude depuis fort longtemps. Il ne pouvait certes pas le prendre à Kira par la force, ce que les Chevaliers désapprouveraient, bien sûr, mais si on le lui donnait en cadeau... Ses fils ne seraient pas seulement instruits, ils deviendraient des princes d'Enkidiev et leur avenir serait assuré.

Lorsqu'il revint au village, le soleil se couchait. Sutton bavardait avec Leomphe devant un grand feu. Ses filles s'étaient mêlées aux jeunes gens du village. Seule Galli ne semblait pas s'amuser. C'est donc à côté d'elle que le mage choisit de s'asseoir.

– Vous semblez songeuse, lui glissa-t-il.

– Une chose me tracasse, avoua l'Espéritienne. Vous êtes aussi un descendant d'Onyx. Pourquoi n'avez-vous pas réclamé ces terres lorsque vous avez découvert les titres ?

– Ma place n'est plus ici. Elle est au Château d'Émeraude, où je peux former des enfants magiques. De plus, je suis un très mauvais fermier.

Son sourire rassura Galli, qui ne comprenait pourtant pas pourquoi le ciel leur accordait tant de largesses. Farrell accepta un morceau de viande grillée et une miche de pain d'une paysanne, qui lui fit une révérence. Il écouta les bavardages autour de lui en se rassasiant.

– Vous auriez pu devenir Chevalier comme mon fils, vous savez, avança Galli.

– Probablement, admit le magicien.

Il avala le contenu de sa chope. Ses souvenirs le ramenèrent à l'époque où il partageait ainsi le repas de son ami Hadrian, lors de leurs nombreuses campagnes militaires. Même s'il devenait le prochain Roi d'Émeraude, comme il l'avait toujours désiré, cette partie de sa vie lui manquerait à jamais.

Une dizaine d'hommes de son âge traversèrent alors la joyeuse assemblée, tirant Farrell de sa rêverie. Il reconnut parmi eux les deux vauriens qu'il avait suspendus un peu plus tôt aux ailes du moulin. S'il s'agissait d'un règlement de comptes, il allait pouvoir s'amuser un peu... Il demeura d'un calme déroutant jusqu'à ce que la bande s'arrête en face de lui, de l'autre côté du feu. Mais au lieu de l'attaquer, ses persécuteurs mirent un genou en terre.

– Ils sont venus s'excuser pour le mal qu'ils t'ont fait jadis, expliqua Leomphe.

Farrell les sonda rapidement. Sauf les deux brutes qui étaient terrorisées depuis leur vol giratoire, ils étaient sincères. Le magicien se leva en faisant bien attention d'imprégner ses gestes de majesté. Il avait suffisamment observé Hadrian dans le passé pour se comporter en vrai monarque.

– Je ne pourrai jamais oublier les douleurs que vous m'avez infligées ni les humiliations que vous m'avez fait subir, dit-il d'une voix forte. Je veux bien pardonner ces étourderies de jeunesse, mais pour être bien certain que personne ne subisse le même sort que moi à l'avenir, je vais jeter un sort à ce village.

Des murmures s'élevèrent parmi les villageois, qui craignaient tous la magie.

– Quiconque lèvera la main sur un plus faible que lui sera changé en pierre !

La personnalité d'Onyx se délecta de l'effroi qui gagnait le cœur des anciens compatriotes de Farrell. Il comprit, à leur expression, qu'on lui obéirait. La petite fête se poursuivit, mais avec un peu moins d'enthousiasme. Personne n'importuna les visiteurs. Lorsque Sutton annonça qu'il rentrait, le magicien décida de l'accompagner. Des paysans étaient allés chercher la famille d'Espérita pour le repas : ils étaient donc à pied. Cela ne découragea nullement Farrell, qui avait ingurgité un peu trop d'alcool. Il passa les bras autour de Sutton et des trois femmes et ils se volatilisèrent, achevant de semer la panique parmi leurs hôtes.

Le groupe réapparut un instant plus tard sur le porche de la nouvelle demeure des Espéritiens. Farrell libéra ses descendants, qui aimaient de plus en plus ce moyen de transport. Galli et ses filles s'empressèrent d'entrer pour allumer des bougies. Au lieu de les suivre, Sutton fixa le magicien en fronçant les sourcils.

– Sage m'a expliqué que ceux d'entre vous qui utilisent des vortex pour se déplacer ne peuvent aller qu'aux endroits qu'ils ont déjà visités.

– C'est exact.

– Vous connaissez donc cette maison ?

– Depuis fort longtemps. Entrons, je vous prie.

Farrell se dirigea sans hésitation vers le hall. D'un geste de la main, il fit naître un feu bienfaisant des bûches entassées dans l'âtre.

– Il y a beaucoup de choses que j'ignore à votre sujet, on dirait, remarqua Sutton en s'asseyant sur l'unique chaise de la pièce.

Il s'excusa de ne pas posséder un plus important mobilier. Un air espiègle flotta sur le visage du renégat. Il fit quelques pas le long du mur en l'effleurant du bout des doigts. Il s'arrêta brusquement et dégagea l'une des pierres à l'aide de sa magie.

– Mais que faites-vous là ? s'étonna Sutton.

Farrell plongea le bras dans l'orifice et en retira un énorme sac de toile refermé par un cordon. Il le déposa sur les genoux de l'Espéritien. Intrigué, celui-ci jeta un coup d'œil à l'intérieur : il était rempli de pièces d'or !

– C'est pour acheter des meubles, expliqua Farrell.

– Comment saviez-vous que cet argent était là ? Et à qui appartient-il ?

– Le Roi Hadrian ne voulait pas que son ami Onyx vive dans la misère.

– Cette cache vous a-t-elle été révélée dans les titres de propriété ?

Les yeux pâles du mage devinrent brillants de larmes.

– Non, avoua-t-il. C'est moi qui ai placé ce sac dans le mur il y a plus de cinq cents ans.

– Je ne comprends pas...

– Cette maison était mienne, jadis, commença Farrell en faisant apparaître une table, une chaise et une cruche de vin qu'il avait vues chez Leomphe.

Il s'assit et avala quelques gorgées d'alcool avant de poursuivre. Enveloppée dans des châles, Payla, Yanné et leurs mères prirent place près du feu.

– Mais Leomphe nous a dit que son fils habitait la forêt, se rappela Sutton, confus.

– C'est que je ne suis pas tout à fait Farrell. Je suis aussi Onyx.

L'Espéritien écarquilla les yeux, mais n'eut aucune réaction agressive. Alors Onyx leur raconta comment il avait d'abord survécu dans ses armes et de quelle façon il s'était emparé du corps de Sage. Il relata aussi l'affrontement avec le Magicien de Cristal, son emprisonnement dans sa tour puis sa libération grâce à Wellan. Il termina avec la possession de Farrell.

– Si ce que vous dites est vrai, vous êtes notre ancêtre, conclut Sutton.

– Une partie de moi l'est, l'autre appartient à Farrell.

– C'est pour cette raison que vous connaissiez l'existence des documents signés par le Roi Hadrian.

– Le Roi d'Argent était mon meilleur ami, mais il n'a pas su me protéger de la fourberie d'Abnar et de la cruauté de Nomar. De toute façon, c'est à moi de régler mes comptes.

Il leva la cruche en direction de Galli et de ses filles, puis vers Sutton.

– À mes descendants ! Je leur souhaite tout le bonheur qu'ils méritent !

Il avala le reste du vin d'un trait.

– Bonne nuit, fit-il en quittant le salon.

Stupéfaits, les Espéritiens ne réagirent même pas.

36

LE TEMPLE DE CINN

Malgré l'insistance de Galli, qui voulait lui offrir un de leurs lits, Farrell préféra s'allonger sur une couverture dans le jardin intérieur, afin de contempler les étoiles. Hawke lui avait enseigné à interpréter leur position et leurs mouvements, mais ce soir-là, c'était l'ancien soldat qui dominait son être. Durant ses campagnes aux côtés du Roi Hadrian, il avait souvent dormi sur le sol, dans la fumée des feux et les babillages de ses frères d'armes. « Lorsque je serai assez puissant, je te rappellerai auprès de moi », promit Onyx. Ils avaient ébauché tant de plans qu'ils n'avaient jamais réalisés à cause d'Abnar ! Son sang se mit à bouillir dans ses veines. Qu'était-il arrivé à cet Immortel ? Les dieux déchus l'avaient-ils éliminé ? Seule une entité supérieure avait le pouvoir de faire disparaître un demi-dieu.

L'alcool s'évapora graduellement de son corps tandis qu'il remuait ces vieux souvenirs. Il sonda la maison et constata que toute la famille dormait. Il se leva pour utiliser son vortex et réapparut à quelques pas de la formation rocheuse. La nuit était fraîche et humide. Farrell leva la tête : la lune était presque au bon endroit. S'il était arrivé un instant plus tard, il aurait été forcé d'attendre tout un mois.

Devant lui se produisit alors un phénomène d'une grande beauté, du moins pour un magicien, car un paysan aurait sans doute pris ses jambes à son cou. Une volute de fumée blanche s'échappa du sol. Elle se mit à tourner de plus en plus rapidement pour finalement prendre la forme d'une très jolie jeune fille vêtue d'une tunique courte. Blanche et diaphane, elle flotta doucement en direction des menhirs. Farrell demeurait immobile comme un loup aux aguets. Ses yeux pâles épiaient tous les gestes de la belle dame. Elle longea les pierres en les effleurant de la main, puis revint sur ses pas pour se fondre dans la deuxième à partir de la gauche. Le rocher s'illumina comme un astre. Puis la vision s'estompa.

Un sourire de prédateur fendit le visage du renégat. L'apparition de Cinn venait de lui indiquer l'endroit où se trouvait la griffe de toute-puissance. Cependant, ce n'était pas une mince affaire que de l'extirper de sa cachette. Heureusement, en plus des pouvoirs que le Magicien de Cristal lui avait jadis octroyés, il avait aussi reçu l'enseignement de Nomar durant ses années de captivité à Espérita. C'était justement ces facultés qu'il lui faudrait utiliser pour s'emparer de l'arme divine.

Farrell se concentra profondément. Des nuages noirs comme de l'encre se massèrent au-dessus de lui et voilèrent la lune. Le tonnerre gronda, faisant trembler toute la région.

– *Cor el erdnef riovuop zennod* ! s'écria-t-il en levant les bras vers le ciel

Un éclair fulgurant s'abattit sur lui, pénétra dans ses mains et ressortit au milieu de sa poitrine. D'un bleu étincelant, le rayon fonça sur le menhir et le fit éclater en morceaux. La tempête se déchaîna. Une pluie drue et glaciale se mit à tomber à torrents. En même temps, le vent s'éleva, impitoyable. Farrell le combattit et plongea la main dans le tas de pierres encore fumantes. Enfin, il toucha l'objet de sa convoitise ! Libérée de sa prison, la griffe se mit à se tortiller comme une chenille. Le magicien l'enfouit aussitôt dans un petit sac de cuir. Cette opération avait exigé beaucoup d'énergie de sa part. S'il ne se dépêchait pas, il resterait coincé dans cette clairière, à se faire fouetter par les éléments. Il utilisa les forces qui lui restaient pour créer son vortex. Pas question de retourner chez Sutton avec ce dangereux trophée. Il se matérialisa plutôt dans le moulin qui avait appartenu autrefois au père d'Onyx.

Dès qu'il se fut volatilisé, une éblouissante déesse descendit du ciel dans la forêt. Elle portait un vêtement blanc qui laissait voir ses mollets, ceint à la taille par un cordon d'étoiles. Ses longs cheveux noirs coulaient en cascades jusqu'à sa taille et ses yeux étaient de la couleur de la lune. La pluie ne l'importunait d'aucune manière, elle tombait à travers son corps éthéré sans le toucher. Cinn s'agenouilla devant les débris du rocher et capta la sorcellerie qui l'avait détruit.

– Ils ont trouvé la griffe..., s'alarma-t-elle.

Parandar savait que les dieux déchus avaient réussi à s'échapper, mais il n'arrivait pas à les repérer dans les nombreux mondes qu'il avait conçus. Il ignorait aussi ce qu'ils mijotaient. Le vol de cette arme allait certainement le mettre en furie. Mais Cinn n'avait pas le choix, elle devait lui en faire part. Elle baissa la tête et disparut.

Farrell commença par s'asseoir sur un tabouret près de la meule pour reprendre ses forces. Dehors, le vent soufflait en violentes rafales et la pluie flagellait le village. La meule tournait toute seule, mais n'avait rien à broyer. La griffe se débattait comme un petit animal dans la pochette où il l'avait enfermée. Le magicien n'avait pas de temps à perdre, sinon elle risquait d'attirer tout le panthéon. Il se rappela ce que Nomar lui avait raconté au sujet de cet instrument de pouvoir. Son utilisation était fort simple, mais il fallait être fort pour pouvoir s'en servir.

Il se laissa tomber sur ses genoux et attendit que sa main soit bien sèche. L'opération serait douloureuse, mais il ne pouvait plus reculer. Il devait protéger ses enfants et tous les humains contre les dieux déchus et c'était la seule façon de le faire. Il prit une profonde respiration. Avec prudence, il détacha le cordon qui tenait le sac de cuir bien fermé. D'un geste rapide, il s'empara de la griffe et la glissa sur le majeur de sa main gauche. La griffe s'immobilisa. Elle renifla la chair fraîche, puis y enfonça tous ses crocs.

Farrell poussa un terrible cri de souffrance et perdit conscience. Il ne sentit même pas le choc de sa chute sur le plancher usé du moulin. Dehors, l'orage s'apaisa, la pluie cessa et le vent se calma. Mais le magicien ne revint pas à lui avant le lever du soleil. Ses premiers rayons frappèrent son visage à travers l'étroite fenêtre. Leur bienfaisante chaleur lui fit battre des paupières. Avec difficulté, il parvint à s'asseoir. Il leva la main devant ses yeux et contempla la griffe : elle ressemblait à s'y méprendre à un bijou en argent étincelant en forme de tête de dragon, mais elle était bel et bien vivante et elle se nourrissait de son sang.

Il se leva en s'appuyant sur le mur. Sa tête tournait, mais son corps paraissait indemne. Il poussa la grosse porte du moulin et fut bien surpris par le spectacle qui s'offrit à lui. La tourmente avait fait beaucoup plus de dégâts qu'il ne l'avait cru. En bas de la colline, plusieurs chaumières de bois s'étaient écroulées et la rivière avait quitté son lit, transformant les rues en canaux de boue. Il descendit dans l'eau, qui lui arrivait à mi-cuisse, et se dirigea vers la maison de

Leomphe. Puisque cette dernière était en pierre, elle avait tenu le coup, mais la moitié de son toit en chaume avait été arrachée. Les femmes pleuraient en serrant leurs enfants, tandis que les hommes tentaient de récupérer tous les biens qui flottaient à l'extérieur des demeures.

– Farrell, possèdes-tu encore ton pouvoir d'influencer les éléments ? lança Leomphe qui s'agrippait à un buffet.

C'était bien la moindre des choses de leur prêter main-forte puisqu'il était responsable de cette dévastation. Le mage tourna doucement la tête vers la rivière et l'eau se mit à refluer vers ses berges. Il fit ensuite sécher la terre mouillée pour permettre aux villageois de circuler plus facilement. Leomphe réussit alors à se rendre jusqu'à lui.

– Merci, mon fils. Il y a bien longtemps que nous n'avons pas été surpris par une pareille tempête.

– Puis-je vous être utile d'une autre façon ?

– Non, tu en as fait assez. Nous allons nous mettre tous ensemble et rebâtir les maisons. Mais que fais-tu ici de si bonne heure ?

– Je suis venu vous dire au revoir. Je dois rentrer auprès de ma famille.

– As-tu réfléchi aux aspirations du peuple ?

– Je n'ai fait que cela, mais je n'ai pas encore pris de décision.

– Je me hâterais si j'étais toi, parce qu'ils pourraient bien tenter de te forcer la main. Allez, retourne au château et prends bien soin de mes petits-enfants.

Farrell le salua et se volatilisa. Mais au lieu de filer vers le palais, il s'arrêta d'abord chez Sutton pour s'assurer qu'il n'avait pas besoin de son aide. Curieusement, la propriété ne semblait pas avoir subi de dommages. Il entra dans la maison, où la famille était attablée.

– Nous ne vous avons trouvé nulle part ce matin, s'inquiéta Galli.

– J'avais besoin de prendre l'air, s'excusa le magicien.

Il accepta de prendre une bouchée avec les Espéritiens avant de regagner le château. Il cacha sa main gauche sous la table et n'utilisa que sa main droite. Il ne voulait surtout pas leur expliquer ce qu'il avait fait durant la nuit... Il mangea en écoutant les babillages des filles, puis promit de remettre un message à Santo de la part de Yanné. Galli l'étreignit de toutes ses forces, puis Sutton lui serra le bras à la manière des Chevaliers.

Farrell piqua vers le Royaume d'Émeraude. Il déposa le parchemin sur la poitrine du guérisseur qui dormait encore. Ces vaillants guerriers se rendraient sur la côte dans quelques heures. Exténué, le renégat apparut dans sa tour. Il se laissa tomber sur son lit en repensant aux curieux événements de la veille. Comment allait-il expliquer à son épouse la présence « permanente » de cette curieuse bague sur son doigt ?

– Est-ce qu'une femme te l'a donnée ? demanda Swan en montant l'escalier.

Il sursauta, n'ayant pas ressenti son approche. Avait-il affaibli à ce point ses facultés ?

– C'est bien la première fois que je te fais peur, s'amusa son épouse.

– J'ai perdu une partie de mes pouvoirs cette nuit, avoua-t-il en roulant sur le dos.

Elle exigea évidemment qu'il lui relate comment c'était arrivé. Il lui raconta sa visite au village, ainsi que l'épisode des rochers, puisqu'il s'était juré de ne plus jamais mentir à Swan. Elle garda d'abord un silence dubitatif et il ne fit rien pour la presser.

– Est-ce que tu me crois, au moins ? s'informa-t-il en voyant qu'elle ne disait toujours rien.

Elle l'obligea à lui montrer sa main gauche, qu'il gardait cachée dans les plis de sa tunique. Il y avait bel et bien sur son doigt une large bague composée d'une dizaine de sections métalliques qui se repliaient dans tous les sens et terminée par une petite tête de dragon à la gueule refermée. Swan la tourna vers elle. Ne reconnaissant pas cet humain, la griffe découvrit de petites dents acérées.

– Comment fais-tu pour l'actionner ? voulut savoir la femme Chevalier.

– Je ne fais rien du tout. Elle a sa vie propre.

– Un objet de métal ne peut pas être animé, Farrell.

– Celui-ci a été forgé par Danalieth. C'est une arme redoutable quand on sait l'utiliser.

– Mais pourquoi as-tu ressenti le besoin de la retrouver et de la porter ?

– C'est pour vous protéger, toi et les enfants. Il n'y a pas beaucoup de façons de repousser les attaques d'une divinité en colère.

Émue par la beauté de son geste, Swan se lova contre sa poitrine. Elle ne vit pas les efforts que faisait la griffe pour la mordre. Ses crocs argentés se refermèrent sèchement dans le vide. Farrell, par contre, avait senti le mouvement de son doigt. Il l'éloigna donc le plus possible de sa femme.

— Je ne sais pas ce qui va se passer, Swan, confessa-t-il. Cette histoire regarde surtout les dieux, mais je crains que notre monde ne devienne leur champ de bataille. Cela ne me plaît pas du tout.

— Tu vas encore être obligé de te battre avec nous, n'est-ce pas ?

— Les enfants sont en sécurité ici, ne t'inquiète pas.

Elle l'embrassa avec tendresse et constata, au bout de quelques baisers, qu'il s'était endormi. Elle le couvrit d'une couette et quitta la tour pour rejoindre son groupe qui s'apprêtait à partir.

ucteth

Afin d'assurer la victoire de ses jeunes troupes, Amecareth sacrifia plusieurs de ses esclaves à Listmeth, le premier empereur d'Irianeth, que ses descendants avaient déifié. Le sang de la dernière victime ruisselait encore sur l'autel lorsque le demi-dieu Ucteth apparut au fond de la grotte. Les insectes ne vénéraient pas les dieux de la même façon que les humains. Ils savaient qu'une puissance divine régnait sur l'univers, mais ils ne lui donnaient pas de nom. Elle faisait connaître sa volonté aux empereurs de leur civilisation par l'entremise des demi-dieux. Aussi loin que Amecareth pouvait se souvenir, seulement trois de ces êtres éthérés leur avaient rendu visite.

Plus instruit que tous ses sujets, l'Empereur Noir savait que les autres cultures avaient aussi des dieux, mais il refusait de reconnaître leur suprématie. Ucteth n'était pas la seule créature céleste à le conseiller, il avait aussi écouté les recommandations d'un Immortel, Nomar. Il n'avait toutefois pas vraiment compris ses motivations. Pourquoi un serviteur des humains s'était-il ainsi retourné contre eux ? Il ne lui avait jamais posé la question. Sa proposition de rassembler tous les hybrides sur Enkidiev avait représenté une économie d'énergie pour les hommes-insectes.

En agissant ainsi, Nomar aurait pu mettre la main sur Narvath. Mais sa perfide mère l'avait confiée aux Chevaliers d'Émeraude.

– Votre Altesse est bien songeuse, cliqueta Ucteth dans sa propre langue.

– J'ai procédé à de nombreuses immolations aujourd'hui, car je veux que mon armée écrase enfin la vermine humaine. Je désire que ma fille me soit rendue et qu'elle prenne sa véritable place auprès de moi. Sûrement, le Tout-Puissant doit le comprendre.

– Il a entendu cette prière, en effet.

Le demi-dieu à la tête de crocodile s'avança lentement vers l'empereur, en traînant sa longue queue sur le sol. Il n'avait pas peur de ce scarabée géant qui régnait sur la moitié du monde. Il le savait plus intelligent que ses congénères, mais plutôt lent à réagir.

– Il a décidé de vous venir en aide, ajouta Ucteth.

Il fit surgir sur l'autel sanguinolent une reproduction miniature du continent des humains. L'opération magique intéressa tout particulièrement le tyran. Il possédait lui aussi de terribles pouvoirs, mais il n'avait jamais eu à s'en servir. Ce n'était pas le rôle d'un empereur d'agir comme sorcier.

– Voici l'endroit où on a entraîné votre fille à devenir soldat, expliqua Ucteth en pointant d'une griffe le Château d'Émeraude, au pied de la plus haute montagne. Comme vous le savez probablement déjà, les Chevaliers patrouillent les royaumes côtiers à tour de rôle. Cette fois, le groupe de Narvath est resté au palais pour le protéger.

– Elle y est en ce moment ? se réjouit l'empereur.

– Jusqu'à la prochaine lune.

Une route s'illumina, qui menait de l'océan jusqu'à ce lieu. Elle se faufilait entre le Royaume des Fées et le Royaume d'Argent, mais semblait traverser un fleuve tumultueux. Même les jeunes guerriers insectes, forts et téméraires, refuseraient d'entrer dans ces eaux.

– C'est le plus court chemin, assura Ucteth. Je jetterai sur la rivière un pont qu'ils pourront franchir en toute sécurité.

Amecareth étudia la maquette pendant un long moment avant de faire connaître ses objections.

– Il y a des Chevaliers sur les plages, se rappela-t-il. Ils risquent de nous faire subir des pertes. J'aurai besoin que tous mes guerriers puissent attaquer cette forteresse.

– J'ai tout prévu, Altesse. Pendant que vos troupes débarqueront sur le continent des hommes, j'occuperai les Chevaliers ailleurs. Mais vous ne devrez pas perdre de temps.

– Je ferai en sorte que mon sorcier talonne mes guerriers.

– Cette enfant sera bientôt à vos côtés.

– Un Immortel l'a coupée de la collectivité, mais elle est toujours reliée à moi. Je sais qu'elle me suivra, le moment venu. Avant de partir, Ucteth, accordez-moi une autre faveur.

– Dites-moi ce qui vous ferait plaisir.

– Je n'ai pas eu le temps de bien voir Narvath lorsque Asbeth l'a attirée jusqu'ici. Montrez-moi son visage en vous servant de votre magie.

Amecareth désigna la reproduction d'Enkidiev à travers laquelle il pouvait passer la main. Ucteth l'exauça : le continent verdoyant se mit à tourbillonner et se transforma graduellement pour devenir le buste de la Princesse d'Émeraude. L'empereur contempla ses traits fins et sa peau mauve, ses oreilles pointues et ses cheveux violets. Certes, elle n'avait pas l'apparence de ses ancêtres, mais elle possédait beaucoup plus de puissance qu'eux.

– Si le Tout-Puissant me permet de la reprendre, je lui sacrifierai des milliers d'humains, jura-t-il.

– Et je vous demanderai le privilège d'assister à ce spectacle, siffla Ucteth, ravi. Quand vos guerriers partiront-ils ?

– Ils sont prêts.

– Dans deux jours, la côte sera libre.

Il se volatilisa et l'image de Kira avec lui. Amecareth s'inclina devant la statue de Listmeth en le remerciant de lui avoir envoyé ce demi-dieu.

Toujours sous son apparence reptilienne, Nomar regagna son Royaume de Zircon, sous le Désert, afin de préparer la deuxième phase de son plan. Abnar était debout dans sa cellule, le dos tourné. Le dieu déchu comprit qu'il méditait. Ou tentait-il de communiquer avec ses maîtres célestes ?

– Personne ne vous entendra, lui dit la félonne créature.

– Ne sous-estimez jamais le pouvoir du bien, répliqua le Magicien de Cristal sans remuer un cil.

– Vous devriez faire plus attention lorsque vous vous adressez à un dieu, Abnar. Il pourrait vous en coûter.

– Pourquoi me retenez-vous ici ? Pourquoi ne me détruisez-vous pas ?

– Vous pourriez encore me servir avant la fin. Soyez patient.

Le reptile se posta devant l'étang à la surface bleutée. Abnar remarqua qu'il se plaçait toujours au même endroit lorsqu'il se servait de cet outil magique. Le captif s'approcha du mur invisible qui scellait son cachot. Il ne pouvait pas signaler sa détresse à Parandar, ni intervenir pour sauver les humains, mais en surveillant Nomar, peut-être apprendrait-il comment se sortir de cette impasse.

– Le noble Chevalier Wellan a engendré un Immortel.

– Votre petit-fils, précisa Abnar.

– Il n'y a que vous qui le sachiez.

Le gavial agita lentement sa main écaillée. L'eau passa subitement du bleu au rose. Le Magicien de Cristal devina aussitôt qu'il scrutait le monde des Immortels.

– Que lui voulez-vous ? s'inquiéta-t-il.

– J'ai besoin de lui pour appâter un gros gibier. Mais pour le faire venir à moi, je dois connaître son odeur divine.

Nomar contempla la surface de la mare pendant de longues heures sans remuer le moindre muscle. L'étanchéité de son alvéole ne permettait pas à Abnar de sonder le malfaiteur : il devait donc se fier uniquement à ses yeux. Il vit passer des images dans le miroir vivant, mais sans pouvoir vraiment les interpréter. Puis, sans crier gare, le reptile disparut. « Il a donc repéré ce qu'il cherchait... », s'alarma l'Immortel.

– Miroir, j'ai besoin de revoir la dernière scène, ordonna-t-il en imitant la voix de Nomar.

Le visage innocent de Dylan flotta sur l'eau tranquille. « Il n'osera jamais lui faire de mal », essaya de se convaincre le Magicien de Cristal. « Fan ne lui pardonnerait jamais un tel crime. »

– Miroir, dis-moi comment sortir d'ici, tenta-t-il, désespéré.

Sa surface redevint paisible. Sans doute Nomar ne lui avait-il pas fourni cette information dangereuse.

– Je dois trouver une façon de m'échapper...

Il retourna à l'endroit où Nomar l'avait surpris et continua à arracher des fragments du mur.

38

UNE DIVERSION

Toujours sous la forme d'un gavial, car c'était celle qui lui permettait d'utiliser tous ses pouvoirs magiques, Nomar se matérialisa sur la plage du Désert. Il fit bien attention de garder autour de lui un écran protecteur afin de ne pas être repéré trop rapidement par les Chevaliers qui surveillaient la côte. Il avait mis longtemps à localiser l'adolescent lumineux dans ce monde étrange qu'avait créé Parandar pour ses serviteurs immortels. En fait, Dylan semblait jouir d'une grande liberté, car il se déplaçait souvent entre les différentes sphères célestes. Qu'importe, il l'avait retrouvé.

Le dieu déchu déposa d'abord des pierres transparentes sur le sable, en dessinant un grand cercle. Satisfait de leur position, il leva ses petits yeux noirs de reptile vers le ciel. Dans un grondement qui ressemblait à celui d'un chat, il ordonna aux éléments de lui obéir. Il devait faire vite, car la turbulence climatique attirerait infailliblement les Chevaliers et peut-être même des dieux. Les nuages se mirent à tourner rapidement sur eux-mêmes jusqu'à former un entonnoir. Nomar ouvrit alors sa large gueule et darda un immense tentacule dans la cavité.

En vieillissant, Dylan appréciait de plus en plus ses professeurs inhabituels. Certains étaient transparents comme du verre, d'autres possédaient des ailes. Sa protectrice, la déesse Theandras, entièrement constituée de flammes, lui enseignait à manipuler le feu. Le jeune Immortel avait compris, au contact de son père humain, la valeur de l'instruction. Après la leçon que lui avait servie Parandar, il avait aussi appris l'importance de rester en vie. Il avait donc cessé de se dérober et assistait désormais à tous ses cours.

Lorsqu'il était enfant, on le confinait au monde des Immortels, mais maintenant, on le laissait circuler où bon lui semblait, sauf dans l'enceinte des dieux. Personne ne pouvait y accéder sans y avoir été appelé... comme le jour où Parandar avait failli le faire disparaître à tout jamais. Dylan écarta ce terrifiant souvenir. Il venait de terminer une leçon sur l'histoire du monde, prodiguée par Clodissia elle-même. Il aimait bien la voix douce et les manières suaves de cette divinité. Quand il s'asseyait pour l'écouter, il oubliait complètement ses autres obligations.

Dylan franchit la plaine qui séparait son monde de celui de ses maîtres. Il s'arrêta un moment dans sa cellule, puis décida d'aller voir ce qui se passait sur Enkidiev, tout en respectant les règles qu'on lui imposait. Il y avait, dans l'anti-chambre des morts, un grand étang aux eaux limpides qui permettaient aux défunts de jeter un dernier coup d'œil à l'univers qu'ils venaient de quitter. Les dieux n'interdi-saient pas à leurs serviteurs de l'utiliser. D'ailleurs, sa mère, le maître magicien Fan de Shola, y avait régulière-ment recours depuis qu'elle était devenue Immortelle.

L'adolescent traversa la forêt noire parsemée d'arbres de cristal dans le tronc desquels ne coulait plus aucune sève. La première fois qu'il avait pénétré dans cet endroit sombre où le sol ne renvoyait pas le bruit des pas, il avait tourné les talons, effrayé. Puis, petit à petit, il s'était aventuré toujours un peu plus loin, jusqu'à ce qu'il découvre le bassin, au milieu de cette sylve insolite.

Cette étrange mare était entourée de roches transparentes de grande taille. Il suffisait d'y grimper, de se pencher sur la surface miroitante, puis de penser à la personne ou au lieu qu'on désirait voir. Dylan se servait souvent de cette fenêtre sur le monde pour observer ce que faisait Wellan, Kira ou Jenifael. Ce jour-là, c'était à sa sœur qu'il s'intéressait.

Il se hissa sur un mégalithe cristallin, mais n'eut pas le temps de formuler mentalement sa demande : une énorme langue de reptile fendit la surface de l'eau et s'enroula autour de sa taille. Il voulut crier à l'aide, mais le tentacule l'entraîna dans l'étang. Normalement, les Immortels ne ressentaient pas les mêmes émotions que les humains, mais le trajet à vive allure dans un tunnel de brouillard paniqua l'adolescent. Pourtant, il ne lui vint pas à l'idée qu'on venait de l'enlever.

Il atterrit brutalement dans le sable, une autre sensation nouvelle pour une créature dont le corps physique n'était qu'une illusion. Malgré sa tête qui tournait, il parvint à s'asseoir. Le soleil l'aveugla, aussi ne put-il pas distinguer tout de suite son ravisseur. « Suis-je devenu mortel ? » s'alarma-t-il.

– Il faudrait pour cela que tu aies commis une faute très grave, fit une voix qu'il ne connaissait pas.

Dylan protégea ses yeux avec sa main. Ce qu'il aperçut alors lui causa un grand choc.

– Ne me dis pas que tu n'as jamais vu un dieu ! se moqua Nomar.

L'adolescent garda le silence. Il ne savait pas s'il avait le droit de s'adresser à une pareille entité, et les écailles qui recouvraient son interlocuteur le déroutaient.

– Ils t'ont mangé la langue ?

Se sentant en danger, Dylan voulut alerter ses maîtres, mais ses appels télépathiques se heurtèrent à un mur invisible et lui revinrent aussitôt. Il tenta de se dématéraliser pour retourner chez lui, mais n'y parvint pas.

– Ne perds pas ton temps, ils ne t'entendent pas, l'avertit Nomar.

– Qui êtes-vous et que me voulez-vous ? se fâcha l'être de lumière.

– La première question m'étonne, puisque les dieux sont responsables de ton éducation.

– Ils ne m'ont jamais parlé d'un être tel que vous.

– Vraiment ? Est-ce qu'ils n'ont pas mentionné Akuretari ?

Si Dylan avait pu blêmir, il l'aurait fait. On lui avait évidemment raconté les bêtises du jeune frère de Parandar, qui avaient finalement mené à son exil.

– Je suis Akuretari.

– Où sont les autres dieux déchus ? osa demander l'adolescent.

– Ce n'est pas à eux que tu as affaire, mais à moi. Et cette apparence qui te répugne, sache que c'est celle de toutes les divinités qui peuplent le ciel. Puisqu'elles ont le pouvoir de se métamorphoser, elles ont choisi de ressembler au genre humain, question de plaire à Parandar qui a créé les hommes.

– Je ne vous crois pas...

– Tu poses des questions, mais tu n'es pas prêt à écouter les réponses ? Quel curieux petit Immortel tu fais...

Dylan promena discrètement son regard bleu autour de lui. Il ne ressentait pas d'énergie qui puisse l'empêcher de partir.

– Ces pierres proviennent d'un endroit où même mon frère n'a pas accès, expliqua Akuretari. Elles ne te laisseront pas passer.

Pour appuyer ses dires, le reptile remua la main. Des jets de feu jaillirent de chacune des roches transparentes.

– Nous arrivons maintenant à ta deuxième question.

Le gavial se mit à marcher autour du cercle enflammé en traînant sa lourde queue dans le sable. Dylan tentait de se montrer brave, mais il commençait à avoir très peur.

– On ne te l'a peut-être pas dit, mais les dragons appartiennent aux dieux. Parandar en a donné aux humains pour qu'ils leur servent de compagnons. S'il savait ce que ces derniers en ont fait... À force de les chasser pour manger leur chair ou utiliser leur peau et leurs cornes pour fabriquer toutes sortes de colifichets, les hommes les ont rendus agressifs et dangereux. Aujourd'hui, les dragons qui habitent Enkidiev et les autres continents se nourrissent de chair fraîche, alors qu'autrefois, ils étaient herbivores.

– Pourquoi me parlez-vous de ces bêtes ? s'étonna l'Immortel.

– Parce que tu seras leur prochain repas, bien sûr.

– Je n'ai même pas de corps physique !

– Mes dragons à moi dévorent des êtres lumineux. Je t'ai piégé, tout comme on prend les lièvres pour sustenter les chiens de chasse. Je suis bien content de t'avoir connu, fils d'un grand guerrier.

Sans plus de façon, Akuretari s'éloigna en direction de la plage, où il s'évapora. Dylan commença par penser qu'il s'agissait d'un mauvais rêve, car, contrairement à ses semblables, il lui arrivait de faire des cauchemars. Il avança prudemment la main entre deux flammes et fut violemment repoussé sur le sol. Cette prison n'était que trop réelle...

– Mère ! cria-t-il de tous ses poumons. Père !

Il ignorait que tous ses appels, sonores ou énergétiques, étaient amplifiés par le cercle de feu, qui les transformait en cliquetis et en sifflements !

De garde à Zénor, Bergeau fut le premier à capter quelque chose d'anormal. Avec l'aide de ses soldats, il détermina qu'un nombre important d'hommes-insectes et de dragons venaient de débarquer dans le Désert. La seule façon pour eux de gagner les royaumes habités était de couper vers Zénor et de contourner ses falaises.

– Ils vont venir directement ici, comprit Bergeau.

– Pas si nous les interceptons maintenant, riposta Wimme.

Ils signalèrent l'arrivée de l'ennemi à Wellan, mais ce dernier avait déjà ressenti sa présence depuis le Royaume des Fées qu'il patrouillait. Puisque les Chevaliers qui possédaient des bracelets n'étaient jamais allés dans cette partie du continent, Wellan décida que tous se matérialiseraient près du Château de Zénor, avec leurs chevaux.

Les vortex se mirent à apparaître sur la plage. Très droit sur sa selle, le grand chef observa le magnifique spectacle : en quelques minutes seulement, plus de deux cents cavaliers s'alignèrent devant lui. *Et nous ?* demanda la voix de Jasson, qui se trouvait au Château d'Émeraude. *Restez où vous êtes pour l'instant*, répondit Wellan. Falcon arrêta son cheval près de celui de Lassa.

– Ils sont très proches, les informa-t-il.

– Je dirais même qu'ils sont à la frontière entre les deux pays, ajouta Chloé.

– Allons-y et gardez vos apprentis près de vous, ordonna Wellan.

Les destriers détalèrent au galop, le groupe du grand Chevalier en tête. À l'aide de ses sens magiques, ce dernier estima que l'ennemi avait mis pied à terre à deux heures environ du Château de Zénor et que, en toute probabilité, il viendrait à leur rencontre. Il ne fallait pas épuiser les chevaux, ni les hommes, avant l'affrontement.

Lassa suivait son maître en silence. C'était la première fois qu'il allait voir de vrais hommes-insectes, pas des illusions créées par son ancien professeur de magie. On lui avait appris que leur seul point faible était l'intérieur de leur coude, mais comment pourrait-il l'atteindre, lui qui leur arrivait à peine à la ceinture et qui avait de la difficulté à garder le pommeau de son épée dans sa main ? Tout en épousant les mouvements de sa monture, il chercha à apercevoir ses amis. Jenifael chevauchait tout près de Swan, sur une magnifique jument rousse. Son air déterminé fit comprendre au porteur de lumière qu'elle était prête à se battre.

Il se tordit le cou pour jeter un coup d'œil au détachement de Falcon. Il n'était pas difficile de repérer Kevin et Liam, qui montaient tous les deux des chevaux-dragons. Le fils de Jasson semblait ravi à l'idée de se mesurer pour la première fois à des monstres. « Mais moi, j'ai peur... », pensa-t-il.

– Tu n'as rien à craindre, lui dit Wellan d'une voix forte. Je ne laisserai rien t'arriver.

– Merci, maître...

Après deux heures de route, ils ne voyaient toujours aucun signe d'invasion. C'est Santo qui remarqua le premier le cercle de feu à proximité du ressac. Il galopa aussitôt pour rejoindre Wellan.

– Regarde là-bas, sur la droite !

Le grand chef utilisa à la fois ses yeux et ses sens magiques.

– Ce n'est pas une manifestation normale ! s'exclama-t-il.

Il leva le bras pour faire ralentir ses soldats. En approchant du curieux phénomène, ils distinguèrent une forme humaine à l'intérieur des flammes. S'agissait-il d'un autre piège ? Wellan arrêta complètement la troupe.

– Lassa, reste là.

Il sauta à terre, chargea ses paumes et s'avança. Bridgess, Bergeau, Santo, Dempsey, Chloé et Falcon l'imitèrent. Les autres restèrent en selle, prêts à foncer au premier commandement. Quelle ne fut pas la surprise de Wellan de reconnaître son fils !

– Mais que fais-tu là ? s'étonna le père en faisant disparaître les serpents électrifiés de ses mains.

– Ne tentez pas de me rejoindre, je vous en conjure ! l'avertit l'adolescent. Une terrible énergie vous blesserait !

– Tu ne peux pas sortir ? demanda Wellan en s'immobilisant à quelques pas des jets incandescents.

– Non. J'ai déjà essayé.

– Qui t'a emprisonné ici ?

Dylan hésita à dire ce qu'il savait devant les compagnons de son père. Parandar lui-même lui avait interdit de parler de l'évasion des divinités détrônées.

– Est-ce Asbeth ? voulut savoir Chloé.

– Et si ce n'était pas vraiment ton fils ? s'inquiéta Falcon. Ce pourrait être Asbeth lui-même !

– Le sorcier nous a déjà tendu des pièges, l'appuya Bergeau.

« Ils ont raison », reconnut Wellan. « Asbeth est passé maître dans ce genre de ruse. »

– Dis-moi quelque chose que les serviteurs de l'Empereur Noir ne peuvent absolument pas savoir, exigea-t-il.

– Jenifael a été conçue par la déesse de Rubis à partir de votre chair, révéla Dylan.

– De ma..., répéta le père, stupéfait.

– Bon, il fallait qu'il tombe sur quelque chose que tu ne sais même pas toi-même, marmonna Bergeau.

Dylan capta l'hésitation de son père et l'étonnement de son épouse. Il devait absolument les convaincre qu'il disait la vérité à son sujet avant l'arrivée des terribles bêtes mangeuses d'êtres de lumière.

– Vous m'avez dit que vous m'apprendriez à pêcher ! ajouta-t-il rapidement.

Wellan se détendit d'un seul coup.

– C'est bien mon fils, assura-t-il.

– Et ces flammes, c'est un jeu d'Immortel ? ironisa Bergeau.

– Pas du tout, rétorqua Dylan. J'ai été séquestré ici par un...

– Un ? le pressa Chloé.

– Un dieu déchu.

– Il fallait s'y attendre, soupira Santo en se rappelant ce qui s'était passé au château.

Dempsey remarqua de curieuses traces dans le sable et se pencha pour les examiner de plus près. Il ne voulait pas être surpris une deuxième fois par un sorcier marin.

– Pourquoi ne t'a-t-il pas tué ? s'enquit Bridgess en reprenant contenance.

– Il m'a enfermé ici pour que ses dragons me dévorent ! paniqua l'adolescent.

– Ils se servent de dragons eux aussi ? s'étonna Chloé.

– Pas de la même espèce. Akuretari a dit que les siens ne mangeaient que des êtres de lumière !

– Akuretari ! s'exclamèrent les Chevaliers en chœur.

Dylan s'aperçut qu'il avait trop parlé. S'il sortait vivant de ce mauvais pas, c'est Parandar lui-même qui mettrait fin à ses jours.

– Qui est-ce ? demanda Bergeau, qui avait été moins assidu que ses frères en classe.

– C'est le frère de Parandar, expliqua Wellan. On le nomme dans les livres, mais on ne parle jamais de ses fonctions.

– Parce qu'il a été jeté dans un gouffre sans fond après avoir défié le chef des dieux, les éclaira davantage Dylan.

Maintenant qu'il avait désobéi à son maître, aussi bien aller jusqu'au bout.

– Wellan, il y a de curieuses empreintes ici, les interrompit Dempsey, toujours accroupi. On dirait celles d'hommes-lézards.

– Akuretari ressemble davantage à un crocodile, répliqua Dylan. Mais il a aussi une queue.

– On dirait la créature que Farrell a vue au pied de la tour de Hawke, se souvint Bridgess.

– Ce n'est donc pas Nomar, mais le dieu Akuretari qui en a après nous, déduisit Falcon.

– À moins qu'ils soient de connivence, fit Dempsey en se levant.

Wellan ne les écoutait qu'à moitié. S'il existait vraiment un monstre qui se nourrissait d'Immortels, il lui fallait trouver rapidement une façon de sortir Dylan de cette malencontreuse situation.

– Est-ce que quelqu'un ressent la présence de l'armée des insectes ? interrogea alors Chloé.

Ils balayèrent la région et captèrent un mouvement lent mais important sur la plage, plus au sud.

– Je n'aime pas ça, Wellan, grommela Bergeau.

– As-tu vu passer des hommes-insectes ? demanda Falcon à l'adolescent.

– Non, pas du tout.

– Je me demande bien ce qu'ils font si loin de Zénor, s'inquiéta Santo.

– Dylan, répète-moi ce qu'il t'a dit.

L'Immortel lui relata fidèlement chacun des mots d'Aku-retari. Les Chevaliers parurent bien surpris d'apprendre que les dieux ressemblaient à des crocodiles et, encore plus, que des dragons puissent encore se trouver sur Enkidiev. Wellan implora ses frères de l'aider à sortir son fils de sa prison. Les premières tentatives, utilisant la force brute, ne rimèrent à rien. Il devint évident que la méthode devait être plus subtile.

Certains des Chevaliers continuèrent de sonder le Désert pour ne pas être surpris par l'armée impériale. Ceux qui portaient des bracelets magiques allèrent chercher de quoi confectionner des abris. Ils ne voulaient pas s'éloigner, afin de protéger Dylan et d'empêcher les soldats-insectes de remonter vers le nord. Les autres s'occupèrent de leur procurer de l'eau potable. Pendant tout ce temps, Wellan, Bailey, Gabrelle et Colville essayèrent tous les enchantements possibles pour libérer Dylan. Rien ne fonctionnait. Le grand chef fit alors appel à sa fille.

Jenifael s'approcha de son grand frère lumineux qu'elle connaissait à peine. « Plus il grandit, plus il est beau », constata-t-elle. Les joues rouges de timidité, elle tenta de faire naître dans ses mains le feu de la déesse. Ses flammes engouffrèrent soudainement celles qui émanaient des pierres transparentes, mais ne les éteignirent pas.

– Je suis vraiment désolée, murmura l'apprentie en mettant fin à cette opération qui lui causait de la douleur dans les paumes.

– L'important, c'est d'essayer, assura Dylan, assis dans le cercle, impuissant.

L'enfant divine baissa les yeux et retourna auprès de son maître, qui la remercia d'avoir fait son possible. C'est alors que Derek se rappela la bulle d'énergie qui avait aussi emprisonné Kira.

– Il faut creuser ! s'exclama-t-il triomphalement.

Wellan ne s'habituait pas à voir un Elfe manifester autant d'exubérance. C'étaient en général des êtres plus réservés. Les Chevaliers et les Écuyers se mirent à excaver le sable avec leurs mains. Nogait secoua la tête avec découragement.

– On dirait une bande de gamins d'Émeraude ! s'exclama-t-il. Allez, débarrassez !

Si Wellan avait su ce qu'il avait l'intention de faire, il l'en aurait tout de suite empêché. Les ouvriers de fortune reculèrent en le rabrouant pour son commentaire. Nogait ne les écouta pas. Jasson, qui avait été son maître, lui avait montré à utiliser son pouvoir de lévitation. Le Chevalier crut qu'il pourrait soulever la geôle invisible et ainsi libérer le prisonnier. Il réussit à la faire décoller, mais elle se mit à aspirer le sable à une vitesse incroyable, menaçant de faire suffoquer Dylan.

Le grand chef obligea Nogait à baisser les bras. Les pierres cristallines retombèrent brulatement. À présent, il y avait tellement de sable dans la bulle que l'adolescent lumineux avait à peine assez de place pour se mouvoir.

– Dylan, est-ce que ça va ? le questionna Wellan, inquiet.

– Je ne comprends pas ce qui m'arrive, père. Les Immortels ne sont pas censés ressentir de la douleur, mais j'ai mal...

Curieusement, son coude était éraflé.

– Au moins, on sait qu'il n'est pas une illusion, raisonna Bailey.

– As-tu tenté d'appeler ta mère à ton secours ? s'informa Wellan.

– Bien sûr, et vous et Theandras aussi. Il n'y a que vous qui ayez répondu à mon appel.

– Je suis venu parce que nous avons détecté une invasion sur les plages du Désert.

Wellan tenta à son tour de communiquer avec le ciel, mais rien ne se produisit.

N'ayant rien de mieux à faire en attendant que quelqu'un trouve une solution, les Chevaliers et les apprentis se remirent à creuser. Dylan s'était allongé sur le côté. Il semblait exténué. « Quelque chose ne tourne pas rond », s'énerva Wellan. Il posa les mains sur ses hanches et sonda l'océan : il y flottait une odeur indéfinissable...

Pendant que les excavations allaient bon train, un important commando de jeunes soldats-insectes débarquait sur la plage du Royaume d'Argent, là où commençait son imposante muraille. Asbeth se posa sur les créneaux et les observa tandis qu'ils progressaient en colonne vers l'est, à l'extérieur du mur. Une fois qu'ils furent tous sur le sol, l'homme-oiseau prit son envol. Entouré d'un écran de protection, il agirait à titre d'éclaireur sans que les habitants du royaume puissent le repérer. Il aperçut, avec beaucoup de satisfaction, que le demi-dieu Ucteth avait tenu sa promesse : un pont traversait la rivière Mardall. Curieusement, il avait choisi de lui donner une forme de dragon allongé, dont les pattes reliaient les deux rives. Il en avait aplati le dos pour que les fantassins puissent l'utiliser.

À la vitesse où ils avançaient, les guerriers d'Amecareth ne rejoindraient le Château d'Émeraude que quelques jours plus tard. Il lui fallait trouver une façon d'accélérer leur allure. Il aurait bien aimé posséder des bracelets comme les Chevaliers, mais il ne connaissait pas cette magie. Dès que les hommes-insectes auraient franchi le cours d'eau, il utiliserait sa propre sorcellerie.

39

Les enfants de Lumière

La nuit venue, les Chevaliers allumèrent des feux sur la plage et s'enroulèrent dans leurs couvertures. Les Écuyers avaient nourri les chevaux avec le fourrage rapporté à l'aide des vortex. Ils somnolaient maintenant auprès de leurs maîtres. Il n'y avait pas eu d'histoire contée par Bergeau ni de chanson accompagnée de harpe par Santo, car les soldats continuaient de sonder le Désert. Comme les forces ennemies semblaient s'être immobilisées, Wellan autorisa ses hommes à se reposer tandis qu'il prenait le premier tour de garde, le dos appuyé contre sa selle. Il avait analysé de nombreuses batailles contre les guerriers d'Amecareth et lu les journaux de plusieurs anciens Chevaliers, mais il ne comprenait pas ce que mijotait l'empereur, cette fois. Asbeth profitait-il de l'intervention du dieu déchu pour faire une percée sur le continent ? Si oui, pourquoi avait-il choisi le Désert ? Il aurait été bien plus rapide de pénétrer à l'intérieur des terres par le Royaume des Fées ou celui de Cristal. L'empereur avait-il forgé une nouvelle alliance avec Akuretari ?

La lune descendait lentement dans l'océan lorsque le grand chef céda sa place à Kevin et à Volpel. Le Chevalier invalide ne pouvait plus utiliser ses pouvoirs magiques, mais il possédait une vision parfaite dans le noir.

Lassa était étendu près de Wellan. Il savait bien que ce dernier ne dormirait que quelques heures, car il avait appris à refaire ses forces rapidement lors de son séjour au Royaume des Ombres. L'apprenti espérait qu'il lui enseignerait cette technique en vue de son combat avec l'empereur. Mais pour l'instant, le prince de Zénor n'arrivait tout simplement pas à dormir.

Couché sur le flanc, il contemplait le jeune Immortel emprisonné dans une bulle invisible, aux trois quarts remplie de sable. Dylan était dans la même position que lui et il ne dormait pas non plus. Lassa se leva, gardant la couverture sur ses épaules, et vint s'accroupir près des pierres transparentes. Dylan se redressa sur ses coudes pour le regarder dans les yeux.

– Je suis Lassa, annonça-t-il, la voix presque noyée par le fracas des vagues qui s'écrasaient dans les galets.

– Je sais qui tu es.

– Est-ce que tu as tenté de te déplacer magiquement ?

– J'ai tout essayé. Cet enchantement ne ressemble pas à ceux de mes mentors.

– C'est dommage, regretta le porteur de lumière. Tu côtoies les dieux, n'est-ce pas ? Est-ce vrai qu'ils ressemblent à des gavials ?

– Non. Ils ont une forme humaine, tout comme moi.

– Est-ce que tu peux voir l'avenir ?

– Si je le pouvais, je ne serais pas dans cette fâcheuse situation, grommela Dylan, mécontent.

– Je suis navré, je ne voulais pas t'offenser.

– Tu n'as rien fait de tel, rassure-toi. En fait, je suis bien content que tu te sois approché. Je commençais à me sentir seul.

Lassa s'en montra surpris.

– Je n'ai connu qu'un seul Immortel et il ne semblait pas souffrir de solitude, se rappela-t-il.

– Abnar se sent encore coupable de la mort de milliers d'hommes lors de ses premières années de service. Il ne se donne pas le droit d'avoir des faiblesses.

– Je croyais que les demi-dieux n'en avaient pas.

– Personne n'est parfait, Lassa, pas même nous.

« Cela explique bien des choses », songea l'Écuyer. Il se demanda alors si le fils de Wellan connaissait la prophétie.

– Évidemment, répondit Dylan, qui lisait ses pensées. Ce sont les dieux qui placent ces messages dans le ciel. Personnellement, je ne connais pas tous les présages, mais j'ai entendu parler de celui qui concerne le porteur de lumière et la princesse sans royaume.

– Les humains l'interprètent-ils correctement ? Je veux dire, suis-je bien ce personnage ? Pourrait-il s'agir d'un autre garçon ?

– Je ne crois pas. Si le Magicien de Cristal est allé te cueillir au berceau, c'est qu'il t'avait reconnu. Il est peut-être solitaire, mais il a d'immenses pouvoirs.

Le prince soupira avec découragement.

– Nous sommes encore trop jeunes pour vraiment comprendre le rôle que nous jouerons plus tard, Lassa, voulut le réconforter l'Immortel.

– C'est que je ne suis pas du tout attiré par la guerre. Je ne vois pas comment j'arriverai à tuer quelqu'un.

– Je pense que tu n'auras pas le choix si tu te retrouves devant l'Empereur Noir. Ce sera toi ou lui.

– Est-il obligé de l'affronter seul ? demanda une voix dans l'obscurité.

Le visage de Liam apparut à la lumière des flammes. Tout comme son ami, il se protégeait du froid avec sa couverture. Il se laissa tomber sur les genoux à côté de Lassa.

– Je suis Liam, fils de Jasson et de Sanya d'Émeraude et Écuyer du Chevalier Kevin.

– J'ai entendu parler de toi, assura Dylan.

– Où ça ? s'étonna le gamin.

– Dans mon monde. Les Immortels racontent aux dieux tout ce qu'ils voient dans les univers où ils ont été envoyés.

– Est-ce qu'ils disent de bonnes choses à mon sujet ?

– Ils affirment que tu es déjà un brave petit soldat. C'est pour cette raison qu'ils t'ont choisi un destin très particulier. Tu serviras de bouclier à Lassa.

– Je préférerais être une épée ! s'insulta Liam.

Dylan éclata de rire, ce qui prit les deux enfants de court. Ils n'avaient jamais vu même sourire Abnar.

– Un bouclier sert non seulement à protéger une partie du corps, mais on l'utilise aussi pour se dissimuler, expliqua Jenifael en rejoignant les garçons.

L'Immortel contempla le doux visage de sa sœur. Elle était blonde comme ses parents terrestres, mais ses traits appartenaient à sa mère céleste.

– Je vais être obligé de le cacher ? voulut savoir Liam, qui ne comprenait pas très bien son rôle.

– Mais non, l'informa la petite déesse. Tu l'aideras à passer inaperçu aux yeux de l'ennemi. Rappelle-toi ce que tu m'as raconté au sujet de la première escapade de Lassa. Asbeth ne savait plus lequel de vous deux était le porteur de lumière, parce que ton bouclier a fonctionné : tu l'as confondu.

– J'avais quatre ans ! Je ne savais même pas ce que je faisais !

– Jenifael a raison, l'appuya Dylan. Du point de vue de l'énergie, il est difficile de vous différencier.

– Est-ce que tu nous aideras ? s'enquit Liam.

– Parandar a prévu que je remplacerais Abnar un jour, mais je ne sais pas quand.

– Il pourrait te faire commencer maintenant, puisque le Magicien de Cristal a disparu, raisonna Lassa.

– Comme vous le savez, les Immortels doivent obéir à leurs maîtres divins. Ils ne peuvent pas vraiment leur faire de telles requêtes.

Liam allait protester que le panthéon ne pourrait pas prendre une décision si on ne le prévenait pas de ce qui se passait sur Enkidiev, lorsque Kevin contourna la prison invisible.

– On vous avait demandé de dormir, leur rappela le Chevalier.

Les enfants filèrent sans demander leur reste, car la moindre désobéissance de la part d'un Écuyer pouvait entraîner son exclusion de l'Ordre. Le soldat posa ensuite ses iris éclatants sur le captif.

– Ils voulaient seulement me distraire, les excusa Dylan.

– Je sais, mais ils ne tiendront pas sur leurs jambes demain s'ils ne se reposent pas. Contrairement aux demi-dieux, ils ont besoin de sommeil.

– Votre transformation n'ira pas plus loin, lui apprit alors l'adolescent lumineux.

– Comment le sais-tu ?

– Mes pouvoirs de perception sont étendus. Cessez de vous inquiéter. Il n'y avait pas suffisamment de poison dans votre sang pour vous changer complètement en insecte.

– Donc, si Farrell et toi n'étiez pas intervenus, c'est bien ce qui se serait passé, n'est-ce pas ?

Dylan hocha doucement la tête.

– Merci pour ta franchise, jeune homme. Et fais-nous confiance, demain, nous te sortirons de là.

Kevin poursuivit sa ronde autour de l'enclos improvisé. Même si les prédateurs du Désert s'aventuraient rarement près de l'océan, il ne voulait pas courir de risque inutile.

40

UN TRAQUENARD

Le soleil n'était pas encore levé lorsque Wellan ouvrit l'œil. Volpel et Kevin étaient assis plus loin, regardant au large et bavardant à voix basse. « Pourquoi un dieu déchu aurait-il emprisonné un Immortel en prétendant le donner en pature à des dragons qui ne se sont pas encore manifestés ? » se demanda le grand chef. Son esprit se mit à concevoir tous les scénarios possibles. Et s'il s'agissait d'une diversion pour occuper les Chevaliers loin d'une autre cible ? Troublé, il allait scruter le reste du continent lorsqu'un effroyable grondement résonna sur la plage.

En moins de deux, tous les soldats furent debout, les mains chargées. Chassant le sommeil de leurs yeux, les apprentis les imitèrent. Ils ne comprenaient pas très bien ce qui venait de se passer. Les deux vigiles rejoignirent Wellan en vitesse.

– Ça vient de l'est, déclara Volpel.

Cela confirmait ce que le grand chef avait déjà capté. Une sombre énergie avançait rapidement vers eux. Il tenta de l'identifier, sans arriver à dire s'il s'agissait d'une seule bête ou de tout un troupeau.

– On ne dirait pas que c'est un dragon, fit remarquer Bergeau.

– Cela ressemble davantage à un tourbillon de matière vivante, ajouta Chloé.

– Peut-être que les monstres des dieux déchus ne ressemblent pas à ceux de l'empereur, avança Dempsey.

– Comme ces horribles chouettes, leur rappela Falcon.

Wellan ordonna aux Écuyers de s'occuper des chevaux. Pour les rassurer, il déclara qu'en cas de danger, Chloé les transporterait tous au château de Zénor avec ses bracelets. Même s'ils étaient très forts en magie, aucun d'entre eux n'avait envie de se mesurer à une créature maléfique avant d'avoir appris à se battre. Seul Liam eut la permission de rester auprès de son maître, qui avait dû remettre son bandeau. Les autres enfants ramassèrent les selles et les traînèrent en direction de l'enclos de fortune.

– Comment l'affronterons-nous ? demanda Santo.

– S'il est composé d'énergie, je crois que le mieux sera d'unir nos forces pour le repousser de la même façon, estima Wellan, les sourcils froncés et le regard tourné vers l'aube.

Dans sa prison, Dylan étudiait aussi la situation. Il ne pouvait pas utiliser la plupart de ses facultés dans cette bulle transparente, mais rien ne semblait l'empêcher d'obtenir de l'information sur son environnement. Il projeta ses sens célestes vers le levant. Cette chose gigantesque n'avait pas de forme, mais elle portait sans l'ombre d'un doute la signature d'Akuretari.

Liam se tenait bravement devant Kevin. Le Chevalier avait posé la main sur son épaule et l'enfant savait qu'il se fiait entièrement à lui. Une fois sa peur surmontée, il lui raconta ce qu'il ressentait.

– Maître, puis-je vous faire une suggestion ? fit-il soudain.

– Seulement si cela concerne la présente situation, répliqua Kevin.

– Je pense que la seule personne qui puisse délivrer Dylan et nous débarrasser du dragon, c'est mon ancien professeur.

– Farrell ! s'exclama le Chevalier aveugle. Pourquoi n'y avons-nous pas songé ? Dis-le à Wellan avec ton esprit.

Liam s'exécuta sans discuter, fier de participer à cette affaire. Tous les soldats se tournèrent vers l'enfant, qui affronta bravement leurs regards. Ce fut Wellan qui appela mentalement le renégat à leur secours. Pendant ce temps, la bête mystérieuse se rapprochait dangereusement.

Farrell venait de confier ses quatre fils à Armène afin d'aller donner un coup de main à Hawke avec les nouveaux élèves. Ils étaient bien moins nombreux que la fois précédente, alors les magiciens n'avaient pas cru bon de les diviser en deux classes. Ils leur donnaient plutôt des cours ensemble ou séparément, selon la matière de la journée.

Le mage traversa la cour sans se presser. Jasson et son groupe tournaient en rond en attendant des nouvelles de Wellan. On l'avait vaguement informé qu'il y avait un problème au sud de Zénor, mais il ne voulait pas blesser le grand chef en intervenant constamment dans ses affaires. Il gravissait le porche lorsqu'il entendit la voix de Liam dans son esprit, puis celle de Wellan. Il jeta un dernier coup d'œil à la tour d'Abnar. Ses enfants y étaient en sécurité, alors il se volatilisa.

Il réapparut au milieu des Chevaliers, tous prêts à se battre contre un ennemi qu'ils ne pouvaient pas encore voir.

– Je vous remercie d'avoir répondu à mon appel, le salua Wellan.

– J'ai promis à un certain soldat de ne pas me mêler de la guerre, lui rappela Farrell en jetant un regard de côté à Swan. Mais je suis toujours à votre disposition.

Il n'eut pas besoin que les Chevaliers lui racontent ce qui se passait. Il avisa les pierres transparentes d'où jaillissaient des flammes surnaturelles, puis le jeune Immortel pris au piège. Il ressentit également l'approche du danger. Ses sens cherchèrent à en déterminer la forme : ce n'était pas un dragon de l'empereur, ni un sorcier...

– Je connais cette force, murmura-t-il, presque en transe.

Un hurlement sauvage fit trembler le Désert. Ils aperçurent enfin l'ennemi. Chloé avait raison : il ressemblait à un tourbillon de vent qui aspirait le sable sur son passage. En son centre, on pouvait distinguer une énorme boule de feu.

– Vous n'avez rien à craindre, affirma Farrell en marchant à la rencontre de la tornade.

Wellan lui faisait confiance, mais ses sens continuaient de percevoir une réelle menace. Il ordonna donc à ses Chevaliers de se préparer à seconder le magicien. Les mains chargées de feu, ils formèrent une seule ligne entre Dylan et l'entité inquiétante.

Farrell s'arrêta devant l'énorme tempête. Curieusement, elle s'immobilisa, mais continua d'émettre des gémissents aigus qui écorchaient les oreilles. Le mage leva les bras. Des serpents électrifiés d'un bleu éclatant s'y formèrent. Il proféra des mots dans une langue que personne ne reconnut. Le sable retomba sur le sol dans un bruit sourd.

– Mais qu'est-ce qu'il a fait ? s'exclama Bergeau, incrédule. Il n'a même pas utilisé sa magie !

– Pourquoi l'aurais-je gaspillée sur une illusion ? rétorqua Farrell en se retournant.

– Non, ce n'était pas un mirage, protesta Falcon.

– Nous avons appris à les repérer, l'appuya Dempsey.

– Pas ce type de vision, précisa le mage. Elle est l'œuvre d'un être que j'ai malheureusement appris à bien connaître. Je sens ici son intervention.

– Nomar, que le fils de Wellan a identifié comme étant Akuretari.

– Le frère déchu, précisa Farrell.

– Père ! hurla Dylan.

Les Chevaliers se retournèrent d'un seul bloc. Sur le sol, les pierres transparentes se mouvaient comme si elles avaient de petites pattes. En se rapprochant du jeune Immortel, elles faisaient se rétrécir sa geôle. Farrell se précipita entre Wellan et Bridgess pour se porter à son secours. Les soldats allaient lui dire qu'ils avaient tout essayé pour le sortir de là, mais il se mit à prononcer des paroles tout aussi obscures que celles qui avaient dissipé le tourbillon.

Les flammes qui sortaient des petites roches rondes montèrent en flèche vers le ciel pour former un gigantesque élémental de feu.

– Il est à moi ! vociféra la créature de sa voix grésillante.

– Ce n'est donc pas un dragon qui devait dévorer Dylan, conclut Bridgess.

L'adolescent céleste était terrorisé. Mais que pouvait vraiment cette bête embrasée contre un serviteur de Parandar ? Bridgess ne se souvenait pas d'avoir lu quoi que ce soit à ce sujet, et Wellan non plus, comprit-elle, à son expression alarmée.

– Libère cet Immortel ! commanda Farrell.

– Personne n'a le droit de m'enlever ce qu'un dieu m'a donné ! rugit le démon.

Un sourire narquois se dessina sur les lèvres du renégat. C'était le moment ou jamais de faire l'essai de sa nouvelle arme. Mais avant qu'il puisse l'activer, l'élémental se mit à lancer des boules de feu sur les humains qui voulaient le priver de sa proie. Liam poussa Kevin sur le sol, lui évitant d'être atteint à la tête. Les autres Chevaliers visés s'esquivèrent de justesse. Chloé n'avait pas encore reçu l'ordre de mettre les apprentis à l'abri, mais elle commençait à penser que ce serait une bonne idée. L'entité semblait suffisamment puissante pour atteindre l'enclos avec ses projectiles.

Farrell fit alors appel au pouvoir de la griffe. Cette dernière devient lumineuse et un halo indigo enveloppa d'abord la main puis tout le corps du mage.

– Qu'est-ce qui lui arrive ? s'énerva Bailey.

– Je ne connais pas cette magie ! renchérit Volpel.

Wellan avait aperçu le bijou éclatant sur le majeur du renégat. Malgré la menace qui planait sur son armée, il ne put s'empêcher de chercher dans sa mémoire l'information à son sujet. Il se souvint alors d'un passage d'un livre sur les objets de pouvoir que la fille de Parandar avait présumément cachés sur le continent. Une boule de feu faillit le frapper au bras et Bridgess s'empressa de le tirer vers elle. Elle n'eut cependant pas le temps de le mettre en garde contre son inattention : un autre curieux spectacle se produisit devant eux.

– Relâche-le ou tu seras détruit ! cria Farrell dans le chuintement des flammes.

L'élémental fondit sur lui, mais fut aussitôt repoussé par l'auréole bleutée. Il se mit à se tordre comme un serpent mordu par une mangouste.

– Je ne savais pas qui vous étiez ! se lamenta-t-il. Pitié !

Ses plaintes n'ébranlèrent nullement le renégat. Par sa seule volonté, il enjoignit la griffe de détruire son ennemi. Le halo fut aspiré par son doigt et la lumière indigo fonça sur l'élémental. Son contact avec les flammes produisit une terrible explosion, qui projeta tous les humains au sol.

Étourdis, les Chevaliers se relevèrent un à un. Voyant que les enfants avaient du mal à maîtriser les destriers affolés, la plupart coururent à l'enclos pour leur venir en aide. Swan s'élança plutôt vers son mari, qui s'était écrasé sur le dos. Elle s'attendait à le trouver parsemé de lacérations ensanglantées, mais il ne semblait pas blessé. Son visage n'était pas non plus crispé par la douleur. Au contraire, il rayonnait de bonheur !

– Elle fonctionne ! s'exclama-t-il triomphalement.

– Tu ignorais ce qui se passerait quand tu as défié cette créature ? se révolta Swan.

– Personne ne sait vraiment ce que peut faire cette arme.

– Tu es un imbécile, Farrell d'Émeraude !

Wellan pressa le pas vers la prison de son fils, au milieu de la fumée bleue. Dylan était agenouillé, encore craintif de franchir le cercle des pierres désormais calcinées. Le grand Chevalier le cueillit dans ses bras et le serra avec soulagement.

– Je perds des forces, père, murmura l'adolescent. Je dois retourner dans mon monde.

– Va, le pressa Wellan en le libérant. Rapporte ce qui s'est passé à la déesse.

– C'est ce que je comptais faire. Remerciez ce sorcier pour moi.

Dylan se dématérialisa. « Sorcier », répéta mentalement le Chevalier. Onyx commençait-il à avoir la préséance sur Farrell ? Il se retourna vers le renégat, allongé par terre, qui se protégeait en riant des coups de poing de son épouse. Il avait bien du mal à comprendre les relations de ce couple volcanique. Ce fut Nogait qui vint le premier au secours du magicien. Il agrippa sa sœur d'armes par-derrière et la souleva sur ses pieds.

– Mais où sont tes manières ? lui reprocha Nogait. Il vient de nous sauver la vie et de libérer un Immortel !

– Il a utilisé un dispositif magique sans savoir ce qui se produirait ! hurla Swan en se débattant.

Wellan s'assit sur ses talons près du mage. Ce dernier comprit la requête qui brillait dans ses yeux et lui présenta sa main. Le grand chef examina la griffe avec attention.

– Je ne peux plus l'enlever, expliqua Farrell.

– Sa puissance est étonnante, commenta Wellan.

– Elle a été créée par Danalieth et cachée par la déesse Cinn.

– Et elle t'a laissé l'utiliser ? s'étonna Nogait en libérant finalement Swan.

– Disons que je la lui ai empruntée.

– Elle ne sait pas que tu l'as ? s'écria son épouse, horrifiée.

– Il n'y a plus d'Immortels pour nous venir en aide, alors elle comprendra que je n'avais pas le choix.

– J'aimerais que nous discutions tous ensemble de ce qui vient de se passer, annonça Wellan.

– De toute façon, je ne suis pas en état de repartir tout de suite, lui dit Farrell.

Le grand chef promena son regard sur la plage maintenant inondée de soleil. Les chevaux s'étaient calmés et les Chevaliers ramenaient les enfants vers lui.

« Pourquoi les dieux déchus ont-ils piégé cet Immortel ? » se demanda Farrell.

41

UN INNOCENT

Armène déposa le petit Maximilien dans son berceau. Il ne ressemblait pas à ses trois frères aînés. On ne savait pas encore quelle serait la couleur de ses cheveux, car sa petite tête était lisse comme un œuf, mais ses yeux semblaient vouloir rester foncés. Les autres enfants de Farrell avaient tous les yeux bleus. Ce qui le différenciait aussi, c'était son attitude. Même à son âge, il affichait un calme désarmant, comme s'il savait que tous ses besoins seraient comblés sans qu'il ait à fournir le moindre effort. Armène l'appelait son « petit survivant ».

Elle obligeait ses protégés à faire une sieste dans l'après-midi, ce qui les rendait moins maussades à l'heure du repas du soir. Maxmilien s'y soumettait sans rechigner. Pour les plus vieux, cela variait. Nemeroff seul y échappait, car il étudiait désormais la magie avec maître Hawke toute la journée. Ce jour-là, Fabian, le seul enfant blond de la famille de Swan, était grimpé dans son lit sans dire un mot, même si habituellement, il n'aimait pas dormir le jour. Mais Atlance avait résisté, puisqu'il était en train de jouer avec Nartrach à l'étage inférieur. Farrell leur avait fait fabriquer des chevaux de bois suffisamment gros pour qu'ils puissent les enfourcher. De plus, ils étaient montés sur de petites roues, ce qui permettait aux enfants de se déplacer en utilisant leurs pieds.

Nartrach se calmait de plus en plus au contact de la douce et patiente Armène. L'épisode du poignard de sa mère semblait oublié. La servante le traitait de la même façon que les petits du magicien, ce qui contribuait sans doute à sa bonne conduite.

Pendant qu'elle bordait Fabian, les deux bambins se pourchassaient sur leurs destriers autour de la table en brandissant de grosses cuillères. Atlance adorait ce jeu. Il voyait souvent les Écuyers faire la même chose dans la cour, avec de vrais chevaux et des épées. Sous l'œil attentif de leurs maîtres, ils apprenaient à dégainer leurs armes au galop. Soudain, il crut entendre son nom. Il ralentit son allure et tendit l'oreille, croyant que c'était Armène qui l'appelait.

On prononça de nouveau son nom. Cette fois, il lui sembla que la voix provenait de l'extérieur. Il écouta plus attentivement : c'était son père ! Rempli de joie, il descendit de son cheval et courut dehors. Il s'arrêta net en arrivant devant un adulte au pied de la tour. Il portait une tunique noire et une cape dont le capuchon était rabattu sur sa tête. Impossible de dire si c'était bien Farrell.

– Viens, mon petit, susurra l'homme.

Le personnage masqué le souleva dans ses bras et s'évanouit avec lui. À l'intérieur, après deux tours de table, Nartrach remarqua l'absence de son compagnon de jeu. Était-il monté se coucher comme Armène le leur avait demandé ? Il laissa son cheval et grimpa à l'étage en vitesse. La servante remuait doucement le berceau du bébé et Fabian ronflait dans le grand lit.

– Où Atlance ? demanda Nartrach.

– Il est en bas avec toi, non ? s'énerva la gouvernante en se redressant.

Nartrach secoua la tête. Alarmée, Armène dévala l'escalier. Atlance savait qu'il ne devait pas quitter la tour et il ne s'aventurait jamais très loin. Certes, il était souvent lunatique comme Lassa au même âge, mais toutefois plus obéissant que Nemeroff, son frère aîné.

La servante s'assura qu'il ne s'était pas caché sous un meuble ou dans une armoire, puis sortit dans la cour. Elle ne le vit nulle part. Certains soldats du groupe de Jasson entraînaient leurs apprentis et elle sollicita leur aide. Bientôt, tout le monde se mit à la recherche de l'enfant. Kira utilisa surtout ses sens magiques pour le localiser. Comme elle ne le trouvait pas dans la forteresse, elle poussa son enquête plus loin, dans la campagne environnante.

— Ses petites jambes ne lui permettraient pas d'aller aussi loin en si peu de temps, protesta Sage.

Pour sa part, Ariane revint au point de départ : la tour d'Abnar. La jeune Odélie sur les talons, elle examina attentivement l'entrée.

— Je sens quelque chose d'inhabituel ici, déclara-t-elle.

Elle s'accroupit et posa la main sur le sol, aussitôt imitée par l'apprentie.

— On dirait de la magie, constata Odélie.

— Que je ne reconnais pas, s'inquiéta la Fée.

Elle appela ses compagnons pour confirmer ses craintes. Ils perçurent tous une force étrangère, mais ce fut Sage qui découvrit finalement de quoi il retournait : il avait failli succomber à cette énergie quelques années plus tôt quand Nomar l'avait attaqué dans le palais.

– Il aurait enlevé Atlance ? fit Yamina, horrifiée.

– Apparemment, estima Jasson. Il n'était pas revenu à Émeraude depuis sa tentative d'assassinat, mais ce n'était qu'une question de temps.

– Et nous savons maintenant qu'il est un dieu déchu, nota Kardey.

Kira se remémora l'attaque des chouettes géantes.

– Ce n'est pas la première fois qu'on essaie d'enlever cet enfant, se rappela-t-elle.

Ils avaient en effet vu un des rapaces s'emparer d'Atlance.

– Pourquoi lui ? questionna Botti. Il n'est pas plus magique que les autres bambins de ce château.

– Mais c'est le fils de Farrell, précisa Ariane. Quand Nomar a voulu s'en prendre à Sage et à Hawke, c'est lui qui l'a chassé.

– Il essaie de se venger, comprit Fabrice.

– Il faut prévenir Farrell tout de suite, les pressa Corbin.

– Je m'en charge, décida Jasson.

Il n'y avait pas de manière douce d'annoncer à un père qu'on venait d'enlever son fils, mais il ne voulait pas nécessairement alerter tout le monde avant d'être bien certain qu'il s'agissait d'un rapt. *Farrell, c'est Jasson. Vous devez revenir à Émeraude. C'est très important.*

Dès qu'il reçut ce message, le renégat s'excusa auprès de Wellan et quitta la côte d'Enkidiev dans son vortex. Il n'était pas complètement remis de l'utilisation de la griffe, mais le ton de Jasson l'avait alarmé. Il se matérialisa devant lui, près de l'étang.

– Que se passe-t-il ?

– Atlance est manquant, l'informa Jasson. Nous l'avons cherché partout.

– Même à l'extérieur des murailles, ajouta Kira.

– C'est en ressentant cette énergie que nous avons convenu de vous appeler, expliqua Ariane en pointant le sol.

Farrell n'eut pas besoin de s'en approcher pour reconnaître le passage de son bourreau d'antan. Le scélérat avait donc trouvé son point faible... Il n'eut pas le temps d'ouvrir la bouche que le dieu déchu apparaissait au milieu de la cour, sous sa forme d'Immortel. Les Chevaliers chargèrent leurs paumes sur-le-champ.

– Non ! ordonna Farrell. Il est à moi !

Comme ils l'avaient appris, les soldats adoptèrent une formation en éventail derrière le mage tout en gardant leurs apprentis près d'eux. Ces enfants n'étaient pas prêts à combattre, mais ils apprendraient en les observant.

– Où est mon fils ? rugit le magicien, qui ressemblait maintenant à Onyx.

– Il est dans un endroit magnifique rempli de jouets où il s'amuse comme un fou, répondit Nomar en enlevant son capuchon. Si tu veux le revoir, il faudra que tu me viennes en aide.

– Je l'ai fait jadis et je l'ai chèrement payé !

– Je t'ai octroyé de grands pouvoirs, mais tu ne les as pas utilisés sagement. Cette fois, je suis prêt à te montrer à quel point tu es puissant. J'ai besoin de toi pour anéantir ceux qui t'ont fait souffrir.

Nomar se métamorphosa en une créature dont le museau allongé rappelait celui d'un crocodile. Les apprentis furent saisis d'horreur et les palefreniers filèrent dans l'écurie. Quant aux paysans qui se trouvaient dans la cour, ils s'empressèrent de se cacher partout où ils le pouvaient. Mais la nouvelle apparence de Nomar n'impressionna nullement Farrell.

– Si tu refuses, j'immolerai cet enfant sur l'autel de Lubride et je deviendrai mille fois plus fort, le menaça Akuretari.

– Je ne vous laisserai jamais faire de mal à mon fils !

Un halo indigo entoura instantanément le mage. À la vue de cette magie céleste, le dieu déchu voulut s'éclipser, mais Farrell fut plus rapide. Il leva brusquement le bras et la griffe cracha son venin. Le rayon bleuâtre atteignit la divinité à la poitrine et le terrassa. Ses épaules n'avaient pas encore heurté le sol que le renégat fonçait sur lui.

– Si tu me détruis, tu ne reverras jamais ton fils !

– Mais je sauverai les autres ! rugit Farrell.

Il se jeta sur le reptile et lui enfonça la petite tête du dragon dans la gorge. Ses dents acérés s'y plantèrent. Akuretari poussa un cri strident qui ébranla les fondations du château. S'il ne réagissait pas rapidement, il serait pulvérisé. De sa longue queue de gavial, il se mit à frapper violemment l'homme qui sapait son essence. La douleur fit trembler le magicien, mais il ne lâcha pas prise. Désespéré, le dieu déchu planta ses griffes dans le thorax de son assaillant. Farrell faiblit et Akuretari en profita pour le repousser de toutes ses forces.

Le mage meurtri vola dans les airs et s'écrasa durement contre le sol. Sans trop savoir ce qu'elle pouvait faire contre un dieu, Kira chargea, aussitôt suivie de Jasson et d'Ariane. Un tourbillon de petits cailloux s'éleva devant la princesse, mais elle ne frappa que le vide : Akuretari avait réussi à s'enfuir. Les Chevaliers couvrirent leurs visages avec leurs mains jusqu'à ce que le gravier retombe. Jasson se jeta à genoux près du magicien pour évaluer ses blessures.

– Ne le laissez pas partir..., geignit Farrell, en proie à d'atroces douleurs.

Aliesen et Dienelt aidèrent leur chef à déshabiller le mage qui perdait beaucoup de sang. Ils allumèrent tous leurs paumes et refermèrent les plaies aussi rapidement qu'ils le pouvaient. Kira vérifia ensuite l'étendue des dommages internes. Elle répara une artère et scella le poumon gauche. Farrell se détendit d'un seul coup. Malgré tous ces bons soins, il demeura tout de même couché sur le dos, en proie à une grande fatigue : il avait utilisé toutes ses réserves d'énergie.

– Transportons-le chez lui, suggéra Kira.

Jasson croisa ses bracelets. Sage l'aida ensuite à soulever le mage. Ils entrèrent dans le maëlstrom et déposèrent Farrell sur son lit. Il était pâle comme la mort.

– Est-ce que ça ira ? s'inquiéta l'Espéritien.

– Je... n'ai...

Aucun autre son ne sortit de sa bouche. Sage passa vivement sa main au-dessus de son corps pour constater qu'il s'était évanoui.

– Même les grands sorciers ont leurs limites, commenta Jasson. Je vais demander aux servantes de veiller sur lui jusqu'à ce qu'il reprenne conscience.

– Que faisons-nous pour l'enfant ?

– Je n'en sais rien.

Les deux Chevaliers sortirent de la tour d'une façon plus conventionnelle. Leurs compagnons s'étaient réunis autour de Kira et discutaient déjà d'un possible sauvetage. Joslove leur recommandait justement d'en parler à Wellan avant d'aller où que ce soit.

– Nous ne savons même pas où il a emmené Atlance, fit remarquer Sage en rejoignant son Écuyer.

– Il a parlé de l'autel de Lubride, exposa Ariane. Quelqu'un doit bien savoir où se trouve cet endroit.

– Moi, j'en ai entendu parler par les anciens de mon pays, confirma Yancy, né au Royaume de Turquoise.

– Tu pourrais nous y conduire ? lui demanda Fossell.

– Une petite minute, intervint Jasson avant qu'ils ne s'élancent vers leurs chevaux pour aller sauver Atlance. Nous ignorons si cette horrible créature nous disait la vérité.

– Chez moi, on prétend que les anciens guerriers d'Enkidiev sacrifiaient des bébés sur cet autel de pierre pour demeurer éternellement jeunes, expliqua Yancy.

– Ce sont des fables, protesta Nelson. Tout le monde sait que les premiers habitants de ce continent étaient pacifiques.

– Ce n'est pas ce qu'on raconte dans mon village, rétorqua Yancy.

– Du calme, recommanda Jasson. À moins que quelqu'un puisse me montrer de la documentation authentique sur ce mythe, personne ne quittera le château. Est-ce que je me fais bien comprendre ?

Ils hochèrent la tête, bien qu'avec une pointe de déception. La garde de la forteresse n'était pas l'affectation la plus trépidante. Ils auraient préféré partir à l'aventure.

– Je vais évidemment raconter à Wellan ce qui s'est passé tout à l'heure et nous verrons ce qu'il a à proposer, ajouta Jasson pour ne pas trop miner leur moral.

Certains de ses compagnons échangèrent un regard entendu et se dirigèrent vers la bibliothèque. « Pourquoi pas ? » songea Jasson. « Cela les occupera jusqu'à ce que nous ayons pris une décision. » Il demanda à Kira d'annoncer à Armène l'enlèvement de l'enfant et il s'isola avec Nikelai, son Écuyer.

42

UN DIEU BLESSÉ

Le petit Atlance ne comprenait pas pourquoi on l'avait déposé dans cette immense grotte, mais la présence autour de lui de jouets tout aussi intéressants les uns que les autres l'empêcha de se poser trop de questions. Certains de ces trésors étaient de bois, d'autres de céramique. Plusieurs étaient même magiques. Il s'amusa pendant plusieurs heures avant de constater qu'il était seul. Affamé, il se mit à la recherche d'Armène ou de son père. Il marcha au milieu des précieux objets jusqu'à un long couloir arrondi.

– Mène ? appela-t-il.

Sa voix se répercuta dans toutes les alvéoles qui constituaient le nouveau royaume de Nomar.

– J'ai faim ! cria-t-il.

Personne ne lui répondit. Il continua donc à avancer, certain qu'il finirait par trouver un adulte capable de le ramener à son père ou à sa gouvernante. Dans une caverne adjacente, Abnar avait entendu les exclamations de l'enfant. Ses sens magiques lui indiquèrent qu'il s'agissait d'un des fils de Farrell.

– Mais que fait-il ici ? s'étonna le Magicien de Cristal.

Il n'eut pas le temps de spéculer davantage. Akuretari apparut sur le bord de son étang ensorcelé. Mais quelque chose ne tournait pas rond... Dès qu'il se fut solidifié, il s'effondra sur ses genoux écaillés en poussant un terrible gémissement. Les dieux n'étaient pas censés souffrir, pas plus que les Immortels d'ailleurs. Abnar scruta attentivement son geôlier, plié en deux. De toute évidence, son plan n'avait pas fonctionné.

– Dois-je conclure que le Chevalier Onyx vous a une fois de plus stoppé ? ne put s'empêcher de demander le Magicien de Cristal.

– Ne me parlez pas de lui ! hurla la divinité meurtrie en se retournant avec difficulté.

Abnar aperçut alors la plaie sur la gorge du reptile. Comment était-ce possible ? Le renégat possédait-il la faculté de détruire les dieux ?

– Il paiera cher cet outrage !

– Ce n'est qu'un mortel...

– Qui s'est emparé d'une arme qu'il ne devrait même pas savoir utiliser !

– Mais n'est-ce pas vous qui lui avez enseigné une magie différente ?

Akuretari émit un grondement menaçant. S'il n'avait pas été blessé, il aurait mis Abnar en pièces. Il revint plutôt vers les eaux bleues de l'étang et y entra en marchant péniblement. Curieusement, ce mouvement ne provoqua aucune ride à sa surface. Le gavial fut bientôt complètement submergé, mais la mare demeurait immobile. Allait-elle guérir la créature divine ? Il y avait tant de choses que l'Immortel ignorait au sujet des dieux.

Ses pensées furent interrompues par l'arrivée d'un enfant de quatre ans qui réclamait son père. Abnar se souvint qu'avant sa disparition, le renégat avait conçu deux fils avec le Chevalier Swan. Il s'agissait sans doute du plus jeune. En raison de son âge, il lui faudrait être patient pour obtenir des réponses à ses questions ou même de l'aide.

— Qui cherches-tu ? demanda Abnar pour l'attirer vers lui.

— Mon papa...

— Approche, je t'en prie.

L'enfant s'arrêta à l'entrée de la cellule, surpris d'y trouver un étranger portant une longue tunique blanche semblable à celle de Farrell.

— Comment t'appelles-tu ?

— Atlance... Mon papa est où ?

— Il n'est pas ici, mais je ne serais pas surpris de le voir arriver. Est-ce que tu as des pouvoirs magiques ?

Atlance commença par réfléchir. C'était une question difficile. Il avait, comme son grand frère, appris à déplacer des objets sans les toucher et à allumer des chandelles d'un regard, ce qui avait maintes fois causé des soucis à Armène.

— Un peu, répondit-il finalement.

– Est-ce que tu es capable de parler à ton papa avec ton esprit ? Peux-tu lui parler dans ta tête ?

Le petit hocha affirmativement la tête.

– Merveilleux. J'aimerais que tu lui dises que tu es dans le Désert.

– Désert ? répéta l'enfant, déconcerté, car cela n'évoquait aucune image dans sa mémoire.

– Es-tu capable de lui dire cela ?

Avant que le petit puisse s'exécuter, une hideuse langue de reptile jaillit de l'eau et s'enroula autour de lui.

– Non ! s'écria Abnar, effrayé.

L'organe mobile se rétracta et Atlance se retrouva dans la gueule d'Akuretari, qui avait sorti la tête de l'eau. Le bambin éclata en sanglots.

– Je vous en conjure, ne lui faites pas de mal !

La langue se déroula et déposa Atlance sur le sol, à l'extérieur de la mare. Il tomba assis sur ses fesses, mais n'arrêta pas de pleurer pour autant.

– Je ne le tuerai pas, si c'est que vous voulez savoir, répliqua le dieu. J'en ferai l'humain le plus puissant et le plus maléfique de ce monde. C'est lui qui détruira son père pour moi. Maintenant, laissez-le tranquille, Abnar, ou je vous obligerai à être témoin de tout ce que je lui ferai subir.

Sur ces mots, le crocodile redescendit dans les profondeurs de l'étang.

43

De La Détermination

Les Chevaliers étaient retournés à leurs divers postes sur la côte. Ils avaient écouté en même temps que Wellan le récit de Jasson. Il devint rapidement évident que le dieu déchu avait emprisonné Dylan afin de diriger l'attention des soldats ailleurs tandis qu'il s'emparait d'Atlance. Mais pourquoi lui ? Des quatre fils de Farrell, c'était le plus influençable. *L'enfant par excellence pour un esprit tordu en mal de léguer son savoir*, grommela Bergeau. L'homme du Désert avait raison. *Mais il ne faut pas oublier non plus la possibilité d'un chantage*, avait ajouté Bridgess.

Au Royaume d'Argent, Swan était inconsolable. Elle avait commencé par hurler de douleur, avait exigé de retourner à Émeraude et avait essuyé un refus catégorique de la part de Dempsey. Ce dernier lui avait rappelé que les Chevaliers ne devaient pas céder aux provocations du dieu déchu. De toute façon, ils ne savaient pas où se trouvait l'enfant. La mère éplorée avait réagi violemment à la décision de son commandant.

Dempsey fit part de la situation à son chef. Wellan se vit donc forcé de se rendre sur place pour raisonner Swan. Il voulait éviter que tous les télépathes de l'Ordre assistent à leur échange. Il trouva la femme Chevalier assise sur la margelle d'un puits, le visage enfoui dans ses mains. Debout près d'elle, Jenifael lui frottait le dos sans parvenir à la consoler. La pauvre petite ne savait plus quoi lui dire pour adoucir sa peine.

– Papa ! s'exclama joyeusement l'apprentie en le voyant approcher sur la route de terre.

Mais l'expression de Wellan n'avait rien de réconfortant. Jenifael remarqua immédiatement que Lassa n'était pas avec lui.

– Jeni, j'aimerais que tu rejoignes Chloé, ordonna le père.

Il ne lui vint pas à l'idée de rouspéter. Elle fila en direction du campement, à l'abri de la muraille. Swan leva sur son chef des yeux rougis par les larmes.

– Quand ton fils a été piégé, tu nous a dépêchés à son secours, hoqueta-t-elle. Mais maintenant que c'est le mien...

– Ce sont des situations totalement différentes, riposta Wellan en se plantant devant elle. Nous savions où se trouvait Dylan, mais nous ignorons où Atlance a été emmené.

– Je veux partir à sa recherche.

– Où ? Dans les royaumes célestes ? Il a été enlevé par un dieu.

– Je ne peux pas rester à rien faire pendant que mon bébé est en danger !

Wellan comprit que leurs enfants seraient leur plus grande faiblesse à tous. Akuretari pourrait s'emparer de chacun d'eux comme un habile voleur sans que personne ne puisse l'arrêter.

– Farrell a presque tué ce criminel, s'entêta Swan.

– Et il a bien failli y laisser sa peau.

Le grand chef saisit sa sœur d'armes par les coudes et l'attira contre lui. Il la serra avec force en lui transmettant une vague d'apaisement.

– Je sais exactement ce que tu ressens, murmura-t-il à son oreille. Mais je suis un commandant aux prises avec une terrible guerre et je dois prendre une décision qui risque de ne pas te plaire.

– Tu veux m'expulser de l'Ordre ?

– Non... Je vais te ramener à Émeraude, où tu resteras aussi longtemps que tu le voudras. Il est important que tu passes les prochains jours avec ta famille.

Swan ne s'opposa pas, ce qui surprit Wellan. Habituellement, tout ce qui lui importait, c'était de se battre. Ce n'était plus un soldat qu'il tenait dans ses bras, mais une maman.

– Et Jeni ? voulut-elle savoir lorsqu'il la relâcha.

– As-tu la force de t'occuper d'elle ?

– Je serais un très mauvais maître si je remettais son éducation entre les mains d'un autre Chevalier après la promesse que je lui ai faite.

– Dans ce cas, nous l'emmenons.

Il accompagna Swan au bivouac, où elle ramassa ses affaires. Jenifael fit de même sans qu'on le lui demande. Chloé et Dempsey s'approchèrent de leur chef pour recevoir ses ordres.

– Nous pensions qu'il était préférable qu'elle reste ici, mais si tu crois qu'un séjour auprès de son mari lui sera plus salutaire, nous approuvons ta décision, lui dit Dempsey.

– Elle nous fait tous pleurer, avoua Chloé.

– Il est difficile de ne pas penser à nos propres enfants après une tragédie semblable, soupira Wellan. Vous avez raison d'attendre après la guerre avant de devenir parents.

– Lorsque Swan sera prête à revenir, j'irai la chercher moi-même, annonça Chloé.

Wellan croisa ses bracelets dès que le Chevalier et son apprentie l'eurent rejoint avec leurs chevaux. Quelques instants plus tard, ils apparaissaient dans la cour du Château d'Émeraude. Swan remit ses rênes à Jenifael et fila vers sa tour. La petite déesse leva un regard découragé sur son père.

– Que doit faire un Écuyer dans un moment pareil ? s'informa-t-elle. Je ne suis pas censée la quitter d'une semelle.

– Sers-toi de ton jugement, ma fée. Quand elle a besoin d'intimité avec son mari, occupe-toi autrement.

– Tu n'es pas seulement un bon père, tu es le meilleur chef de tous les temps.

– Le seul autre chef que cet Ordre ait connu était Hadrian d'Argent et je t'assure qu'il était bien plus doué que moi. Si tu as besoin de quoi que ce soit, adresse-toi à Ariane ou à Kira.

– Je me débrouillerai, ne t'inquiète pas.

– Je sais.

Il l'embrassa sur le front et la regarda tirer les deux bêtes vers l'écurie. « Quel brave petit soldat ! » pensa-t-il. Il alla s'entretenir avec Jasson avant de repartir pour le Royaume des Fées. Tout était calme depuis le rapt d'Atlance. Armène ne laissait plus sortir les enfants de la tour et les paysans évitaient le château comme la peste. Il fallait envoyer des serviteurs à la campagne pour chercher des légumes et de la farine.

– Tout rentrera bientôt dans l'ordre, promit Wellan.

– Tu connais une façon de retrouver le bambin ? s'étonna Jasson.

– Peut-être bien. Jette un œil à ma fille de temps en temps, veux-tu ? Il se pourrait que Swan la néglige les premiers jours.

– Sois sans crainte.

Les deux hommes échangèrent la poignée de main des Chevaliers, puis Wellan quitta Émeraude. Jasson avait mis son groupe à la recherche d'indices pour découvrir la cachette d'Akuretari. Ceux qui avaient épluché la bibliothèque étaient revenus bredouilles. L'autel de Lubride n'était qu'un mythe, en fin de compte, et aucun homme moderne ne savait où il se situait. Quelques ouvrages parlaient des forêts de

Turquoise, d'autres de celles d'Opale et de Rubis. Jasson n'allait certainement pas diviser ses soldats afin de retrouver un site dont l'existence était plus que douteuse. Il institua plutôt des périodes d'écoute télépathique jour et nuit. Tout le monde savait que le fils de Farrell était un enfant magique. Il finirait par manifester sa détresse et les Chevaliers arriveraient alors à le localiser.

Dans sa tour, Farrell venait à peine de reprendre conscience. Le visage éploré de Swan, à ses côtés, lui rappela son propre chagrin. Sans dire un mot, elle se blottit contre lui.

– Je ne sais pas comment, mais je le retrouverai, promit-il.

– Un mortel ne peut pas suivre un dieu dans son monde, tu le sais bien.

– Akuretari a été banni du ciel. Il lui est impossible d'y retourner.

La femme Chevalier se redressa vivement sur ses coudes.

– C'est vrai ! s'exclama-t-elle, reprenant espoir. S'il ne peut pas accéder aux plans célestes, il est forcément quelque part dans notre monde.

Puis son visage s'assombrit à nouveau.

– J'ai tenté de communiquer avec Atlance, lui dit-elle. Il ne me répond pas.

– Il est possible que le dieu déchu le séquestre dans un lieu protégé par du cristal. Nos pensées ne peuvent pas y pénétrer.

Farrell lui expliqua les propriétés moins connues de cette pierre divine. Le meilleur moyen de retrouver Atlance, c'était de repérer les endroits où des siècles d'activité volcanique avaient créé des grottes tapissées de ce minéral transparent.

– Comme la caverne de Wellan sur les rives de la rivière Sérida, suggéra Swan.

– Il y en a probablement du Royaume des Esprits jusqu'aux confins du Désert, se découragea Farrell. Mais cela ne m'arrêtera pas. Je les fouillerai toutes.

– Je veux y aller avec toi.

– Qui protégera nos enfants tandis que je traquerai Akuretari ?

Il avait raison. L'un d'eux devait rester avec leurs trois autres fils. Elle lui fit par contre promettre de l'appeler à l'aide s'il se retrouvait en difficulté. Farrell le jura, même s'il savait qu'il n'aurait vraiment besoin d'aide qu'au moment où son adversaire le terrasserait. Il serait alors trop tard... Il passa le bras autour de Swan et cacha son visage dans son cou.

44

LE CRATÈRE COSMOGONIQUE

Une fois libéré de sa prison d'énergie, Dylan avait foncé vers les sphères célestes. Épuisé, il s'était effrondré sur le plancher moelleux. Ses mentors l'avaient mis en garde contre les séjours prolongés chez les humains. Ils lui avaient même raconté que certains Immortels s'étaient détruits eux-mêmes en ne respectant pas cette restriction.

L'adolescent voulut se lever, mais aucun de ses membres lumineux ne lui obéit. Il tenta de rassembler ses forces, en vain : il demeurait cloué par terre.

– Mère, appela-t-il faiblement.

Ce ne fut pas Fan, mais la déesse de Rubis qui répondit à son appel. Elle le souleva magiquement et le remit sur ses pieds. Dylan voulut lui expliquer ce qui s'était passé, mais elle le savait déjà.

– Nous avons ressenti une perturbation dans l'Éther, l'informa-t-elle. Avant que nous ayons pu réagir, elle avait pris fin. Puisque tu ne devais pas voir Sauska avant quelque temps, nous n'avons pas remarqué ton absence tout de suite.

– Akuretari a donc choisi le moment idéal pour m'aspirer sur Enkidiev.

– Tu ne devrais pas prononcer son nom ici, jeune Immortel.

– Pardonnez-moi.

– Raconte-moi tout en détail.

Dylan ne se fit pas prier.

– Notre forme a déjà été celle de mon jeune frère, mais nous l'avons abandonnée il y a fort longtemps pour celle-ci, assura-t-elle en scrutant son esprit. Cesse de te torturer.

– Ce qui me fait vraiment de la peine, c'est que j'ai failli ne plus jamais vous revoir.

– Ton charme te perdra, s'amusa la déesse. Viens, j'ai un présent pour toi.

Theandras prit sa main et il se sentit flotter dans l'espace. Elle l'entraîna à travers la forêt de cristal, mais n'obliqua pas vers le monde des Immortels. Elle choisit un chemin fort différent, que l'adolescent n'avait jamais emprunté. Une porte lumineuse surgit de nulle part dans cet univers obscur comme la nuit. Elle s'ouvrit toute seule à l'approche de la déesse.

Ils pénétrèrent dans un gigantesque œuf aux parois recouvertes de cristal. Au centre, suspendue dans le vide, brillait une magnifique étoile. Dylan serra la main de la divinité de peur de se perdre dans cet espace immense.

– Où sommes-nous ? s'enquit-il.

– C'est ici que les Immortels et les maîtres magiciens reçoivent l'amulette qui leur permet de séjourner plus longtemps dans l'univers des mortels.

– Pourquoi m'avez-vous emmené ici ?

– Pour te donner la tienne, évidemment.

– Mais je suis encore trop jeune !

– Es-tu en train de me dire que tu n'en veux pas ?

– Non ! C'est qu'on m'a enseigné qu'on nous la remettait à la fin de nos études seulement.

– Comme tu le sais, les événements présents nous bousculent un peu. Il se pourrait que tu aies à venir en aide plus souvent aux Chevaliers et à rester parmi eux plus que quelques minutes.

Dylan garda le silence, mais son cœur battait si fort qu'il aurait pu anéantir bien des mondes. Theandras s'arrêta près d'un œuf plus petit, qui dérivait sur une orbite autour de l'astre étincelant.

– Tu n'as rien à craindre, le rassura Theandras. Cette capsule analysera tes désirs et choisira pour toi la forme que prendra ton amulette. Je t'attendrai ici.

– Je dois y entrer seul ?

– Comme tous les autres demi-dieux l'ont fait avant toi.

– Même ma mère ?

– Oui, même elle, mais ce n'est pas moi qui l'ait conduite dans le cratère cosmogonique. Allez, va et n'aie pas peur.

Elle le poussa doucement dans la petite chambre ovoïde. Dylan y trouva un siège suspendu sur deux rangées d'étoiles. Il s'y installa, tranquillisé par les paroles de sa protectrice. L'ouverture se referma doucement. Une musique cristalline se mit à jouer dans ses oreilles. Il lui sembla basculer vers l'arrière, mais une tendre main le retint. Il sombra dans un curieux songe. Il revit les premières années de sa vie, tandis qu'il n'était qu'un poupon lumineux trottinant sur les nuages, à la recherche d'aventures. Le beau visage de sa mère lui apparut ensuite, d'abord souriant. C'était lors de ses premiers pas. Il se rappela son doux parfum. Puis ses yeux se remplirent de tristesse lorsqu'elle dut le reconduire dans sa cellule. Il était encore si petit ! Dylan frissonna au souvenir de sa solitude.

Tout à coup, ces sombres images furent remplacées par des scènes beaucoup plus joyeuses. L'Immortel se remémora ses premières escapades hors du monde invisible pour aller retrouver son père. C'étaient de courtes visites, mais elles avaient tant rassuré son âme ! Ses professeurs divins ne voulaient pas lui parler de son sang humain, car les demi-dieux étaient censés ignorer leurs origines mortelles. Il avait eu beaucoup de chance de trouver son géniteur. Quel homme extraordinaire ! D'une rencontre à l'autre, Dylan avait appris à bien connaître Wellan de Rubis, chef des Chevaliers d'Émeraude.

C'était non seulement un fantastique meneur d'hommes, mais aussi un érudit. Son esprit était rempli de connaisances et d'idées nouvelles, d'espoir et de compassion. À partir de cet instant, l'enfant ne voulut plus que passer du temps avec lui. Mais ses gardiens le retrouvaient toujours. Dans de terribles orages, la foudre fondait sur lui pour le ramener dans les cieux.

Le siège céda sous le jeune Immortel, qui poussa un cri de surprise. L'œuf se brisa en deux et Dylan se retrouva en suspension dans l'immensité du cratère. Il aperçut les flammes de la robe rouge de la déesse fonçant sur lui. Elle ressemblait à une comète, avec ses voiles incandescents qui traînaient derrière elle.

– Qu'a décidé la capsule divine ? voulut-elle savoir en tournant autour de lui.

Dylan baissa les yeux sur sa tunique blanche. Au bout d'une chaînette argentée pendait un petit éclair de cristal.

– Comme c'est étrange, commenta Theandras.

– Non, pas du tout, s'égaya l'adolescent. C'est l'un des symboles qui ont profondément marqué ma vie. Mes plus beaux moments, je les ai passés avec mon père. Ce sont des éclairs comme celui-ci qui me séparaient de lui. Ce sont eux que je tentais de déjouer de mon mieux. C'est une image très appropriée, je crois.

La déesse de Rubis prit la main de l'Immortel pour l'entraîner lentement vers la porte lumineuse. Tandis qu'il flottait près d'elle, Dylan caressa le morceau de cristal du bout des doigts. Grâce à lui, il pourrait rester beaucoup plus longtemps parmi les hommes. Theandras le reconduisit à sa cellule.

– Tu ne dois pas abuser de ce présent, le mit-elle en garde.

Les yeux bleus de Dylan étincelèrent de défi.

– Qu'entendez-vous par abuser ? rétorqua-t-il avec un sourire.

– Tu sais très bien ce que je veux dire.

Elle s'évanouit dans une volute de fumée rouge. L'Immortel grimpa sur sa couche duveteuse. Il devait rencontrer quelques mentors très bientôt, mais ensuite, il mettrait le fétiche à l'épreuve.

Lorsque Wellan regagna le Royaume des Fées, il ne réapparut pas au campement, mais choisit plutôt la plage de galets, au-delà des rochers immenses où ses soldats avaient jadis écrasé une multitude d'hommes-insectes. Bridgess sentit sa présence. Elle demanda à Athalée de poursuivre son repas et quitta ses compagnons. Elle trouva son époux debout devant la mer, à contempler les couleurs du couchant.

– Je croyais que tu ramènerais Jenifael avec toi, commença-t-elle.

Le grand chef pivota vers elle. Un sourire s'épanouit sur son visage sérieux lorsqu'il aperçut la femme qu'il aimait.

– Il était plus important qu'elle reste avec Swan.

– Même dans son état ?

– Surtout pour cette raison. Elle a besoin d'apprendre à s'occuper de son maître comme tu l'as fait pour moi jadis. Je n'ai jamais oublié la compassion dont tu as fait preuve dans le palais de mon père.

– Quand tu as enfin compris que ta dame fantôme n'avait pas l'intention de passer sa vie avec toi, se rappela Bridgess. J'étais si jeune...

– Mais si indulgente. Je n'aurais pas pu traverser cette épreuve sans toi.

La femme Chevalier se faufila dans ses bras et l'étreignit.

– Pourtant, ton attitude m'a fait croire le contraire, le taquina Bridgess. Ce maître magicien a continué de te torturer pendant bien des années.

– Mais tu m'as protégé de son charme.

– Tu ne m'as pas rendu les choses faciles.

Il éclata d'un rire franc. Puis, prenant le visage de sa bien-aimée dans ses larges mains, il l'embrassa avec amour.

– Dommage que nous ayons des Écuyers, soupira Bridgess, parce qu'en ce moment, je t'inviterais bien à grimper avec moi dans une fleur géante dont je refermais les pétales.

– C'est ce pays qui te rend romantique tout à coup ? s'amusa Wellan.

– Non, c'est toi.

Ils échangèrent plusieurs baisers avant d'être surpris par la tombée de la nuit. Wellan s'inquiéta alors de savoir où était la jeune apprentie de sa femme.

– Avec le tien, évidemment, répliqua-t-elle.

Ils retournèrent au campement où les deux enfants, assis côte à côte, écoutaient les histoires abracadabrantes de Zerrouk.

– Je croyais qu'il n'y avait que Nogait qui prétendait imiter Bergeau, plaisanta Wellan en rejoignant son protégé.

– Nogait est plus doué, murmura Lassa à son oreille pour ne pas vexer Zerrouk.

Comme les soldats étaient divisés en plusieurs groupes, certains Chevaliers s'étaient fait un devoir d'apprendre à jouer de la harpe afin de rendre les soirées plus agréables. Dans le groupe de Wellan, c'était Hettrick qui perpétuait cette tradition. Le grand chef fit honneur au repas offert par les Fées en écoutant les balades composées par le guérisseur. Il chanta avec ses frères, au grand bonheur de leurs hôtesses aîlées, puis il prit le premier tour de veille tandis que ses soldats s'enroulaient dans leurs couvertures.

Jusqu'au petit matin, il balaya la côte de ses sens invisibles, sans pourtant se douter que l'armée d'Amecareth, protégée par la magie d'Asbeth, avait déjà franchi leurs lignes défensives et qu'elle s'approchait d'Émeraude. Polass prit ensuite la relève. Wellan alla donc s'allonger entre Lassa et Bridgess, qui dormaient à poings fermés. La sentinelle se mit à marcher autour de l'enclos de gros champignons à pois pour se réchauffer. Puis, grâce à son pouvoir de lévitation, le jeune homme se jucha sur l'un des menhirs qui montaient la garde dans les galets.

La nuit était calme. On n'entendait que le bruit des vagues mourant sur la plage. C'est ce moment que choisit Dylan pour faire l'essai de sa nouvelle amulette. Il se matérialisa à deux pas du feu et fut déçu de trouver tout le monde endormi. Il s'approcha à pas feutrés de son père légendaire :

son visage était détendu. Il méritait bien ce repos. L'Immortel allait repartir dans son monde lorsque Lassa s'assit brusquement.

– Je rêvais justement à toi, chuchota le porteur de lumière.

Lassa lui raconta qu'ils chevauchaient ensemble dans une contrée qu'il ne connaissait pas. Il y avait de vastes plaines sur lesquelles couraient des bancs de brume. L'Immortel avoua n'être jamais monté sur un cheval. Les garçons bavardèrent ainsi jusqu'à ce que le petit éclair au cou de Dylan s'illumine.

– Il faut que je rentre chez moi. Je suis content d'avoir passé tout ce temps avec toi, Lassa.

– Et moi, je suis heureux que nous soyons des amis.

Le prince enseigna à son nouveau copain à serrer la main à la manière des Chevaliers et le laissa s'en aller. Il se recoucha contre Wellan, se sentant tout à fait en sécurité.

45

Le recueil à palabres

Les journées étaient devenues plus intéressantes pour le petit Cameron, qui avait maintenant l'âge d'étudier la magie avec maître Hawke. Tous les matins, le demi-Elfe embrassait sa mère, Amayelle, et quittait leurs appartements du palais pour rejoindre ses amis sur les tapis de laine de la tour du mage. Cameron aimait bien son professeur, car il avait des oreilles pointues comme lui. De plus, il leur parlait souvent de la vie de son peuple des forêts.

Lorsque Armène décida de ramener Nemeroff directement chez elle après les classes, Cameron perdit son compagnon de jeu préféré. Sa mère le laissait manger avec les autres élèves dans le hall du roi, puis s'amuser un peu avant de le mettre au lit. Habituellement, Farrell accordait les mêmes permissions à Nemeroff, mais sa gouvernante s'y opposait désormais. Ce soir-là, le gamin se retrouva donc seul dans les couloirs où les servantes se hâtaient de terminer leurs corvées.

Cameron n'avait pas le droit de monter au dortoir où se trouvait Kiefer, son autre copain. Alors, pour passer le temps, il erra dans l'édifice. Il jeta un coup d'œil à la salle des armures, mais il l'avait si souvent explorée qu'elle ne l'attira pas. Il désirait visiter de nouveaux territoires. Il vit au-dessus des cuisines un escalier qu'il n'avait jamais remarqué auparavant. Sur la pointe des pieds, il grimpa jusqu'au dernier palier. Ses sens magiques lui laissaient entrevoir une vaste pièce, mais il faisait trop sombre pour y distinguer quoi que ce soit. Il agita donc la main et alluma une dizaine de flambeaux. La soudaine clarté le fit sursauter.

Devant lui s'étendaient des milliers de trésors : des meubles poussiéreux empilés les uns sur les autres, des coffres géants et des statues de divinités et d'anciens monarques. « Mais qui a mis toutes ces choses ici ? » se demanda Cameron. L'enfant s'avança prudemment en scrutant chaque objet. Il avait hérité des traits fins de sa mère, mais des cheveux, des yeux et du tempérament aventurier de Nogait. Il n'allait certainement pas quitter ce lieu sans avoir fureté un peu partout. Il regarda dans plusieurs caisses sans trouver de jouets, puis, au fond d'une vieille malle qui contenaient de vieux habits du roi, il fit une intéressante découverte.

Même à son jeune âge, Cameron aimait les livres, car ils lui apprenaient des choses captivantes. Il s'empara donc du mince ouvrage qu'on avait oublié sous ces piles de vêtements. Il caressa son étrange couverture turquoise en pointant ses petites oreilles. Ses sens d'Elfe l'informaient qu'il s'agissait d'un matériau différent de celui qu'on utilisait généralement pour assembler les manuscrits : ce n'était ni de la peau d'animal ni une quelconque substance végétale. Cameron alla s'asseoir sous un flambeau pour mieux examiner sa trouvaille.

– Ce ne doit pas être une longue histoire, déduisit l'enfant. Il est tout petit.

Il n'y avait aucune inscription sur la reliure, il ouvrit donc le fascicule. À son grand étonnement, ses quelques pages étaient vierges.

– C'est un cahier pour écrire ! se réjouit-il.

Il allait bondir sur ses pieds avec l'intention de le rapporter chez lui lorsque la première page s'illumina. Cameron, surpris, le laissa tomber sur le sol. Sa surface se transforma jusqu'à ressembler à celle de l'étang près de l'écurie.

– Et il est magique..., s'inquiéta le demi-Elfe.

Hawke et Amayelle le mettaient souvent en garde contre les objets envoûtés, qui, bien souvent, servaient de pièges. Mais sa curiosité l'emporta. Il avança lentement la main et toucha la page miroitante. Des mots s'y formèrent aussitôt, dans la langue moderne des humains.

Qui es-tu ? Les lettres flottaient, comme agitées par l'onde.

Effrayé, Cameron referma sèchement le cahier et l'emporta avec lui. Il dévala l'escalier, traversa les cuisines en bousculant les servantes et fila jusqu'à chez ses parents. Il poussa les portes avec tant de force qu'elles s'abattirent sur les murs de la suite.

– Cameron, mais qu'est-ce qui te prend ? lui reprocha Amayelle, qui n'aimait pas qu'il adopte les manières brutales de ses deux meilleurs amis.

– Il faut que je te montre quelque chose ! s'écria son fils, excité.

Elle le suivit dans le petit salon, où il déposa finalement son trésor. La princesse releva un sourcil en apercevant le vieux cahier d'une couleur suspecte.

– Il est magique ! Regarde !

Il ouvrit la couverture et les pages prirent aussitôt leur apparence aqueuse.

– Touche-le ! l'encouragea l'enfant.

– Je ne suis pas sûre que ce soit une bonne idée, mon chéri, hésita la mère.

– Des mots s'écrivent quand on y met le doigt.

Avant de remettre cet étrange objet à Farrell ou à Hawke, Amayelle voulut en avoir le cœur net. Son fils avait une imagination si débordante...

– Bon, d'accord, accepta-t-elle pour la plus grande joie de Cameron.

Elle effleura à peine la surface. *Qui es-tu ?* demanda le livre.

– Tu vois ! jubila le gamin.

– Comment dois-je répondre ?

– Je vais te chercher ce qu'il faut !

La jeune femme ne pouvait que s'émerveiller devant le phénomème enchanté. Puis, elle se demanda si ce n'était pas un tour que lui jouait Cameron, car il possédait de grands pouvoirs et fréquentait des garçons plutôt espiègles. Le demi-Elfe lui mit une plume dans la main. Pour lui faire plaisir, Amayelle écrivit son prénom à la surface de l'eau.

Princesse des Elfes, tous mes hommages.

– Il te connaît, maman ! s'égaya l'enfant.

– Cameron, est-ce toi qui provoque ce phénomène ?

– Mais non... Pose-lui une question à laquelle je ne pourrais pas répondre. Tu verras bien que ce n'est pas moi.

« Qui êtes-vous ? » écrivit la princesse, qui commençait à se méfier de la force mystérieuse qui animait le fascicule.

Je suis la connaissance absolue, le recueil à palabres de Parandar.

– Nous parlons à un dieu ? s'étonna Cameron.

– Reste tranquille, lui recommanda sa mère.

S'il s'agissait vraiment de cet objet célèbre, disparu depuis cinq cents ans, sans doute pourrait-il être utile aux Chevaliers. Elle l'interrogea de nouveau.

« Où se trouve Atlance, fils de Farrell et de Swan d'Émeraude ? »

Dans un endroit sombre protégé par un maléfice. Il m'est impossible d'en apprendre davantage.

« Est-ce dans le royaume des dieux ? »

Non, il n'est pas par là. Il est dans le monde terrestre, mais je ne peux pas le voir.

Amayelle soupira avec découragement.

« Je suis au Château d'Émeraude, que pouvez-vous me dire sur ma situation ? »

Le château est sur le point d'être attaqué.

Amayelle laissa tomber la plume, frappée de terreur. Hawke lui avait parlé de ce recueil ensorcelé : il n'avait pas la faculté de mentir aux hommes. Elle referma le livre, souleva son fils dans ses bras et quitta ses appartements en courant. Elle devait avertir les Chevaliers et mettre son enfant en sécurité.

46

L'ALERTE

Les Chevaliers et leurs Écuyers mangeaient dans leur hall lorsque la Princesse des Elfes fit irruption, son fils de cinq ans dans les bras. Jasson capta sa détresse et se leva, mettant fin à la discussion qu'il était en train d'avoir avec ses soldats au sujet des dieux déchus. Amayelle jeta le mince livre sur la table devant lui.

– Cameron a trouvé le recueil à palabres de Parandar, déclara-t-elle en reprenant son souffle. Je l'ai questionné et il m'a dit que nous étions sur le point d'être attaqués.

– Es-tu certaine qu'il s'agit vraiment du recueil à palabres ? douta Ariane. On nous a tendu bien des pièges dans le passé.

– Et Farrell n'a pas réussi à détruire Akuretari, ajouta Sage.

– Essayez-le vous-mêmes.

À la grande surprise de Kira, son époux fut le premier à se porter volontaire. Il vint se placer devant le fascicule. Amayelle lui expliqua comment l'utiliser. Un serviteur leur apporta une plume en vitesse et Sage traça lentement sa question, car il ne maîtrisait pas très bien l'art de l'écriture. Il commença par se nommer et demanda au recueil quelle était sa plus grande peur.

Il y en a trois, répondit le manuscrit envoûté dans une calligraphie fine et nette. *La première est de perdre ta femme aux mains de l'ennemi. La seconde est de rester coincé dans le passé lorsque tu y plonges par inadvertance. Et la troisième est d'être possédé par une entité connue sous le nom d'Onyx.*

Le visage de l'Espéritien devint blanc comme de la craie.

– Il dit la vérité, murmura-t-il, ébranlé.

Jasson n'eut pas le temps de réagir qu'un soldat de la garde royale entrait en catastrophe, aussi livide que Sage.

– Sire Jasson, venez vite ! s'écria-t-il. Il y a le feu dans la campagne !

Les Chevaliers se hâtèrent vers la sortie. Amayelle ramassa le précieux manuscrit et les suivit. En pressant le pas derrière eux malgré le poids de l'enfant dans ses bras, elle évalua toutes ses options. S'il s'agissait vraiment d'une attaque, elle pouvait s'enfermer dans le palais, se battre ou fuir par les passages secrets. En tant que princesse, c'était également son devoir de mettre les habitants du château à l'abri.

Elle s'arrêta au pied de l'escalier qui menait à la passerelle sur les murailles. Jasson et son groupe étaient déjà sur les remparts. Amayelle n'était qu'une fillette lorsque Shola avait été détruite, mais elle se rappelait fort bien les images qui étaient apparues dans sa tête cette nuit-là. Elle se mit à trembler.

– Que se passe-t-il, maman ? s'alarma son fils.

– Il faudra être brave ce soir, Cameron.

– Je ressens de la peur...

– Je sais.

Devant les Chevaliers se déroulait un spectacle boule-
versant : la campagne flambait au sud du château et le vent
poussait les flammes vers la forteresse. À l'aide de leurs
sens magiques en même temps que de leurs yeux, les soldats
captèrent la panique des paysans et ce n'était pas l'incendie
qui les terrorisait.

– Des hommes-insectes ! confirma Kira.

– Ici ? s'étonna Kardey, qui ne possédait pas leurs
facultés spéciales. Mais c'est impossible !

Le cerveau de Jasson emmagasina rapidement toutes
ces informations. L'ennemi avait réussi à franchir leurs
lignes défensives. Une vingtaine de soldats seulement pro-
tégeaient le château. Leur apprentis n'avaient aucune
expérience de combat. *Wellan, on nous attaque !* annonça-t-il.
Il sentit alors une créature volante passer au-dessus de lui.

– C'est Asbeth ! le reconnut Kira.

Elle dirigea immédiatement des rayons incandescents
dans sa direction. Ils éclairèrent suffisamment le ciel pour
qu'ils voient la silhouette d'un énorme oiseau noir s'abattre
sur le palais. *Wellan !* appela de nouveau Jasson. Aucune
réponse.

– La sorcellerie d'Asbeth doit l'empêcher de nous
entendre, en déduisit Ariane.

Jasson n'avait plus le choix. Il devait assumer seul le commandement. Il se tourna vers ses hommes. Il devait laisser au château un Chevalier capable de prendre des décisions. Il aurait bien aimé que ce soit Kira, mais il avait besoin d'elle au combat.

– Amax, reste ici avec les Écuyers, ordonna-t-il. Allume tous les flambeaux sur les remparts. Pendant que nous repoussons l'ennemi, continue d'appeler Wellan. Les autres viennent avec moi. Nous prenons les chevaux.

Ils dévalèrent l'escalier. Swan et Hawke arrivaient en courant à leur rencontre. Jasson leur expliqua ce qui se passait pendant que ses soldats se précipitaient à l'écurie.

– Je veux y aller avec vous, déclara la femme Chevalier.

– Je préférerais que tu restes ici avec Amax et maître Hawke pour défendre le château !

– Et Wellan ?

– Il ne capte pas nos messages, probablement à cause d'Asbeth. Farrell est-il en mesure de combattre ?

– Il n'est pas complètement remis de sa rencontre avec Akuretari, mais je sais qu'il fera son possible pour nous aider.

– Soyez prêts à repousser un assaut si nous ne parvenons pas à les arrêter.

Jasson se dépêcha de rejoindre ses compagnons. Joslove venait à sa rencontre avec son destrier. Il l'enfourcha en vitesse. Les soldats de la garde royale ouvrirent les portes et abaissèrent le pont-levis. Les Chevaliers foncèrent vers les villages assiégés, à quelques lieues de la forteresse.

Swan allait courir chez elle lorsqu'elle aperçut Amayelle, debout au milieu de la cour, protégeant son fils dans ses bras. Elle s'empressa de lui saisir le bras pour la ramener vers le palais.

– Vous n'avez rien à craindre, Amayelle, nous vous protégerons, lui promit-elle.

– Ce soir, l'ennemi pénétrera dans ce château, prédit la princesse. Nous devons mettre ses habitants à l'abri dans les forêts en utilisant les passages secrets.

La femme Chevalier connaissait bien l'intuition des Elfes, car elle côtoyait régulièrement Derek dans son propre groupe. Elle devait prendre cet avertissement au sérieux.

– Dans ce cas, occupez-vous-en, décida-t-elle.

Cette marque de confiance sembla redonner courage à Amayelle. Elle hocha vivement la tête et obliqua vers la tour d'Armène, afin de sauver d'abord les enfants. Swan grimpa deux à deux les marches de sa tour. Farrell dormait dans leur grand lit, inconscient du drame qui se jouait autour de lui. Elle le secoua doucement pour ne pas aggraver son état. Il ouvrit ses yeux pâles et comprit, en la voyant, qu'il se passait quelque chose de terrible.

– A-t-il enlevé Nemeroff ? s'énerva-t-il en s'asseyant avec difficulté.

– Non. C'est tout le royaume qui est pris d'assaut.

– Où sont les enfants ? gronda-t-il en repoussant la couette.

– Avec Armène. Amayelle est en train d'organiser leur fuite. Es-tu en état de te battre ?

– Je n'ai pas le choix. Aide-moi à me lever.

Pendant que Swan habillait son époux, la grosse cloche d'alarme d'Émeraude retentit à l'extérieur. Amayelle avait pris les choses en main. Comme on leur avait enseigné à le faire dès leur jeune âge, tous les serviteurs et les conseillers royaux sortirent dans la cour. Jenifael revint à la hâte de l'écurie où elle avait aidé les Chevaliers à seller leurs montures. Morrison émergea de la forge avec sa fille. Armène poussa ses protégés dehors. Hawke rassembla tous les élèves magiques sous sa surveillance et Amax fit de même avec les Écuyers.

– Les Chevaliers vont tenter d'intercepter l'ennemi à l'extérieur des murs ! leur dit la Princesse des Elfes en tentant d'avoir l'air brave. Mais il y a tout de même un risque que les combattants insectes se rendent jusqu'ici ! Il nous faudra alors évacuer la forteresse par le passage secret qui mène à la rivière ! J'ai besoin de volontaires pour guider chaque groupe !

Élizabelle s'avança la première.

– Je sais comment accéder à ce tunnel par l'écurie, annonça-t-elle.

– Pouvons-nous faire sortir rapidement les centaines d'habitants du château ? voulut savoir Hawke.

– Le couloir est suffisamment large pour que trois personnes y marchent côte à côte.

– Ne serait-il pas plus prudent de partir maintenant ? demanda Armène qui serrait le petit Maximilien dans ses bras, tandis que Nartrach, Nemeroff et Fabian se tenaient sagement autour d'elle.

– Pas avant d'être certains que l'ennemi ne nous a pas déjà entourés, répliqua Morrison. Il serait vraiment stupide de fuir dans la forêt si c'est précisément là qu'ils nous attendent.

– Il a raison, l'appuya Amax. Je suggère que tout le monde reste dans la cour jusqu'à ce que nous soyons sûrs que le danger est écarté. Quelqu'un doit s'assurer qu'il ne reste personne à l'intérieur.

Des serviteurs s'exécutèrent sur-le-champ. Swan et Farrell émergèrent du palais. Il était évident que le mage était en piteux état, ce qui ne rassura guère ces pauvres gens effrayés.

– Quelqu'un a-t-il alerté Wellan ? s'informa le renégat.

– Nous n'arrivons pas à communiquer avec lui, répondit Amax.

Farrell devina qu'une puissante sorcellerie bloquait les transmissions de pensées, mais il ne pouvait pas se permettre d'utiliser ses facultés pour le vérifier. Il devait conserver ses forces pour se battre. Il marcha en direction des remparts en se tenant aussi droit que possible pour ne pas achever de décourager les conseillers du défunt roi, qui murmuraient déjà entre eux.

L'escalade jusqu'aux créneaux fut pénible. Juste avant d'atteindre la passerelle, Farrell sentit qu'on le soutenait par le bras. Son regard pâle croisa celui de son épouse. Pendant une fraction de seconde, sa partie Onyx pensa aux deux autres femmes qui avaient partagé sa vie avant elle : aucune n'avait fait preuve d'autant de bravoure.

– Ce n'est guère le moment, mais je retiens le compliment, lui souffla Swan.

Elle l'aida à se rendre jusqu'au parapet. Au loin, le feu ravageait un village et les champs environnants. « Ce sont mes terres », songea Farrell. Il sentit une terrible colère monter en lui. Soudain, des rayons incandescents déchirèrent la nuit, à gauche de l'incendie : les Chevaliers contre-attaquaient.

47

UNE NOUVELLE RACE ?

Le groupe de Jasson galopa dans le noir, mais leur commandant n'avait pas besoin de ses yeux pour savoir où il allait, car il avait parcouru cette route des centaines de fois : elle menait à sa ferme ! En franchissant le pont-levis, il avait tout de suite senti que sa famille était en danger. Sanya et Katil avaient-elles eu le temps de fuir avant l'assaut nocturne ? L'image de sa petite fille éventrée par les dents d'un dragon lui fit monter les larmes aux yeux.

Les soldats de sa troupe n'étaient pas nombreux, mais Jasson était convaincu que le reste de ses compagnons allaient arriver d'un instant à l'autre pour lui prêter main-forte. La présence de Kira contribuait aussi à le pousser à l'attaque. Cette assurance lui donnait des ailes. Les destriers, habitués à faire confiance à leurs maîtres, martelaient durement le sol. Dressés pour le combat, ils chargeraient sans hésitation les lignes ennemies.

Les Chevaliers longèrent les premiers champs enflammés. Kira ne put résister à faire un geste pour les sauver. Même si elle détestait l'eau, elle ne pouvait pas laisser les paysans perdre ainsi le travail de toute une année. Elle s'accrocha solidement à la crinière de Hathir pendant qu'elle prononçait les incantations divines apprises du Magicien de Cristal. Si elle n'était pas douée pour la formation de voûtes de protection, elle savait rassembler les nuages et les forcer à laisser échapper leur eau pendant une heure ou deux. Une pluie drue et abondante s'abattit soudain sur Émeraude, mais cela ne ralentit nullement les valeureux soldats.

Ils entrèrent dans le village déserté par ses habitants et aperçurent bientôt leurs adversaires. Il s'agissait d'insectes beaucoup moins gros que les guerriers d'élite de l'empereur et, chose curieuse, ceux-là ne craignaient pas le feu. Même le déluge provoqué par Kira ne semblait pas les incommoder.

Jasson lâcha les rênes et chargea ses paumes. Les soldats derrière lui formèrent rapidement une ligne qui bloquait toute la route. Les autres se séparèrent spontanément en deux groupes et piquèrent entre les chaumières, afin de surprendre l'ennemi sur les flancs. Les rayons décollèrent des mains des Chevaliers et abattirent la première rangée d'insectes, puis la seconde. Les destriers foncèrent dans les rangs des scarabées version réduite. Leurs cavaliers avaient tiré leurs épées et frappaient toutes les cibles qu'ils rencontraient. Ces guerriers impériaux étaient curieusement plus faciles à terrasser, mais les Chevaliers constatèrent qu'ils se comptaient par centaines.

Kira, Madier, Nelson, Phelan, Sage et Yancy arrivèrent alors sur la droite, armes au poing, évitant les lances acérées que les insectes brandissaient vers eux. Aliesen, Dienelt, Fabrice, Fossell, Koshoff et Yamina surgirent sur la gauche. Jasson crut alors avoir encerclé toute l'armée d'Amecareth.

– Il y en a d'autres là-bas ! l'avertit Ariane en donnant un violent coup de botte sur la tête d'un adversaire qui tentait de la désarçonner.

À ses côtés, Kardey se battait comme un lion. Il ne possédait pas de pouvoirs magiques, mais tout comme celles de ses compagnons, son épée était ensorcelée et déchiquetait tout ce qu'elle frappait.

Le groupe continua d'exterminer ces combattants à la carapace plutôt molle qui se comportaient étrangement. Ils ne se défendaient pas comme leurs congénères plus puissants. En fait, ils semblaient tout à fait désorganisés.

Jasson balaya la région avec son esprit. Ariane avait vu juste : un autre détachement ennemi, arrivant d'un village voisin, passait derrière eux et se dirigeait vers le château ! *Amax, nous avons vraiment besoin de Wellan !* supplia mentalement le commandant. Mais le soldat resté au fort ne répondit pas. Un curieux enchantement empêchait les Chevaliers de communiquer entre eux par télépathie. Kira poussa Hathir vers Jasson. L'énorme étalon écrasa tous ceux qui se trouvaient sur sa route.

– Il n'y a qu'une façon d'alerter nos frères ! cria la Sholienne dans la mêlée. Va prévenir Wellan sur place ! Nous tiendrons le coup !

Elle avait raison. Jasson s'écarta de l'affrontement et croisa ses bracelets. L'apparition du vortex ne sembla pas distraire leurs opposants. Le Chevalier s'y engouffra avec son cheval.

Sanya ne comprit pas immédiatement ce qui causait les bruits qu'elle percevait à l'extérieur. Habituellement, après le coucher du soleil, les animaux s'installaient dans un coin pour dormir et on n'entendait plus que le chant des grillons.

Ce soir-là, les chevaux se mirent à hennir sur la ferme voisine, puis ce furent les siens. Elle venait de laver Katil, sa fille de deux ans. Assise dans son berceau, l'enfant prêtait aussi l'oreille à ces sons inhabituels. Sanya demanda à sa servante de surveiller la petite et ouvrit la porte. Les cheveux lui dressèrent sur la tête lorsqu'elle distingua un groupe important d'insectes sur deux pattes qui remontaient la route menant à sa chaumière. Elle referma sèchement la porte.

– Lérine, aide-moi ! ordonna-t-elle.

La jeune femme laissa tomber son reprisage pour bondir vers elle. Ensemble, elles déposèrent la lourde poutre sur les crochets, barrant ainsi la porte.

– Il faut fuir ! la pressa Sanya en s'emparant de sa fille.

À l'aide d'un châle, elle attacha solidement Katil contre son ventre. Heureusement, c'était la saison chaude et la famille n'utilisait pas l'âtre. Bien décidée à survivre à cette attaque, Sanya s'introduisit dans la cheminée et escalada les pierres inégales. Lérine la suivit sans hésitation. Les deux femmes se retrouvèrent sur le toit de chaume. Leur faible poids leur permettrait d'y rester sans l'enfoncer. De leur perchoir, elles avisèrent la taille de l'armée de scarabées. Curieusement, ils ne semblaient pas s'intéresser aux bêtes. « Ils cherchent de la chair humaine », comprit Sanya, qui avait entendu si souvent les histoires de guerre de Jasson.

Elle chercha Verne des yeux. Ce paysan, bras droit de son mari depuis plus de dix ans, vivait dans la petite maison que Jasson avait construite pour ses apprentis. Mais, à cette heure, il inspectait généralement le poulailler et les enclos pour s'assurer que tout allait bien. Elle aperçut sa silhouette au milieu des moutons. Il était immobile et sans nul doute terrorisé. « Tant mieux, il les a vus », se rassura Sanya. Cet homme était suffisamment intelligent pour fuir devant une centaine de guerriers armés de lances au lieu de se précipiter vers la maison pour sauver ses occupantes.

Katil se mit à gémir. Sanya chuchota pour la faire taire. Elle espéra que l'odorat et l'ouïe de ces monstres ne soient pas sensibles. Ce qu'elle vit ensuite resta gravé à jamais dans sa mémoire. Du ciel jaillirent des jets de flammes qui embrasèrent les champs et les clôtures. Épouvantés, les animaux défoncèrent les barrières et s'enfuirent. Verne prit ses jambes à son cou. « Et s'ils incendient la maison ? » s'affola Sanya. Lérine devait penser exactement la même chose. Elle était livide. Une créature volante passa au-dessus d'elles. Les deux femmes s'écrasèrent dans le chaume. À son deuxième passage, l'oiseau géant tendit les serres.

Sanya sentit une effroyable sensation de brûlure dans son dos : les griffes de l'animal ailé lui avaient labouré la peau. Il reprit son attaque aérienne sans se lasser, jusqu'à ce que les deux fermières perdent leur emprise dans les gluis. Elles glissèrent alors sans pouvoir se retenir et s'écrasèrent sur le sol. Katil éclata en sanglots. Sanya se redressa sur ses genoux. Sa tête tournait. Lérine, pour sa part, ne semblait pas blessée. Elles entendirent alors les cliquetis angoissants des soldats ennemis.

– Viens, Lérine, il faut s'éloigner d'ici, l'enjoignit sa maîtresse.

Malgré leurs meurtrissures, elles foncèrent vers le pâturage qui s'étendait jusqu'à la rivière. Les scarabées étaient nombreux, mais ils n'avaient visiblement pas la faculté de courir. Sur la berge, Sanya obliqua vers le sud. Elle n'avait plus qu'une seule idée : secourir Catania, sa voisine.

Dans la nuit de plus en plus sombre, Sanya évitait habilement les racines et les arbustes. Elle entendait Lérine haleter derrière elle. Elle aperçut finalement la grande maison de Bergeau, dont les fenêtres étaient illuminées. Les rescapées s'y précipitèrent. Elles poussèrent violemment la porte, faisant sursauter la famille qui desservait la table.

– Sanya, que t'est-il arrivé ? s'exclama Catania en voyant sa robe maculée de sang.

– Je n'ai pas le temps d'expliquer ! suffoqua presque la jeune femme. Venez vite ! Des soldats de l'empereur nous attaquent ! Ils ont mis le feu à ma ferme !

La femme de Bergeau provenait d'un pays souvent déchiré par des intrusions ennemies. On l'avait donc préparée toute jeune à y faire face. Elle cueillit son bébé dans son lit et entraîna ses deux grandes filles dehors.

– Où allons-nous ? s'énerva Catania.

– Traversons la rivière ! décida Sanya. Jasson dit que ces scarabées ne savent pas nager !

Elles firent passer les jumelles devant. Proka et Broderika ne disaient rien, mais il était facile de voir qu'elles étaient terrifiées. Elles connaissaient l'endroit où le cours d'eau était le moins profond, pour y avoir souvent joué. Leur mère les supplia de retrouver ce gué. Les fillettes de onze ans s'élancèrent dans le champ de blé.

– Il ne faut pas nous rapprocher de chez moi, les avertit Sanya, qui les suivait de près.

– Mais c'est le seul endroit où on peut traverser sans se noyer ! protesta Broderika.

Elles quittèrent les hautes tiges blondes pour s'enfoncer dans un sous-bois. La pluie s'abbatit soudainement sur les fuyardes.

– Ne vous arrêtez pas, ordonna Catania, qui fermait la marche.

Le terrain devint rapidement boueux et glissant. Les femmes prirent appui sur les saules pleureurs qui bordaient la rivière.

– C'est ici, indiqua Proka.

– Comment peux-tu en être sûre ? Il fait si noir, s'inquiéta sa mère.

– Nous sommes venues ici des milliers de fois, assura Broderika.

– Faites attention où vous mettez les pieds, les mit en garde sa jumelle.

– Ce n'est pas le moment de faire des cérémonies, fulmina Catania.

Elle entra prestement dans l'eau froide en gardant la petite Danitza contre son épaule. À bout de force et perdant beaucoup de sang, Sanya s'écroula sur les genoux. Lérine offrit de prendre Katil, mais la mère refusa. Les jumelles l'aidèrent à se relever et à marcher dans la rivière. Sa fraîcheur lui fit le plus grand bien, mais elle indisposa la petite, qui se mit à hurler.

– Katil, tais-toi, s'impatienta Sanya.

Le grincement horripilant des mandibules envahit le sous-bois. Lérine se jeta à l'eau, poussant les jumelles devant elle. Une lance argentée siffla près de leurs oreilles.

– Dépêchez-vous ! cria Catania sur l'autre rive.

Dès qu'elles eurent toutes traversé, elles se cachèrent derrière les arbres. Les projectiles se mirent à pleuvoir, s'enfonçant dans les troncs environnants. Lérine risqua un coup d'œil vers la rivière pour s'assurer que ces affreuses créatures ne pouvaient pas les suivre. Le sang se figea dans ses veines : l'homme-insecte mettait un pied dans l'eau !

– Il faut partir ! s'énerva-t-elle en forçant Sanya à se relever. Ils traversent la rivière !

– Je n'y arriverai pas, murmura la blessée.

S'il y avait eu plus de lumière, Catania aurait vu que son amie était blanche comme de la craie. Proka poussa un cri de terreur en apercevant entre deux arbres un guerrier ruisselant de pluie.

– Prenez Katil et sauvez-la, supplia Sanya.

Lérine détacha la petite de la poitrine de sa mère et l'abrita contre elle, sans savoir vraiment où aller. Les sifflements des bêtes résonnaient maintenant partout autour d'elles.

– Je pense que nous sommes perdues, sanglota la servante.

À ce moment, un éclair brillant fendit le ciel. Lorsque les scarabées eurent refermé le cercle autour de leur prochain repas, ils n'y trouvèrent plus personne.

48

à la rescousse

L'apparition inattendue de Jasson sortant au galop de son vortex sur la plage du Royaume des Fées surprit Dunkel. Il venait de remplacer Polass pour faire le guet et il faillit se retrouver sur les fesses. Jasson stoppa son cheval, qui glissa dans les galets en hennissant.

– Wellan ! cria le commandant.

Il sauta à terre et fila entre les rochers noirs. Dunkel saisit les rênes du destrier avant de sonder rapidement la côte. Pourtant, il n'y avait aucun signe de l'ennemi.

Jasson courut entre les fleurs géantes et les arbres de cristal. Il avait souvent patrouillé ce pays et il savait exactement où les Fées avaient établi le campement. Wellan se redressa en le voyant arriver. Il lui agrippa les bras et le força à se calmer.

– Émeraude est attaqué de toutes parts ! haleta son frère d'armes. Les hommes-insectes mettent la campagne à feu et à sang ! Ils se dirigent vers le château !

Wellan tourna ses sens magiques vers l'intérieur du continent, où il ne ressentait rien du tout.

– Une sorcellerie protège cette armée ! expliqua Jasson. Nous n'arrivions plus à communiquer avec toi !

Le grand chef appela tous ses commandants en faction sur la côte. Heureusement, ces échanges ne furent pas affectés par l'envoûtement qui isolait le Royaume d'Émeraude du reste d'Enkidiev. Il leur ordonna de laisser leurs Écuyers sur place, sous bonne garde, et de le rejoindre devant le château. Pendant que Jasson reprenait son souffle, Wellan s'accroupit devant Lassa.

– Zerrouk restera pour veiller sur toi. Tu as appris à passer inaperçu avec maître Farrell. Utilise ce pouvoir pour te cacher, s'il le faut. Si la menace devient trop grande, Zerrouk vous emmènera au Château d'Argent.

– Oui, maître, répondit le porteur de lumière, qui tremblait de peur.

Wellan l'embrassa sur le front et se dirigea vers l'enclos. Quelques minutes plus tard, ses soldats le suivaient dans son vortex. Les tunnels lumineux apparurent un peu partout près du palais. Sur la passerelle, les soldats de la garde laissèrent échapper des soupirs de soulagement.

Le grand chef analysa rapidement la situation. Un grand nombre de guerriers impériaux approchaient de la forteresse. Les insectes avançaient en une large colonne sur la route de terre. Ils ne cherchaient même pas à se protéger.

– Santo, Bergeau, prenez le flanc gauche avec vos hommes ! commença Wellan.

Les Chevaliers talonnèrent leurs destriers et s'éloignèrent dans la nuit.

– Dempsey, Chloé et Falcon, le flanc droit !

Cela ne laissait que son propre groupe pour attendre l'ennemi de front.

– Jasson, retourne au village et vois si tu peux attaquer l'arrière-garde, ordonna-t-il à son frère d'armes, qui se tenait à ses côtés.

Le commandant matérialisa son vortex et s'y engouffra. Wellan jeta un coup d'œil aux Chevaliers qui restaient. Ils se tenaient droits sur leur selle, prêts à combattre. Bridgess était immobile et attentive, comme il le lui avait enseigné. Elle l'aiderait à protéger le château.

Jasson réapparut au milieu du village en flammes que la pluie n'arrivait pas à éteindre. Ses soldats avaient fait du bon travail : il ne restait presque plus de guerriers d'Iria-neth dans les rues boueuses. Une scène étonnante retint son attention : Kardey et Phelan poursuivaient des insectes, qui fuyaient devant leurs épées. Jamais depuis son premier affrontement il n'avait vu ces combattants se dérober ainsi. Mais de quelle race s'agissait-il ? Ils ressemblaient à s'y méprendre aux membres de l'élite impériale, sauf pour leur taille... et leur comportement.

Sage surgit à sa droite entre deux chaumières, arc au poing. Une flèche partit et se logea entre les mandibules d'un ennemi, le tuant sur le coup !

« Ce n'est pas le moment de se poser des questions », raisonna le commandant.

Il appela ses soldats et les rassembla, même s'ils n'avaient pas exterminé tous les hommes-insectes. Wellan lui avait demandé de harceler les scarabées qui fermaient la marche et c'est ce qu'il avait l'intention de faire. Ses Chevaliers revinrent au galop jusqu'à lui. Leurs armures ruisselaient et leurs cheveux étaient plaqués sur leurs crânes, mais ils avaient tout de même fière allure.

– Des blessés ? s'enquit Jasson.

– Quelques égratignures, rien de grave, répondit Nelson au nom de ses compagnons.

– Wellan aimerait que nous semions la terreur dans l'arrière-garde.

– Qu'attendons-nous ? lança Ariane.

– Courage, honneur et justice ! cria Jasson en éperonnant son destrier.

Le groupe partit au galop. Il ne fut pas difficile de rejoindre le corps de troupe qui cliquetait comme un énorme trousseau de clés. Jasson brandit son épée. Ses Chevaliers virent son signal et formèrent un éventail de chaque côté de lui. Des rayons lumineux jaillirent de leurs paumes, abattant impitoyablement les derniers rangs d'insectes. Lancée au galop entre Brannock et Fossell, Kira se reprochait silencieusement de ne pas pouvoir utiliser les pouvoirs de destruction hérités de son père empereur. Elle n'aurait fait qu'une bouchée de cette armée de monstres. Il y avait sûrement une façon de déclencher les halos violets sans se mettre en colère.

Quelque chose tomba du ciel et heurta si violemment la Sholienne qu'elle fut projetée sur le sol. Hathir s'arrêta immédiatement et revint sur ses pas. Les chevaux-dragons n'étaient pas seulement des destriers de premier ordre, ils étaient aussi de fidèles compagnons. L'étalon se posta près de sa maîtresse tandis qu'elle reprenait ses sens. Il la saisit même par la manche et la remit sur ses pieds.

– J'aurais dû me douter qu'Asbeth finirait par s'en prendre à moi, maugréa-t-elle.

Hathir descendit sur ses genoux pour lui permettre de remonter plus facilement en selle. Son retard permit cependant à la Sholienne de voir ce qui se passait : un ennemi ailé tentait de les empêcher d'attaquer les insectes. Elle exigea le maximum d'efforts de sa monture pour rattraper son groupe.

– Jasson ! Asbeth nous...

Elle n'avait pas terminé sa phrase que le sorcier fonçait une fois de plus sur elle. Kira vit ses yeux violets briller sous la pluie. Le reste se passa très rapidement.

Elle chargea ses mains, mais les serres d'Asbeth s'enfoncèrent dans sa cuirasse, l'empêchant de laisser partir les rayons enflammés. Au même moment, une flèche siffla près de son oreille pointue et se ficha dans l'aile de l'homme-oiseau. Dans un cri de souffrance, il laissa tomber son butin. Kira atterrit brutalement sur le dos dans un sillon. Elle entendit Asbeth s'écraser, puis rouler sur lui-même plusieurs fois dans les cultures avant de s'immobiliser. Sage le poursuivait sur son cheval, une flèche encochée.

– Sage, non ! C'est un sorcier ! hurla-t-elle, craignant pour sa vie.

Hélas, l'Espéritien ne pouvait pas l'entendre avec la pluie diluvienne et le martèlement des sabots. Il n'avait plus qu'un seul but : tuer cette abomination à plumes, qui avait déjà fait souffrir trop d'humains.

Il repéra le corbeau géant au milieu du champ. Il était en train d'arracher le projectile enfoncé dans la partie cartilagineuse de son aile. Asbeth ne vit le soldat qu'au moment où une seconde flèche lui rasait le cou. Il poussa un cri de rage, mais avant qu'il puisse riposter, une troisième flèche pénétra sa chair juste à côté de son cœur noir. Il vacilla sur ses ergots, le corps tressaillant de douleur.

Sage sauta par terre et retira la dernière flèche de son carquois. Cette fois, c'était la gorge du mage qu'il voulait viser. Soudain, une puissante explosion le sépara de sa cible. Il recula, aveuglé par la fumée bleue. Un tel écran aurait pu permettre à son adversaire de lui tomber dessus, mais Asbeth était grièvement blessé. Il ne s'en était servi que pour se protéger. L'Espéritien ne pouvait plus frapper qu'une fois : il ne devait pas le faire à l'aveuglette.

Kira arriva derrière lui en courant. Elle sonda le champ. Bien sûr, le sorcier s'était éclipsé sans demander son reste. Du revers de la main, la Sholienne fit naître un grand vent qui chassa le brouillard. Sage constata avec regret que son ennemi avait disparu. Il relâcha la corde de son arc, se retourna et étreignit son épouse.

– Est-ce que ça va ? voulut-il savoir.

– Tu m'as sauvé la vie, murmura-t-elle, fière de lui.

– C'était à mon tour, tu ne crois pas ?

– Ce que tu as fait était complètement fou, mais très brave.

– Ce n'est pas le moment de bavarder. Jasson a besoin de nous.

Il poussa Kira vers les chevaux. « À quoi devais-je m'attendre ? » pensa-t-elle. « Il n'a jamais aimé recevoir de compliments. » Ils se hissèrent en selle et lancèrent les bêtes au galop.

Les groupes de Chloé, Dempsey et Falcon fondirent sur le flanc droit de la colonne d'insectes comme des prédateurs affamés. Ils commencèrent par utiliser des rayons mortels, puis, lorsqu'ils furent trop rapprochés, ils dégainèrent leurs épées.

Depuis qu'il avait défié la mort entre les mâchoires d'un sorcier-requin, Dempsey avait acquis une plus grande confiance en lui. De tous les Chevaliers de la première génération, il avait toujours été le plus tranquille, le plus silencieux. Son mariage avec la douce et irremplaçable Chloé lui avait donné un statut social enviable, mais toujours pas de visibilité. Ce n'est qu'après l'épisode dramatique sur la plage de Zénor qu'il avait enfin compris qu'il n'en tenait qu'à lui de prendre sa place au sein de l'Ordre. Son seul défaut, c'était sa passivité. Au fond, il n'avait que de belles qualités. Il ne lui restait qu'à les faire valoir.

Galopant aux côtés de Chloé, en qui il avait une confiance inébranlable, il s'occupait surtout de scruter magiquement les alentours. La dernière chose qu'il voulait, c'était d'être surpris par un détachement isolé qui les coincerait dans une mare de scarabées armés de lances. Une fois bien certain qu'il s'agissait de la seule troupe à intercepter, Dempsey se concentra sur l'attaque. En s'enfonçant dans les rangs des ennemis, il constata qu'ils ne réagissaient pas tous de la même façon. Certains les affrontaient, d'autres tentaient de s'enfuir ! *Rattrapez-les !* ordonna-t-il à ses hommes. Tous les soldats entendirent cet ordre télépathique. Le mauvais sort qui avait bloqué les communications était donc levé.

Dans le groupe de Falcon, Kevin n'avait pas pu emmener Liam qui, pourtant, ne l'avait pas quitté d'une semelle depuis qu'il était devenu son Écuyer. Les ordres de Wellan ne se discutaient pas. Les apprentis ne pouvaient pas encore participer aux assauts. Kevin restait donc en vue de son commandant, car il ne possédait plus les pouvoirs magiques de ses frères d'armes. En revanche, sa vision nocturne, même dans la pluie qui les fouettait, était parfaite. Il distinguait absolument tout et, mieux encore, il comprenait les cliquetis des insectes. Ses oreilles, de plus en plus sensibles, captaient leur moindre parole. Il chercha donc à identifier le chef de cette troupe, car bien souvent, à la guerre, une fois qu'on coupait la tête du serpent, il mourait. Ce qu'il entendit le déconcerta : ces guerriers ignoraient où ils allaient. Ils savaient seulement qu'ils devaient suivre cette route et pénétrer dans le bâtiment qu'ils trouveraient devant eux. « Mais qui le leur a demandé ? » Kevin n'arrivait pas à repérer leur commandant. Il conclut donc qu'ils devaient recevoir leurs directives directement de l'Empereur Noir, à qui ils étaient tous reliés. C'était la seule explication.

Virgith en était à sa première bataille, mais le jeune étalon agissait de façon exemplaire. On aurait dit qu'il avait reçu le même entraînement que les destriers de ses compagnons. Il fonçait sur l'ennemi sans hésiter, percutant les fantassins de son large poitrail et les écrasant lorsqu'ils tombaient sous ses sabots. Sur son dos, Kevin se servait de son épée pour faucher les autres insectes. Ils étaient nombreux. Cependant, ils ne semblaient pas savoir utiliser leurs armes : ils les lançaient à tort et à travers.

Sur l'autre flanc, les groupes de Santo et de Bergeau faisaient aussi du bon travail. Eux aussi constatèrent rapidement que leurs adversaires se comportaient de façon étrange. Bergeau en vint à penser qu'il s'agissait peut-être d'une diversion et que de vrais guerriers frappaient ailleurs sur Enkidiev. Mais ce n'était pas le moment de sonder le continent. Même si ces scarabées n'étaient pas très habiles avec leurs lances, ils risquaient tout de même de leur infliger des blessures par maladresse. Au moins, lorsque la colonne arriverait devant Wellan, elle serait beaucoup moins importante.

49

La brèche

Avec les soldats de son groupe, Wellan formait une ligne devant le château. Le pont-levis était descendu, mais les immenses portes de la forteresse étaient refermées. Le grand chef savait qu'aucun de ses Chevaliers ne laisserait passer l'ennemi. Ils possédaient tous des nerfs d'acier, surtout les femmes : Bridgess, Rainbow, Robyn et Winks. Intensément concentrées, leurs sens magiques balayaient la route. Les insectes arrivaient et leurs cliquetis se distinguaient de plus en plus du martèlement de la pluie.

Wellan avait bien suivi les combats de ses Chevaliers sur les flancs et l'arrière-garde de la colonne. Ils épuisaient les scarabées et en réduisaient le nombre. Toutefois, lorsque la silhouette des premiers guerriers impériaux se dessina dans la nuit, il y en avait encore beaucoup. Il chargea ses mains. *Préparez-vous,* les prévint-il, *mais attendez mon commandement.* Il sentit surgir l'énergie combinée de sa troupe.

Il projeta les filaments lumineux devant les pieds des assaillants, pour les décourager de poursuivre leur avancée. Cela aurait servi d'avertissement à n'importe quelle autre race, mais ces créatures continuaient d'approcher. *Attaquez !*

lança Wellan. En utilisant la télépathie, il ferait comprendre au reste de ses troupes que l'ennemi était rendu aux portes du château.

Les rayons fusèrent de toutes parts. Les premières victimes s'écrasèrent sur le sol, mais furent aussitôt piétinées par leurs congénères. Bridgess ne put s'empêcher de penser à une colonie de fourmis géantes quittant son nid et cherchant à s'établir ailleurs. Mais cet endroit ne devait pas être Émeraude... Elle redoubla d'ardeur, utilisant successivement sa main droite, puis sa main gauche, dans des directions différentes pour être plus efficace. Soudain, la colonne s'éparpilla. Bridgess n'en croyait pas ses yeux ! Les hommes-insectes fuyaient dans tous les sens !

– Wellan ! s'écria-t-elle en pointant un groupe qui s'échappait sur leur gauche.

Le grand chef les vit aussi. Il ordonna à Bailey et à ceux qui se trouvaient près de lui de les empêcher de franchir les douves. Ce fut la débandande. Tous les groupes de Chevaliers pourchassaient des détachements isolés sur la route et dans les champs. Dans la confusion, un grand nombre de scarabées échappèrent à leurs poursuivants. Wellan fit pivoter sa jument. Il fut saisi d'horreur en voyant des insectes escalader les murailles.

Qui est à l'intérieur du château ? s'informa-t-il avec son esprit. *Je suis là*, répondit Amax. Wellan l'avertit que l'ennemi arrivait par les créneaux.

Swan avait aidé Farrell à revêtir son uniforme de Chevalier d'Émeraude. Tous les deux s'apprêtaient à aller chercher leurs chevaux lorsqu'ils entendirent le message de Wellan. Ils se retournèrent et levèrent les yeux sur les passerelles.

On aurait dit une invasion de locustes. Les guerriers de l'empereur écrasèrent la garde royale qui tentait de les empêcher de passer.

Devant le danger, Amayelle somma les habitants du château de foncer vers l'écurie. Élizabelle avait déjà pris les devants pour ouvrir la porte du tunnel. Elle demeura ensuite sur place pour encourager les fuyards à se dépêcher. Il n'était pas évident d'évacuer rapidement des centaines de personnes, puis de sceller l'accès du passage. Mais c'était son devoir de protéger cette forteresse où elle avait vu le jour.

Pendant que les jeunes femmes et les Écuyers s'occupaient d'organiser la fuite, Hawke rejoignit Farrell, Swan et Amax devant le mur sud. Parce qu'il avait participé au combat contre les chouettes géantes, il trouverait le courage de seconder son collègue. Swan, par contre, était moins confiante que lui. À ses côtés, Farrell chancelait sur ses jambes. Son esprit avait beau être combatif, si ses forces le quittaient, il ne leur serait d'aucun secours. À sa grande surprise, Morrison arriva de la forge avec un énorme marteau dans les mains.

– Morrison, vous n'êtes pas soldat, lui rappela Swan. Allez plutôt aider votre fille.

– Mes bras sont plus solides que les vôtres, madame Chevalier. Ces insectes ne passeront pas.

Elle allait protester lorsque Farrell posa une main sur son bras : l'ennemi sautait de la passerelle sur le sol. Les magiciens bombardèrent les insectes de rayons incendiaires. Leur premier assaut se termina après quelques pas à peine dans la cour. Leurs carcasses fumaient sur le sable, mais cela ne découragea pas pour autant ceux qui les suivaient.

– Il faut ouvrir les portes ! conclut le renégat.

– J'y vais ! décida Amax.

Le jeune soldat originaire de Fal fonça dans la marée de coléoptères sans la moindre hésitation. À coups d'épée, il se fraya un chemin à travers les mandibules qui tentaient de le happer. Il ne le remarqua même pas lorsqu'un des insectes lui entailla le bras. Enfin, il sauta sur l'énorme poulie, hors de portée de ses ennemis. Avec sa magie, il souleva l'énorme barre de bois qui empêchait les deux portes de bouger. « Pourquoi ne pas faire d'une pierre deux coups ? » songea-t-il. Il propulsa le madrier sur les guerriers impériaux, les écrasant sur le sol. Puis, à l'aide de son pouvoir de lévitation, il attira les immenses panneaux vers lui. Le groupe de Wellan chargea aussitôt à l'intérieur.

Personne ne sut comment il avait réussi à échapper à la surveillance des adultes, mais au beau milieu de la bataille, le petit Nartrach surgit entre Morisson et Swan. Il poussa un grondement si menaçant que les scarabées reculèrent en émettant des cliquetis affolés. Avant que le forgeron ou le Chevalier ne puisse s'emparer du gamin et le pousser vers l'écurie, ce dernier sauta dans la mêlée.

– Nartrach ! hurla Swan, effrayée.

En se protégeant d'un barrage de faisceaux ardents, elle chercha à le rejoindre au milieu des hommes-insectes, mais il était si petit qu'elle n'arriva pas à le retrouver. Les cavaliers se mirent à zigzaguer autour d'elle en abattant l'ennemi, et même les sabots de leurs montures risquaient de tuer l'enfant. Elle ne pouvait pourtant pas arrêter la guerre pour sauver le fils de Wanda ! Un coup sur sa nuque la ramena à la réalité. Elle pivota en empoignant son épée à deux mains et abattit son assaillant.

La pluie cessa de tomber aussi abruptement qu'elle avait commencé, augmentant la visibilité pour les Chevaliers. Ils fonçaient sur les insectes avec leurs chevaux de guerre et les fauchaient avec leurs épées. Au milieu de la cour, comme le dieu de la forge, Morrison balançait son énorme marteau en tous sens, projetant ses adversaires sur leurs semblables.

Personne ne vit le temps passer, mais lorsque le massacre cessa, la lune était haute dans le ciel. Les nuages qui avaient déversé leurs eaux avaient magiquement disparu et le sol commençait déjà à sécher. La cour du château était jonchée de cadavres. On entendait haleter les chevaux. Santo arriva au galop et sauta à terre. Son véritable travail à lui venait de commencer. Il se dirigea tout de suite vers ses frères blessés.

Wellan fit lentement tourner son cheval sur lui-même pour évaluer la situation. Les Chevaliers semblaient avoir remporté cette bataille, mais il préféra attendre les rapports de ses commandants avant de crier victoire. Les soldats magiques, qui se trouvaient dans l'enceinte commencèrent à incendier les corps. Le grand chef descendit de sa monture et donna une claque sur la croupe de Grisald, qui trottina jusqu'aux enclos en sautant par-dessus les insectes morts. Ses compagnons firent de même avec leurs chevaux. Le grand nettoyage avait commencé. Pendant que l'ennemi était réduit en cendres, Wellan se pencha sur une dépouille. Cette créature ressemblait en tous points aux guerriers noirs, mais sa carapace était moins foncée, presque marron. Elle était aussi moins dure. « Pourquoi l'empereur a-t-il envoyé ces soldats inexpérimentés ? » se demanda-t-il.

Un grand cri le fit bondir sur ses pieds. Bridgess venait de faire une terrible découverte : sous une charrette, un bambin pleurait toutes les larmes de son corps. Wellan courut rejoindre son épouse, qui n'avait pas l'habitude de s'exclamer ainsi sans raison. Il comprit son angoisse en apercevant

Nartrach couvert de sang : il lui manquait un avant-bras ! Les Chevaliers se mobilisèrent pour chercher le membre arraché, car Santo possédait de si grandes facultés de guérison qu'il pourrait sans doute le ressouder. Pendant que ses frères fouillaient partout, Bridgess arrêta temporairement le sang qui coulait à grands flots du moignon.

Les autres groupes revinrent progressivement au château et participèrent aux recherches. Lorsque Falcon entra au galop avec Wanda et les membres de sa troupe, il aperçut aussitôt son fils unique dans les bras de Bridgess. Wanda faillit s'évanouir quand elle remarqua le bras sectionné.

– Maman..., sanglota le petit.

Elle oublia sa fatigue et enleva le gamin à Bridgess. Falcon était planté devant elle, la bouche ouverte, mais aucun son ne voulait en sortir. L'horreur le paralysait. Un peu plus loin, c'est Curtis qui fit la macabre découverte. Le bras de l'enfant reposait dans le gosier d'un homme insecte, à demi-déchiqueté. Il manquait même des doigts sur la main, qui se trouvaient entre les mandibules d'un congénère. Curtis vomit tout ce qu'il avait dans l'estomac. Sa réaction brutale attira immédiatement ses compagnons, qui ne purent que constater que le membre du petit était irrémédiablement perdu.

Milos revint vers les parents blancs comme la mort, sans trop savoir comment leur annoncer la nouvelle. Il n'eut pas à prononcer un seul mot. Falcon avait deviné son message. Il était certes superstitieux, mais parmi tous les Chevaliers, il était aussi le plus confiant, le plus optimiste. Il savait qu'il y avait toujours une raison pour tout ce qui arrivait à un homme... ou à un enfant de trois ans. Il ne comprenait pas encore la volonté des dieux, mais le temps lui donnerait sa réponse. En rassemblant son courage, il passa le bras autour des épaules de sa femme et l'emmena vers l'aile des Chevaliers.

Wellan les regarda partir, impuissant. Si Jenifael avait subi le même sort que le petit de Wanda, il aurait probablement éclaté d'une telle colère qu'on l'aurait expulsé de l'Ordre. Que pouvait-il dire à son frère d'armes pour le réconforter ? Comment pouvait-il lui venir en aide ? Un gémissement attira son attention. Swan soutenait Farrell qui venait de se relever. Lui aussi était dans un état pitoyable.

– Il a utilisé le peu de forces qui lui restait, expliqua sa femme.

Wellan l'aida à le ramener chez lui.

– Ça ira ? demanda-t-il à sa sœur d'armes.

– Pas tant que je n'aurai pas retrouvé Atlance.

Wellan ne trouva rien d'autre à faire que de l'embrasser sur le front, comme lorsqu'elle était Écuyer. Il transmit une vague d'énergie à Farrell et quitta la tour. Bailey vint aussitôt lui faire son rapport.

– Plusieurs nous ont échappé, Wellan, annonça-t-il, angoissé.

– Nous les traquerons au matin. Il faut d'abord brûler tous ces corps.

Le grand chef posa une main amicale sur l'épaule du jeune Chevalier.

– Y a-t-il des blessés là-bas ?

– Des égratignures surtout. Je vais mettre tout le monde au nettoyage de la route.

Wellan hocha doucement la tête, quelque peu découragé par tout le travail qui les attendait et le peu de repos qu'il accorderait à ses hommes. Après la crémation de l'ennemi et une battue pour retrouver ceux qui s'étaient échappés, ils devraient retourner sur la côte et tenter de savoir où le dieu déchu avait emporté Atlance.

50

ᗞᕮ Lʼɪᖇᖇᕮᔕᑭᕮᑕᴛ

Asbeth avait déjà été blessé par Wellan lors de ses premiers contacts avec les humains. Il avait appris à l'éviter, car il possédait plus de pouvoirs que le reste de cette vermine. Jamais il n'aurait cru qu'un autre Chevalier puisse lui infliger autant de souffrance. C'était pourtant la nuit : son plumage noir aurait dû faire en sorte qu'il s'en tire mieux que cela. Les soldats étaient suffisamment occupés au sol pour ne pas sentir sa présence. C'était encore la faute de Narvath...

Il avait capté sa présence parmi les cavaliers qui harcelaient l'arrière-garde. De sa position avantageuse, il avait cru pouvoir s'emparer d'elle sans difficulté, et il aurait réussi sans l'intervention de ce mystérieux archer. Avant d'être atteint par sa flèche, il avait eu quelques secondes pour le sonder. C'était un hybride, comme la bâtarde d'Amecareth. Pourtant, le traître Nomar avait affirmé à son maître que toutes ces abominations avaient été éliminées. Pourquoi celui-là se trouvait-il parmi les Chevaliers ?

Le sorcier avait dû abandonner les troupes pour sauver sa propre peau. Sans direction, il était peu probable qu'elles aient fait subir de sérieux dommages aux humains. L'homme-oiseau avait dû se couper de la collectivité pendant qu'il se soignait. L'explosion de fumée devant son assaillant lui avait permis d'atteindre une forêt non loin. Il perdait rapidement son sang. Il avait donc saisi la flèche, à l'aide des griffes qui terminaient ses ailes, et l'avait arrachée.

Il reposa ensuite un long moment dans son cocon de lumière violette, laissant la magie guérir ses plaies. À son réveil, le soleil commençait à se lever au-dessus des volcans, à l'est. La douleur avait disparu, mais pas sa rancune. Il trouverait celui qui l'avait humilié et il le tuerait.

Il prit son essor et vola aussi haut que possible dans le ciel afin de ressembler à tous les autres rapaces du continent. Sur la route qui menait au château, il y avait de nombreux feux. Asbeth se rappela que les humains incendiaient les cadavres. Il ne connaissait rien à leurs rites funéraires, mais il trouvait la coutume bien étrange. Sur Irianeth, les morts étaient jetés aux dragons.

La cour de la forteresse grouillait de vie. Le sorcier lança un appel télépathique aux jeunes guerriers impériaux, mais la réponse ne lui parvint pas de cet endroit. Il laissa donc ses sens le guider. Il plana sur le vent et se retrouva bientôt sur la côte. Des dizaines d'embarcations impériales allaient bientôt accoster au pied de la falaise du pays de neige. Son maître ne lui avait pas parlé de ce plan. Il entendit alors sa voix retentissante dans son crâne.

Asbeth, où étais-tu passé ? J'envoie d'autres guerriers pour achever ce qui reste des humains !

Devait-il lui dire que le première détachement n'avait pas fait son travail ? Il risquait de périr dans ses longues griffes.

Narvath a fait échouer vos plans, monseigneur.

Il y eut un long silence, que le sorcier n'interpréta pas comme un bon présage. Enfin, l'Empereur Noir lui demanda de lui raconter l'affrontement en détail. Asbeth s'exécuta sur-le-champ. Il lui relata la traversée du continent et l'attaque des villages et inventa le reste. Évidemment, il se garda de lui parler de sa blessure et de sa longue période d'inconscience. Amecareth annonça que ses projets demeuraient inchangés : il attaquerait les fortifications des humains jusqu'à ce qu'ils lui livrent sa fille et l'élu des dieux qui devait mettre fin à sa vie.

Dois-je les accompagner ? voulut savoir le sorcier.

Il aurait préféré rentrer chez lui pour refaire entièrement ses forces, mais le seigneur des insectes lui enjoignit de rejoindre ces jeunes combattants et de les guider. Puis, l'empereur se tut.

S'il les avait envoyés sur la même plage que l'armée précédente, ces guerriers n'auraient eu qu'à suivre sa trace. Curieusement, il avait choisi de les faire descendre beaucoup plus au nord. Comment allait-il leur faire traverser la rivière à cet endroit ? Ses forces seraient-elles entièrement rétablies ? Pourrait-il déraciner des arbres, les entrelacer et les jeter sur le cours d'eau ? Normalement, il pouvait soulever quelques créatures dans les airs pour leur faire franchir des obstacles, mais pas des centaines...

Il piqua vers les flots en décidant de régler ce problème une fois sur place.

51

UN NOUVEAU ROI

Wellan dépêcha quelques Chevaliers dans le passage secret pour aller chercher les gens du château. Ils les trouvèrent dans la forêt, blottis les uns contre les autres. Amayelle les accueillit avec soulagement et leur assura qu'ils n'avaient pas vu l'ennemi. Cependant, le fils de Wanda manquait à l'appel. Volpel lui apprit qu'ils l'avaient retrouvé dans la cour de la forteresse, un membre en moins. Amayelle serra Cameron contre sa poitrine, car il aurait pu tout aussi bien s'agir de lui. Armène avait gardé les enfants de Farrell dans ses jupes pendant que les autres cherchaient Nartrach. Elle qui se sentait déjà coupable du rapt d'Atlance, elle aurait beaucoup de peine en apprenant ce qui était arrivé au fils de Falcon.

Les soldats détruisirent tous les cadavres de leurs ennemis, mais ils ne retrouvèrent pas les hommes-insectes qui s'étaient échappés. Le groupe de Chloé et de Dempsey alla vérifier l'étendue des dommages dans les villages et les champs, tandis que celui de Jasson poursuivait le nettoyage. Ce dernier utilisait ses facultés de lévitation pour rejeter la cendre de la crémation à l'extérieur du château lorsqu'il vit arriver sa famille et celle de Bergeau, à pied. Leur servante portait Katil et l'une des jumelles tenait Danitza dans les bras. Catania aidait Sanya à marcher. Jasson courut de toutes ses jambes à la rencontre des pauvres femmes.

– Des monstres nous ont attaquées, expliqua Catania. Sanya a été blessée. Je ne sais pas ce qui s'est passé. Un rayon de lumière nous a enveloppées et nous nous sommes retrouvées sur la route.

Jasson prit Sanya dans ses bras et la transporta dans la forteresse, où il l'installa sur un lit. La paysanne était pâle et très faible. Il passa la main au-dessus de son corps : elle avait perdu beaucoup de sang. Il chercha ses plaies, les nettoya et les referma avec soin. Il ne pouvait rien faire de plus. Il se tourna vers la servante éreintée. La petite Katil s'était endormie sur son épaule.

– Es-tu blessée ? s'informa-t-il.

– Non, sire.

– Raconte-moi tout.

Malgré sa grande fatigue, Lérine lui relata les événements de la nuit et vanta le courage de sa maîtresse. Jasson la remercia. Il lui enleva son enfant et l'invita à s'étendre sur le lit de l'apprenti. La servante lui obéit sans se faire prier. Il examina ensuite Katil : elle n'avait pas une seule égratignure, mais il ressentit de la peur dans sa jeune âme. Ce n'était pas une émotion qu'il désirait pour sa fillette de deux ans. Il la garda avec lui et s'allongea près de Sanya. Lui aussi avait sommeil. « D'où venait donc cette lumière qui les a sauvées ? » se demanda-t-il en fermant les yeux.

Wellan, quant à lui, repoussait l'heure où il pourrait enfin poser la tête sur un oreiller. Les Écuyers étaient de retour et ils avaient insisté pour participer aux opérations de nettoyage. Le grand chef marchait parmi eux, épuisé mais content de n'avoir pas subi de pertes parmi ses Chevaliers. Avant de repartir pour la côte, il allait régler plusieurs choses, la première étant la succession royale. Ce royaume avait vraiment besoin d'un souverain. Il avait l'intention de forcer un peu la main de Kira, qui tardait à arrêter son choix.

Quand il ne resta plus de matière pulvérulente sur le sol, Wellan envoya les apprentis s'occuper des chevaux. Les pauvres bêtes avaient travaillé très fort. Elles devaient être lavées et, dans certains cas, soignées. Contents de pouvoir rendre service à leurs aînés, les enfants foncèrent vers les enclos.

Les habitants du château commencèrent à émerger de l'écurie. Fatigués, ils traînaient les pieds en direction du porche. En les voyant arriver, Hawke s'immobilisa, le cœur battant. « Mais quelle est cette émotion que je ressens ? » s'étonna-t-il. Élizabelle fermait la marche. Sans pouvoir s'en empêcher, il s'élança vers elle et saisit ses mains.

– J'ai eu très peur pour vous, s'entendit-il dire.

– Jamais autant que moi, avoua la jeune femme. J'ai été tourmentée pendant de longues heures en vous sachant entouré de ces abjectes créatures.

– Les Chevaliers m'ont...

Elle jeta les bras autour de son cou et l'embrassa sur les lèvres, sans se soucier de tous les regards qu'ils attiraient. Hawke voulut la repousser, se rappelant l'avertissement de Morrison. Élizabelle le serra davantage.

– Je vous en conjure, ne vous exposez plus ainsi au danger, le supplia-t-elle.

– Je suis le magicien de ce château, Élizabelle. C'est mon devoir de le protéger.

– Si vous deviez mourir, je ne m'en remettrais jamais.

Curieusement, il pensait la même chose.

– Venez, la pria-t-il.

Il l'entraîna vers sa tour. À la porte de la forge, Morrison fronça les sourcils. Il avait pourtant mis cet Elfe en garde ! Mais, comme il avait combattu toute la nuit, le forgeron n'eut pas la force de poursuivre les tourtereaux. Le magicien ne perdait rien pour attendre...

Hawke fit asseoir la jeune fille sur son lit et, avec beaucoup de simplicité, il lui répéta la conversation qu'il avait eue avec son père.

– Vous m'avez emmenée chez vous dans l'intention de le défier ? s'amusa-t-elle.

– Oui... et non. Si je vous demandais d'unir votre vie à la mienne, ce ne serait pas pour le provoquer. Ce serait par amour.

– Vous m'aimez, Hawke ?

L'hésitation dans les grands yeux verts de l'Elfe faillit la faire sourire.

– Je n'ai pas éprouvé beaucoup d'émotions dans ma vie, et c'est regrettable, parce que je n'arrive pas à identifier ce que je ressens en ce moment. Mon cœur bat si fort que je crains qu'il n'éclate.

– Si mon père décidait de me donner en mariage à un jeune Chevalier, comment réagiriez-vous ?

– Je me jetterais dans la rivière.

– Et s'il nous forçait à nous épouser ?

– Je serais le plus heureux des Elfes.

Cette fois, il avait compris. Élizabelle l'attira contre elle. Ils échangèrent de longs baisers. « Après tout, Farrell est marié et cela ne lui enlève aucun de ses pouvoirs », songea-t-il. Il se laissa gagner par les étreintes de la jeune femme, sans plus se soucier des menaces de son père.

Lorsque tous les chevaux furent pansés et nourris, les Écuyers retournèrent auprès de leurs maîtres, même si la plupart dormaient dans leur aile. Lassa se planta devant Wellan en le questionnant du regard.

– Viens, nous avons quelques visites à rendre ce matin, lui dit le Chevalier.

– Vous n'avez pas sommeil ?

– Un peu, mais un chef a des devoirs, mon petit. Si tu veux aller dormir, je ne t'en empêche pas.

– Ma place est à vos côtés.

Wellan ébouriffa ses cheveux blonds avec un sourire. Lassa le suivit à l'intérieur. Son maître commença par frapper quelques coups à la porte de Falcon, qui lui ouvrit. Son regard était rempli de souffrance.

– Je peux entrer ? demanda Wellan.

Falcon le laissa passer. Wanda était assise sur le lit, le dos appuyé contre le mur, son petit dans les bras. Nartrach dormait profondément, malgré les larmes de sa mère qui coulaient sur ses cheveux noirs.

– Comment est-il ? s'inquiéta le grand chef.

– Sa fièvre est tombée, murmura la mère, la voix enrouée.

– Je suis tellement désolé... Il a dû échapper à la surveillance des adultes.

– Nous ne blâmons personne, assura Falcon. Nous savons bien que notre fils est désobéissant.

Chloé et Dempsey se présentèrent à leur tour avec leurs Écuyers et ceux de Falcon et Wanda. La femme Chevalier alla s'asseoir sur le lit, près de la mère, et caressa sa joue en lui transmettant une vague d'apaisement.

– Nous sommes là pour t'aider, chuchota-t-elle.

– Les récoltes sont perdues, annonça Dempsey à Wellan. Heureusement, il n'y a eu qu'un seul mort parmi les paysans. Les autres ont eu la bonne idée de fuir.

Le Chevalier se tourna ensuite vers Falcon et le serra dans ses bras pour lui redonner du courage.

– Ton fils est courageux, lui dit-il. Il se taillera une place parmi nous, comme Kevin.

Falcon ne répondit pas. Il avait la gorge bien trop nouée. Soulagé de voir le couple entre bonnes mains, Wellan poursuivit sa route. Il longea le couloir en inspectant magiquement chaque chambre. La plupart de ses soldats dormaient. Lassa sur les talons, il grimpa à l'étage des appartements royaux. Chez lui, Nogait étreignait son fils et sa femme, rassuré de les trouver en vie.

Le grand chef s'arrêta devant la suite de la princesse mauve. Il allait frapper, mais elle ouvrit la porte avant que ses jointures ne heurtent le bois.

– Je t'ai senti approcher, déclara Kira.

Elle portait une tunique propre et ses cheveux étaient frais lavés. Elle laissa entrer le maître et son apprenti et leur offrit même du vin.

– Où est Sage ?

– Il s'est endormi en sortant du bain. Moi, je n'arrive pas à fermer l'œil. Tout ce qui s'est passé ce soir ne me quitte pas l'esprit.

Lassa goûta l'alcool du bout de la langue et fit la grimace. Kira ne lui en tint pas rigueur, même s'il s'agissait du meilleur cru que le royaume ait connu depuis longtemps.

– Kira, tu ne peux plus retarder le choix du prochain souverain d'Émeraude, lâcha Wellan en posant sa coupe. Tu as vu comme moi, cette nuit, que ce pays a besoin d'un chef pour le diriger pendant que nous sommes à la guerre.

– C'est justement une des choses qui m'empêchent de dormir, avoua-t-elle.

Les deux Chevaliers ressentirent en même temps l'arrivée d'une importante foule dans l'enceinte de la forteresse. Les paysans fuyaient-ils une nouvelle armée ? Kira ne prit même pas la peine de se chausser. Elle bondit dans le couloir, dont un mur était percé de larges fenêtres. Il y avait tellement de monde dans la cour qu'on ne voyait même plus le sol. Curieusement, tous ces gens étaient tournés vers le balcon où Émeraude Ier avait l'habitude de s'adresser au peuple.

— Farrell ! Farrell ! se mirent-ils à scander.

— Mais qu'est-ce qu'ils lui veulent ? s'étonna la princesse.

— Je crois le savoir.

Wellan obliqua vers les appartements du roi, dont les portes n'avaient pas été ouvertes depuis son décès. Il traversa les nombreuses pièces et se posta sur la balustrade. Les villageois se calmèrent progressivement.

— Nous voulons un nouveau roi ! exigea l'un d'eux.

— Et nous voulons que ce soit Farrell ! ajouta une femme.

— Il y a longtemps, c'était le peuple qui choisissait son souverain !

— Nous savons que la Princesse Kira ne veut pas du trône !

— Qu'elle soit soldat, si c'est ce qu'elle veut, mais donnez-nous un roi !

Le grand chef leva les bras pour les faire taire.

— Vous avez raison, confirma-t-il. La loi vous permet d'élire le monarque de votre choix. Mais Farrell n'est pas de sang royal.

— On s'en moque ! Il est le plus puissant magicien né à Émeraude et il saura nous protéger !

Théoriquement, ils pouvaient faire cette requête aux conseillers du palais, mais qu'en penserait Farrell ? Wellan annonça aux manifestants qu'il allait chercher le professeur de magie. Pour accélérer les choses, il utilisa son vortex. Lassa sauta dans le tourbillon de lumière juste derrière lui.

Swan se séchait les cheveux avec un drap de bain lorsque son chef se matérialisa dans la grande pièce circulaire. Jenifael était couchée dans le lit de Nemeroff et dormait à poings fermés. Les enfants du couple n'étaient visibles nulle part.

– Armène est tellement en état de choc, après ce qui s'est passé avec Nartrach, qu'elle a refusé de nous les rendre, expliqua Swan. Comme je suis exténuée, et Farrell à moitié mort, je n'ai pas protesté.

– Je suis justement venu te parler de ton mari. Le peuple le réclame.

– Pourquoi ? Y a-t-il d'autres bêtes ensorcelées à nos trousses ?

– Non. Le peuple veut en faire son roi.

– Elle est bien bonne !

– Ce n'est pas une blague, Swan.

La femme Chevalier pointa son mari sur la couche, blanc comme de la craie et respirant avec difficulté.

– Je pense que ces gens feraient mieux de revenir un autre jour, commenta-t-elle.

Wellan se souvint d'un procédé que lui avait enseigné le traître Nomar jadis. Il ne l'avait jamais essayé sur personne, car aucun de ses compagnons ne lui en avait donné l'occasion. Il s'approcha de Farrell et posa une main sur son cœur. Prudemment, il prononça l'incantation magique. Le pauvre homme sursauta dans ses draps, comme s'il avait été mordu par un serpent.

– Qu'est-ce que tu lui as fait ?

– J'ai tenté de lui redonner un peu de force vitale sans épuiser la mienne.

Farrell battit des paupières et reconnut le chef des Chevaliers.

– Que puis-je faire pour vous, sire Wellan ? murmura-t-il en essayant de s'asseoir.

Wellan le soutint pendant que Swan plaçait un gros oreiller dans son dos.

– La cour est bondée de paysans qui vous demandent, expliqua le grand chef.

– Qu'est-ce que j'ai encore fait ? s'inquiéta Farrell.

– Vous leur avez sauvé la vie à plusieurs reprises et ils veulent vous proclamer roi.

– Enfin...

Sa réaction surprit beaucoup Wellan. Puis, il se rappela qu'il avait affaire à Onyx. Cet ancien combattant avait jadis réclamé le trône pour ses loyaux services, surtout qu'à l'époque, il considérait que le Roi Jabe était un incapable.

– J'en conclus donc que vous acceptez que les conseillers du roi considèrent votre candidature ? s'informa Wellan.

Farrell hocha doucement la tête en se disant que ces imbéciles perdraient leur poste aussitôt après sa nomination. Il n'aurait que faire d'une bande de fonctionnaires qui tournaient en rond sans être capables de prendre la moindre décision.

– Je vais aller prévenir le conseil, suggéra le chef des Chevaliers.

– Laissez, répliqua le renégat. Nous ne pouvons pas faire attendre le peuple.

Il réussit à poser ses pieds nus sur le sol, mais sa tête continuait de tourner.

– Un instant, Farrell d'Émeraude ! protesta Swan. Et moi, là-dedans ?

– Tu seras reine, évidemment.

– Tu ne me demandes pas ce que j'en pense ?

Wellan comprit qu'il allait se retrouver au milieu d'une querelle de ménage et se demanda s'il devait s'esquiver.

– C'est à moi de prendre cette décision, répondit le renégat. Si seulement je pouvais retrouver totalement mes esprits...

Swan s'empara de la bassine d'eau sur la commode et lui en envoya tout le contenu au visage.

– Là, est-ce que c'est mieux ?

Le magicien éclata d'un grand rire, qui n'était pas celui de Farrell. Il bondit et emprisonna sa femme dans ses bras.

– Je vous attends sur le balcon, décida Wellan.

Le grand chef saisit la main de son apprenti et l'emmena dans l'escalier.

Le couronnement

Lorsque Farrell apparut aux côtés du grand chef de l'Ordre, le peuple se déchaîna. Wellan remarqua que le magicien avait bien meilleure mine dans la longue tunique rouge qui lui donnait des couleurs.

– Je suis surpris que Swan vous ait laissé partir, ironisa Wellan.

– Il n'y rien comme l'amour pour faire entendre raison à une femme, répondit moqueusement le magicien.

Il leva les bras, encourageant les paysans à l'acclamer davantage.

– Qui sera le nouveau roi d'Émeraude, Onyx ou Farrell ? demanda le Chevalier.

– Qu'en pensez-vous ? lui glissa Farrell dans un sourire.

Il excita encore un peu la foule, puis rentra dans le palais. Tous les dignitaires l'attendaient dans la salle d'audience. Il marcha vers eux en adoptant un air de fierté. Wellan, en tant que commandant de l'Ordre d'Émeraude, était tenu de l'accompagner. Hawke et Kira faisaient aussi partie de cette rencontre. Les conseillers posèrent mille questions au paysan d'Émeraude, sur ses origines, ses convictions et son engagement. Farrell y répondit patiemment. Seul l'éclat de ses yeux montrait son agacement. Lorsqu'ils eurent terminé leur interrogatoire, les fonctionnaires se retirèrent dans une pièce adjacente.

– Que décideront-ils ? pensa Hawke, tout haut.

– Ils n'ont pas vraiment le choix, rétorqua le renégat. S'ils font venir un prince d'ailleurs, il se fera brutaliser par le peuple avant d'arriver au château et il n'aura pas le goût de régner.

– Comment pouvez-vous dire une chose pareille ? protesta Kira.

– En temps de paix, les gens se comportent de façon civilisée. Nous sommes en guerre. Ils ont besoin d'un monarque qui sache les défendre, pas d'un fantoche.

Pour avoir lu son journal, Wellan savait ce que le renégat pensait des rois de son époque. Pouvait-il vraiment lui reprocher la rancune qu'il entretenait à leur égard ?

– Et puis, ils seront contents d'avoir un souverain capable de leur fournir des héritiers, ajouta Farrell. Tout le monde sait que les incessants mariages entre princes et princesses sont en train de les rendre stériles.

Lui-même né Prince de Rubis, Wellan haussa un sourcil, mais il ne mordit pas à l'hameçon. Farrell était amer et il était dangereux de jeter de l'huile sur le feu. Hawke se montra cependant moins perspicace.

– Mais l'un de ces futurs princes est entre les mains d'un dieu déchu, fit-il observer.

– Je le retrouverai ! rugit le futur roi en faisant volte-face.

Lassa se cacha sous la cape de son maître.

– Je suis désolé, s'excusa humblement Hawke. Je n'ai pas voulu raviver votre douleur.

Farrell prit une profonde respiration. Au fond, il savait bien que son confrère n'avait pas dit cela pour lui faire de la peine. Hawke était son meilleur allié au palais. Ils avaient toujours été de bons amis.

– Je vous souhaite de ne jamais connaître ce déchirement, lui répondit-il enfin.

Les dignitaires revinrent quelques minutes plus tard, la mine réjouie. L'un d'eux transportait un coffre recouvert d'or.

– Nous sommes prêts à procéder au couronnement, les informa le conseiller en chef.

– Dans ce cas, procédons dehors, indiqua Farrell en lui saisissant la manche.

– Mais selon le protocole, cette cérémonie doit avoir lieu dans cette salle !

– Je viens de changer cette règle.

Il traîna le pauvre homme jusque sur le porche. Tous ses collègues le suivirent en échangeant des regards inquiets. Wellan, Lassa, Kira et Hawke fermèrent la marche sans trop savoir s'ils pouvaient intervenir.

En voyant le magicien sortir par les grandes portes, le peuple se mit à chahuter. Farrell fit un signe de la main pour les exhorter au silence.

– Votre requête est exaucée ! claironna-t-il.

Les paysans se mirent à applaudir et à siffler. Farrell se retourna vers le dignitaire ébranlé et posa un genou en terre. Le silence se fit graduellement dans la cour. Les Chevaliers se frayèrent un chemin dans la foule pour s'assurer que tout se passerait calmement. Kira sortit de son coffre la couronne sertie de joyaux et la remit au conseiller en chef.

– Par les pouvoirs que me confèrent les statuts du Royaume d'Émeraude, je vous proclame roi de ce pays, suivant la décision unanime du peuple, déclara le dignitaire. Vous serez désormais connu sous le nom de Far...

– Non ! le stoppa le magicien. Pas Farrell. Mon nom est Onyx d'Émeraude.

– Vous êtes... serez..., balbutia l'homme.

Onyx lui enleva la couronne des mains et la tendit à Wellan.

– Faites-moi l'honneur de me sacrer roi, Chevalier, le pria-t-il.

– C'est plutôt irrégulier, protesta le grand chef en jetant un œil à Kira.

– Je veux être couronné par un personnage royal.

– Tu es théoriquement un Prince de Rubis, rappela Kira à Wellan.

Le grand chef chercha Bridgess du regard. Elle se tenait au milieu de ses compagnons, aussi renversée que lui. Après avoir écouté les commentaires autour d'elle, elle lui fit finalement signe d'obtempérer. Wellan fit donc ce que le renégat lui demandait.

– Voici votre nouveau souverain : le Roi Onyx d'Émeraude ! annonça Hawke.

Le renégat nageait en pleine euphorie. Il avait attendu ce moment pendant plus de cinq cents ans. Il reçut les félicitations de tout le monde et poussa même l'audace jusqu'à marcher à travers la foule. De la fenêtre de la tour, Swan l'observait en se disant que roi ou pas, il continuerait d'être son mari et de lui obéir.

Le premier commandement du souverain fut de donner un banquet pour les Chevaliers qui avaient défendu le pays contre ses ennemis. Il avisa les paysans qu'il y aurait également une grande fête pour eux à la nouvelle lune, dès que des vivres pourraient être achetés à leurs voisins de Diamant. La cour se vida lentement dans les rires et la bonne humeur. Onyx se tourna vers le porche et vit que Wellan s'y tenait encore avec son Écuyer.

– Vous me ferez bien l'honneur de vous asseoir à ma table, le convia le renégat en revenant vers lui.

– Je suis votre serviteur, désormais, répondit le Chevalier avec diplomatie. Puis-je parler librement, sire ?

Le mage l'y encouragea d'un mouvement de la tête.

– Vous m'avez menti lorsque vous m'avez dit que vous partagiez ce corps avec Farrell, n'est-ce pas ?

– Non. À cette époque, nous vivions en symbiose. Puis, avec le temps, la personnalité d'Onyx est devenue la plus forte. Je continue de partager les souvenirs de mon descendant, par contre. Il arrive même que je ne sache plus si ce sont les miens ou les siens. Cessez de vous torturer, Wellan. Je serai un bon roi.

Onyx entra dans son palais. Il n'allait pas être facile de persuader Swan de changer de logement...

Wellan ne le revit que le soir, dans le hall royal, décoré pour l'occasion. Ses Chevaliers s'y trouvaient tous, avec leurs Écuyers. Jenifael fut bien contente que son père vienne s'installer près d'elle avec Lassa. Son maître Swan était d'une humeur massacrante depuis le couronnement. Curieusement, le nouveau roi garda le silence pendant tout le repas. Ses yeux ne regardaient nulle part. Ils assistaient, dans sa mémoire, à un tout autre festin. Il aurait tellement voulu que son ami Hadrian le voit ainsi. Mais le Roi d'Argent n'était plus...

– Comment aimes-tu ta vie d'Écuyer ? murmura Lassa à l'oreille de Jenifael.

– Ce n'était pas si mal jusqu'à ce matin, soupira la fillette. Je ne suis pas habituée à des parents qui se disputent souvent...

– As-tu eu l'occasion de parler à Liam ?

– Non. Dès qu'on nous a ramenés au château, il a rejoint sire Kevin. Il prend son rôle vraiment au sérieux.

Mine de rien, Wellan écoutait les bavardages des enfants en réprimant un sourire. Nogait leva alors son verre au nouveau roi. Tous firent de même. Ils goûtèrent leur vin et éclatèrent de rire. Cette fête ressemblait finalement à tous les autres repas que les vaillants soldats prenaient ensemble.

Bergeau raconta ses farces, Santo fit chanter tout le monde, puis les Écuyers commencèrent à s'assoupir. Wellan allait ordonner à Lassa de regagner leur chambre lorsqu'ils reçurent le message angoissé de Katas, le jeune Elfe qui avait pris la tête des archers de son peuple. *Chevaliers d'Émeraude, nos éclaireurs ont vu des guerriers insectes au sud des falaises ! Ils pénètrent à l'intérieur du continent !*

Nous arrivons ! répondit Wellan. Ses hommes et leurs apprentis quittèrent la grande salle en vitesse. Par courtoisie, le grand chef s'inclina devant son monarque.

— Encore toutes mes félicitations, Altesse, le complimenta Wellan.

— Arrêtez de faire le sot, le gronda Onyx. Je ne serai pas un souverain comme celui que vous avez connu. Je serai un roi-guerrier, un frère d'armes. Est-ce que je me fais bien comprendre ?

— Oui, sire, acquiesça le grand chef avec un sourire.

— Allez secourir les Elfes et ne m'obligez pas à intervenir, cette fois.

Wellan se précipita à la suite de ses Chevaliers pour aller chercher ses armes et seller son cheval. Seule Swan demeura dans le hall.

— À ton retour, je suis certain que tu ne seras plus fâchée contre moi, minauda Onyx.

— On verra. Tâche de veiller sur nos fils.

Elle tourna les talons et sortit de la pièce. Onyx continua de siroter son vin en pensant à ce remarquable revirement de situation.

BIENTÔT

Les Chevaliers d'Émeraude

TOME IX
L'HÉRITAGE DE DANALIETH

Danalieth avait connu une fin tragique, mais il avait vécu la vie dont il avait rêvé. Onyx l'avait toujours envié pour cette raison. Prévenu par sa mère de la colère du panthéon, l'Immortel s'était résigné à son sort, non sans avoir caché un peu partout des armes de pouvoir. Parmi elles, la griffe de toute-puissance avait été dissimulée dans les rochers par la déesse Cinn, mais elle avait été forgée au pays des Elfes par Danalieth lui-même. Et il y en avait d'autres. Il suffisait seulement de les trouver.

Onyx poussa son cheval vers cette curieuse pulsation qu'il captait dans la terre, un battement qui ressemblait à celui du cœur de son ami Hadrian. Cet homme n'avait pas été uniquement un grand soldat, il avait également su utiliser ses facultés surnaturelles à d'autres fins que la guerre. Se coupant des commentaires qu'échangeaient les Chevaliers d'Émeraude aux prises avec la nouvelle espèce de guerriers insectes, le nouveau souverain trouva finalement le tertre artificiel construit par le Roi d'Argent. Il était protégé par une intéressante magie elfique, rien qu'un bon sorcier ne puisse déjouer.

Le renégat mit pied à terre et laissa brouter la bête. Il savait qu'elle ne s'éloignerait pas. Il marcha lentement autour du galgal, cherchant une entrée. S'il connaissait bien son vieil ami, il avait très certainement laissé un signe pour ses camarades...

– Hadrian, parle-moi...

C'est alors qu'il vit la pierre. Elle était posée à plat sur le sol, aucune végétation ne la recouvrait, et elle avait la forme d'un hippocampe !

– Je savais que tu ne me laisserais pas tomber ! se réjouit Onyx.

Il s'agenouilla devant cette marque vraisemblablement placée là pour ceux qui connaissaient l'importance de ce petit poisson pour Hadrian.

Le roi magicien passa la main au-dessus du motif marin. Son vieil ami avait utilisé le même genre d'enchantement que certains soldats de leur époque pour cadenasser leurs journaux. « Un jeu d'enfant », constata-t-il. Il se remémora les phrases préférées de son ami et les récita à haute voix. D'abord, rien ne se produisit. Puis, une image apparut dans son esprit.

Le renégat avait toujours été le dernier à quitter le champ de bataille. Quand il arrivait au campement, les autres soignaient déjà leurs blessures ou ils dormaient, épuisés par les combats. Hadrian était habituellement dans sa tente, où il se versait à boire.

– Il était temps que tu arrives ! s'exclama Onyx en se rappelant ce que lui disait alors l'ancien chef des Chevaliers.

La terre se mit à trembler et une ouverture apparut dans le tumulus. Onyx y pénétra sans même craindre un piège. Il connaissait trop bien le Roi d'Argent. Du revers de la main, il alluma les flambeaux et contempla ce sanctuaire inespéré.

– Hadrian, tu es un génie !

Le Roi d'Émeraude marcha le long des rayons, se laissant guider par son intuition. Jamais Hadrian n'aurait mis des ouvrages importants à la vue de tous. Il avisa l'épée double sur la table de pierre.

– Mais bien sûr...

Il se pencha et trouva une petite surface plane à l'intérieur de l'autel. Quelques livres y reposaient depuis des centaines d'années, intacts. Il les extirpa de leur cachette avec précaution et les déposa sur la surface polie. Son cœur se gonfla de joie : il s'agissait de trois recueils distincts et chacun traitait d'un instrument de pouvoir différent. Ces ouvrages étaient écrits dans l'ancienne langue des Elfes, avant qu'elle n'ait subi l'influence de celle des humains. Ils représentaient un défi intéressant pour un homme pressé d'exercer sa domination.

Il ouvrit le premier et découvrit un croquis de la griffe soudée à son doigt. Il pourrait donc en apprendre davantage sur ses propriétés magiques. Le second dévoilait où étaient cachées les spirales enflammées. « Donc, le troisième parle très certainement des bracelets de foudre... », déduisit Onyx. Il venait de mettre la main sur un trésor inestimable !

Le renégat avait appris, lors de ses discussions privées avec Hadrian, que ces bijoux célestes ne pouvaient pas être utilisés par un seul homme. Leur puissance était trop terrible. C'est pour cette raison que le nouveau roi voulait convaincre

Wellan de lui venir en aide. Ce brave soldat voulait à tout prix sauver Enkidiev : il accepterait sans doute de recevoir un aussi beau présent. Mais qui posséderait le troisième objet ? Kevin aurait été le candidat par excellence, mais sa condition ne lui permettrait pas d'utiliser cette arme redoutable.

Onyx repassa mentalement tous les membres de l'Ordre, sans se décider. Le visage de Hawke apparut alors dans ses pensées. Il avait capté dans le cœur de l'Elfe un immense désir d'apporter sa contribution dans ce conflit. Une fois qu'il lui aurait expliqué à quoi servait l'héritage de Danalieth, le magicien d'Émeraude s'allierait à sa cause.

L'ancien soldat parcourut avec intérêt les explications fournies pour chaque objet de pouvoir. Un sourire s'étira lentement sur ses lèvres : Wellan, Hawke et lui deviendraient invincibles et ils aviseraient les dieux de ne plus se mêler de leurs affaires. Danalieth avait octroyé des facultés individuelles à ses créations enchantées, mais il avait aussi prévu qu'ensemble, elles seraient foudroyantes.

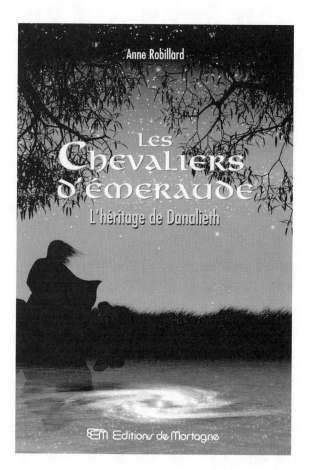